D0263726

CALCUL DIFFÉRENTIEL ET INTÉGRAL

ET

FORMATION FONDAMENTALE

TOME 1

2e ÉDITION

Germain Beaudoin — Jacques Laforest

CALCUL DIFFÉRENTIEL ET INTÉGRAL

ET

FORMATION FONDAMENTALE

TOME 1

2e ÉDITION

Les Éditions BL
Montréal, 1993

Germain Beaudoin et Jacques Laforest sont aussi les auteurs des manuels suivants, publiés aux *Éditions BL* :
– *Recueil de solutions pour le présent manuel*, 1993.
– *Calcul différentiel et intégral et Formation fondamentale, Tome 2 (MATH 203)*, 1992;
– *Recueil de solutions pour le tome 2 ci-dessus*, 1993.

Germain Beaudoin est aussi l'auteur des manuels suivants, disponibles aux Presses de l'Université Laval — Téléphone (418) 656-5106 :
– *Complément de mathématiques (MATH 101)*, 1979;
– *Algèbre linéaire et Géométrie vectorielle, Tome I*, 1988;
– *Algèbre linéaire et Géométrie vectorielle, Tome II*, 1988.

Les Éditions BL
2240, rue Fullum
Montréal (Québec)
CANADA   H2K 3N9   Tél.: (514) 526-9371   Fax: (514) 596-0147

© Tous droits réservés.
Dépôt légal: 2e trimestre 1993
Bibliothèque nationale du Québec
Bibliothèque nationale du Canada
I.S.B.N.   2-9802478-5-5

TABLE DES MATIÈRES

AVANT-PROPOS

Ce manuel de calcul différentiel et intégral est le fruit de la collaboration de deux professeurs de mathématiques qui ont mis à profit deux expériences complémentaires. Germain Beaudoin, d'un côté, est expérimenté dans la rédaction de manuels de mathématiques : il en a trois à son crédit. Jacques Laforest, de l'autre, consacre depuis plusieurs années ses efforts à appliquer les principes de la «formation fondamentale» à l'enseignement du calcul différentiel et intégral.

Les deux auteurs n'ont rien négligé pour que la qualité pédagogique de leur production soit la meilleure possible :

– courtes notes historiques au début des chapitres ;
– exposés clairs et présentés avec soin ;
– nombreuses remarques destinées à soutenir l'attention du lecteur ;
– fréquents rappels visant à rafraîchir la mémoire ;
– choix abondant d'exemples ;
– nombreux exercices, soigneusement gradués, répartis tout au long du texte ;
– exercices récapitulatifs à la fin de chaque chapitre, suivis de quelques questions plus difficiles (pour un cours enrichi) ;
– corrigé des exercices, à la fin du manuel.

Les auteurs ont de plus concentré leurs efforts sur les objectifs particuliers de la *formation fondamentale*, tout au moins sur ceux qu'on peut espérer atteindre dans les limites d'un premier cours d'analyse mathématique. Voici ces objectifs, regroupés sous deux chefs : le *savoir* et le *savoir-faire*.

(a) *Le savoir*

Il importe que l'élève comprenne bien la matière étudiée. Aussi une insistance toute particulière à été mise sur :

- la claire perception des concepts de base du cours, à savoir les notions de *fonction*, de *limite* et de *dérivée* : bien comprendre la définition d'un concept, c'est pouvoir formuler cette définition dans ses propres mots et être capable d'illustrer cette définition à l'aide d'exemples de son cru ;

- l'acquisition d'un *savoir organisé et intégré* : toutes les notions du cours se rattachent logiquement à l'un des concepts de base, eux-mêmes reliés entre eux.

(b) *Le savoir-faire*

Le développement des aptitudes intellectuelles de l'étudiant est un autre point à ne pas négliger. Nous avons multiplié pour celui-ci les occasions d'améliorer sa capacité :

- de *relier les concepts entre eux* ;

- de *faire le lien entre la théorie et ses applications* et d'être ainsi capable de justifier chaque étape d'une preuve ou de la résolution d'un problème ;

- de *résumer une partie de la matière* en dégageant les concepts de base et en reliant chacune des autres notions à ceux-ci (par exemple à l'aide d'un tableau synoptique).

Nous avons veillé à ce que ce manuel puisse être utilisé par tous, quelle que soit l'orientation générale de leurs études. C'est au professeur qu'il reviendra de choisir telle ou telle partie selon les besoins des étudiants. Les six premiers chapitres présentent les concepts de base du calcul différentiel et doivent donc être étudiés par tous. Au chapitre 7, l'étude des *taux de variation liés* pourrait être réservée aux étudiants inscrits en Sciences de la nature.

Pour ceux et celles qui devront poursuivre avec un cours de calcul intégral à proprement parler, on pourra se contenter d'une vue sommaire du chapitre 10 (Éléments de calcul intégral). Signalons que ce chapitre 10 constitue un préalable nécessaire pour certains cours de probabilités et de statistiques offerts dans les cégeps et les universités. Pour les étudiants qui n'auront pas à suivre un cours de calcul intégral à proprement parler, on pourra choisir dans les chapitres 8 et 9 la matière correspondant à leurs besoins particuliers.

Les «*défis à relever*» proposés à la fin des chapitres sont facultatifs et peuvent fournir de la matière pour un cours enrichi. Outre les «rappels» proposés à l'intérieur des chapitres, nous avons placé en appendice quelques rappels supplémentaires de notions du cours secondaire, auxquels les élèves pourront recourir au besoin.

Nous espérons que ce livre contribuera de façon appréciable à la formation intellectuelle de nos étudiants. Nous remercions les utilisateurs pour l'accueil fait à ce manuel et les assurons de notre gratitude pour tout commentaire ou toute suggestion qu'ils pourront nous faire parvenir.

C'est avec fierté que, pour terminer, nous voulons souligner que ce livre s'est mérité une mention lors de l'attribution des prix de la Ministre 1991.

Germain Beaudoin
Jacques Laforest

(Mai 1993)

VARIABLES ET FONCTIONS

L'arithmétique est la science des nombres. La géométrie est celle des figures. Le calcul différentiel, quant à lui, s'intéresse aux *fonctions*. Pour approfondir nos connaissances sur les fonctions, nous aborderons dans ce livre deux notions capitales : celle de *limite* (chapitre 2) et celle de *dérivée* (chapitre 4). Grâce à ces notions, nous pourrons résoudre des problèmes aussi variés que le calcul de la pente de la tangente à une courbe en un point donné de cette courbe (chapitre 4), le calcul de la vitesse instantanée d'un corps en chute libre à tel moment précis de sa chute (chapitre 4), la détermination des intervalles de croissance et des intervalles de décroissance d'une fonction (chapitre 6), la détermination de la forme à donner à un contenant pour que son coût soit minimal (chapitre 7). Notre étude des fonctions ne se bornera pas aux seules fonctions *algébriques* (chapitres 5 et 6), mais s'étendra aussi aux fonctions *transcendantes* (chapitres 8 et 9).

La fonction est une notion tellement utilisée dans les diverses branches du savoir qu'un grand nombre de facultés universitaires exigent que leurs étudiants aient une connaissance satisfaisante du calcul différentiel et intégral. Même si, au départ, ceux et celles qui abordent ce cours sont censés connaître les premiers rudiments de la notion de fonction, ce chapitre n'est autre qu'un simple rappel de ces rudiments et d'autres notions connexes. Nous considérerons que l'élève sait comment tracer dans le plan le graphique correspondant à une équation simple en x et y.

Signalons, pour terminer ce mot d'introduction, que le premier auteur à écrire un manuel structuré sur le calcul différentiel et intégral fut le mathématicien Guillaume de L'Hospital (France, 1661-1704) qui publia en 1696 son livre intitulé *L'analyse des infiniment petits.*

1.1 Objectifs du chapitre

À la fin de ce chapitre, l'élève devra être capable:

- de définir dans ses mots les notions de *constante*, de *variable*, de *fonction*, de *domaine de définition d'une fonction*, d'*intervalle ouvert* et d'*intervalle fermé*;

- d'interpréter correctement la notation $f(a)$ (a quelconque), une fois connue la définition d'une fonction $f(x)$;

- d'identifier le domaine de définition d'une fonction dans différents cas pouvant présenter des difficultés particulières.

1.2 La notion de fonction

Constante

En algèbre, on appelle ***constante*** un symbole numérique conservant toujours la même valeur. Par exemple les nombres 2, –3 et $\sqrt{7}$ sont des constantes.

Variable

Une ***variable*** est un symbole algébrique pouvant en principe prendre plusieurs valeurs. Par exemple, dans l'équation $2x + 3y = 8$, les symboles x et y sont des variables (alors que les nombres 2, 3 et 8 sont des constantes).

Fonction

Étant donnés deux ensembles A et B, on appelle ***fonction*** de A vers B (A étant l'***ensemble de départ*** de la fonction et B son ***ensemble d'arrivée***) une correspondance f qui, à certains $x \in A$ (parfois à tous les $x \in A$) fait correspondre un et un seul $y \in B$. On dit que x est la ***variable indépendante*** de la fonction et y sa ***variable dépendante***. Dans les fonctions abordées dans ce cours, on aura le plus souvent $A = B = R$ (où R désigne l'ensemble des nombres réels).

On signifie que tel élément y de B est mis en correspondance par la fonction f avec tel élément x de A en écrivant $y = f(x)$ (lire: «*y égale f de x*»). On dit que y est l'***image*** de x par f. Par exemple, l'expression $y = x^2 + 7$ définit une fonction (sur l'ensemble R des réels). Bien entendu, comme c'est l'usage, cette même fonction peut aussi s'écrire $f(x) = x^2 + 7$.

Dans ce cours de calcul, nous étudierons les fonctions déterminées par des équations à deux inconnues. Par exemple, l'équation $3x - 5y = 12$ détermine une fonction, la fonction $y = \dfrac{3x - 12}{5}$.

Sens exact de la notation *f(x)*

Rappelons que si $f(x)$ désigne une fonction quelconque et a une valeur quelconque, alors l'expression $f(a)$ désigne la valeur que prend $f(x)$ lorsqu'on y remplace x par a. Par exemple, pour la fonction $f(x) = x^2 + 3x - 2$, on a:

$$f(2) = 4 + 6 - 2 = 8;$$

$$f(a) = a^2 + 3a - 2;$$

$$f(a + h) = (a + h)^2 + 3(a + h) - 2;$$

et, d'une façon générale:

$$f([\ ]) = [\ ]^2 + 3[\ ] - 2.$$

Remarque

Rappelons que dans le cas d'une *fonction constante* $f(x) = k$, la valeur que prend $f(x)$ lorsqu'on y remplace x par a est k, et ceci quelle que soit la valeur attribuée à a. Par exemple, pour la fonction $f(x) = 5$, on a:

$$f(2) = 5;$$

$$f(a) = 5;$$

$$f(a + h) = 5.$$

1.3 Exercices

1. Si $f(x) = x^3 - 2x + 7$, que valent:

   (a) $f(2)$;

   (b) $f(a)$;

   (c) $f(a + 2)$;

   (d) $f(x^2 + x)$;

   (e) $f(x + \Delta x)$;

   (f) $f(x + \Delta x) - f(x)$.

   (*Note:* La notation Δx (qui se lit: «*delta x*») est très utilisée en calcul différentiel. Son sens sera précisé plus loin. Pour l'instant retenir que, dans l'expression Δx, les symboles Δ et x sont indissociables, c'est-à-dire qu'on doit les considérer comme faisant un tout, comme c'est le cas, par exemple, des symboles x et ' dans l'expression x'.)

2. Si $g(x) = \dfrac{x-1}{x+2}$, que valent:

   (a) $g(3)$;

   (c) $g(\Delta x)$;

   (e) $g(x+\Delta x)$;

   (b) $g(x+h)$;

   (d) $g(x^3)$;

   (f) $g(x+\Delta x) - g(x)$.

3. Donner $f(x+\Delta x) - f(x)$ pour chacune des fonctions suivantes:

   (a) $f(x) = x^2 - x$;

   (c) $f(x) = \dfrac{x}{3x+2}$;

   (e) $f(x) = \dfrac{1}{\sqrt{3-2x}}$;

   (g) $f(x) = \dfrac{x+1}{x-1}$;

   (b) $f(x) = 4x - 7$;

   (d) $f(x) = \sqrt{x+5}$;

   (f) $f(x) = 8$;

   (h) $f(x) = 3x^2 + 2x - 4$.

Pour les autres questions, tracer le graphique correspondant à l'équation et dire s'il s'agit d'une fonction (comme à l'accoutumée, on considérera x comme la variable indépendante et y comme la variable dépendante):

4. $2x + 3y = 6$.

5. $y = x^2$.

6. $x = y^2$.

7. $y = 2^x$.

8. $x = 2^y$.

9. $x^2 + y^2 = 25$.

1.4 Espèces de fonctions

Nous ne nous intéresserons dans ce livre qu'aux fonctions dites **numériques**, c'est-à-dire *à valeurs réelles*. Ces fonctions se subdivisent en deux classes: les *fonctions algébriques* et les *fonctions transcendantes*. Une **fonction algébrique** est une fonction pouvant se définir implicitement ou explicitement par une *équation polynomiale* en x et y, où les puissances de x sont des nombres réels et les puissances de y des nombre naturels, avec au moins une puissance de y non nulle. Voici quelques exemples de fonctions algébriques (chacune accompagnée de sa dénomination particulière):

$$y = 4x^3 + 5x^2 - x + 2 \qquad\qquad \text{(fonction } polynomiale\text{)};$$

$$y = \frac{5x^2 - 3x}{x^3 + x + 2} \qquad\qquad \text{(fonction } rationnelle\text{)};$$

$$y = \sqrt{5x^2 - x} = (5x^2 - x)^{1/2} \qquad \text{(fonction \textit{irrationnelle})}.$$

Les fonctions numériques qui ne sont pas algébriques sont appelées ***fonctions transcendantes***. C'est à cette dernière catégorie qu'appartiennent, par exemple, la fonction *logarithme*, la fonction *exponentielle* et les fonctions *trigonométriques*, dont il sera question aux chapitres 8 et 9.

1.5   Domaine de définition d'une fonction

Étant donnée une fonction $f : A \rightarrow B$ (expression qui signifie: une fonction f de l'ensemble A vers l'ensemble B), l'ensemble de tous les éléments x de A admettant une image par f est appelé le ***domaine de définition*** de f et souvent noté D_f. Par exemple, pour la fonction $y = f(x) = 2x + 3$, le domaine de définition est R (ce qui signifie que tout $x \in R$ admet dans R une image par f).

Remarque 1

Lorsqu'on détermine le domaine de définition d'une fonction, trois points sont à surveiller tout particulièrement:

- la division par zéro est impossible (ce qui revient à dire qu'on doit exclure du domaine de définition toute valeur de x rendant un dénominateur nul);
- les nombres négatifs n'admettent pas de racines paires;
- le logarithme de zéro ou d'un nombre négatif n'existe pas.

Notion d'intervalle

Soient a et b deux nombres réels avec $a \leq b$. Alors l'ensemble de tous les nombres réels compris entre a et b est appelé ***intervalle*** (a et b pouvant être compris ou exclus). Parmi les intervalles d'extrémités a et b, on distingue:

(a) l'*intervalle fermé*:

$$[a, b] = \{x \in R \mid a \leq x \leq b\};$$

(b) l'*intervalle ouvert*:

$$]a, b[= \{x \in R \mid a < x < b\};$$

(c) les *intervalles semi-ouvert*s:

$$]a, b] = \{x \in R \mid a < x \leq b\} \quad \text{et} \quad [a, b[= \{x \in R \mid a \leq x < b\}.$$

À noter que lorsque le symbole ∞ constitue l'une des extrémités d'un intervalle, celui-ci doit être ouvert à l'extrémité en question, car l'infini n'existe pas en tant que nombre (V. page 29). C'est ainsi, par exemple, qu'on peut écrire: $R =]-\infty, +\infty[$.

Exemple 1

Soit à déterminer le domaine de définition de la fonction $f(x) = \sqrt{x-3}$. Il faut que l'expression sous le radical ait une valeur positive (c'est-à-dire une valeur nulle ou une valeur strictement positive ; V. Remarque 2 ci-dessous). On doit donc avoir $x - 3 \geq 0$, c'est-à-dire $x \geq 3$. Le domaine de définition de la fonction est par conséquent :

$$D_f = [\,3\,,\infty\,[\,.$$

Remarque 2

Conformément à ce qui est proposé dans le *DICTIONNAIRE DES MATHÉMA-TIQUES* (Presses Universitaires de France, 1979), nous dirons d'un nombre réel qu'il est *positif* s'il est nul ou supérieur à zéro et qu'il est *négatif* s'il est nul ou inférieur à zéro. Dans ces conditions, le nombre zéro est donc à la fois positif et négatif. Il est le seul nombre réel à avoir cette propriété. D'autre part, pour signifier qu'un nombre réel est positif (négatif) mais non nul, nous dirons qu'il est *strictement positif* (*strictement négatif*).

Exemple 2

Soit à déterminer le domaine de définition de la fonction $f(x) = \log_a (2x + 5)$ (il s'agit ici de la fonction logarithme considérée dans la base a). Il faut que l'expression $2x + 5$ ait une valeur strictement positive. On doit donc avoir $2x + 5 > 0$, c'est-à-dire $2x > -5$ ou, ce qui revient au même, $x > -\dfrac{5}{2}$. Le domaine cherché est par conséquent :

$$D_f = \,]-\frac{5}{2}\,,\ \infty\,[\,.$$

Exemple 3

Soit à déterminer le domaine de définition de la fonction $f(x) = \dfrac{4}{x-1}$. Il faut que le dénominateur soit différent de 0. Le domaine est donc :

$$D_f = R \setminus \{1\}\,.$$

1.6 Exercices

Pour chacune des fonctions proposées, spécifier le domaine de définition:

1. $f(x) = x^2 + x + 1$.

2. $f(x) = \dfrac{1}{x}$.

3. $f(x) = \sqrt{1 + x^3}$.

4. $f(x) = \log_a(1 + x^2)$.

5. $f(x) = \dfrac{x^2 - 4}{x - 2}$.

6. $f(x) = \log_a(2x - 1)$.

7. $f(x) = \sqrt{x^2 + 5}$.

8. $f(x) = \log_a(7 - x)$.

9. $f(x) = 2^x$.

10. $f(x) = \dfrac{(x + 2)}{(x + 1)(x - 3)}$.

11. $f(x) = \sqrt{4 - x}$.

12. $f(x) = \dfrac{2x}{x - 4}$.

13. $f(x) = \log_a \sqrt{1 + x}$.

14. $f(x) = \dfrac{x + 2}{x^2 - 4}$.

15. $f(x) = \log_a x^2$.

16. $f(x) = \sqrt[3]{x}$.

17. $f(x) = \dfrac{x^2 + x + 1}{x^2 + 1}$.

18. $f(x) = \dfrac{1}{\sqrt{4 - x}}$.

19. $f(x) = \dfrac{1}{2^x}$.

20. $f(x) = \dfrac{6}{(x - 1)(x - 2)(x - 3)}$.

1.7 Résumé du chapitre

(a) La fonction

Étant donnés deux ensembles A et B, on appelle *fonction* de A vers B une correspondance qui, à certains $x \in A$ (parfois à tous les $x \in A$) fait correspondre un et un seul $y \in B$.

(b) Sens exact de la notation *f(x)*

Si $f(x)$ désigne une fonction quelconque et a une valeur quelconque, alors l'expression $f(a)$ désigne la valeur que prend $f(x)$ lorsqu'on y remplace x par a.

Par exemple, pour la fonction $f(x) = x^2 + 3x - 2$, on a:

$$f(2) = 4 + 6 - 2 = 8 \qquad \text{et}$$

$$
\begin{aligned}
f(x + \Delta x) - f(x) &= [\,(x + \Delta x)^2 + 3\,(x + \Delta x) - 2\,] - [\,x^2 + 3x - 2\,] \\
&= [\,x^2 + 2x\,\Delta x + (\Delta x)^2 + 3x + 3\Delta x - 2\,] - [\,x^2 + 3x - 2\,] \\
&= 2x\,\Delta x + (\Delta x)^2 + 3\Delta x\,.
\end{aligned}
$$

(c) Domaine de définition d'une fonction

Étant donnée une fonction $y = f(x)$, l'ensemble de tous les éléments x de A admettant une image par f est appelé le ***domaine de définition*** de la fonction.

(d) Points à surveiller dans la détermination du domaine de définition d'une fonction

- La division par zéro est impossible.
- Un nombre négatif n'admet aucune racine paire.
- Le logarithme de zéro ou d'un nombre strictement négatif n'existe pas.

2 LIMITES

Comme nous l'avons signalé dans l'introduction du chapitre précédent, le calcul différentiel est une branche des mathématiques ayant pour objet principal l'étude des *fonctions*. L'étude des fonctions a pour fondement une notion très importante appelée *limite*, qui fera l'objet de ce chapitre. Signalons qu'Archimède (287-212 avant J.-C.) s'est servi d'un procédé s'apparentant d'assez près à la notion de limite lorsqu'il utilisa la méthode dite de l'«exhaustion» pour calculer la circonférence d'un cercle en fonction de son diamètre.

Ce n'est qu'au début du XIXe siècle que prit forme une définition rigoureuse de la *limite d'une fonction*, grâce tout particulièrement aux mathématiciens Bolzano (Tchécoslovaquie, 1781-1848), Cauchy (France, 1789-1857) et Weierstrass (Allemagne, 1815-1897). C'est à ce dernier qu'on doit la définition formelle utilisée aujourd'hui.

2.1 Objectifs du chapitre

À la fin de ce chapitre, l'élève devra être capable :

- de définir dans ses mots les notions suivantes : la *fonction*, la *limite d'une variable*, la *limite d'une fonction*, l'*infini mathématique*, l'*asymptote* ;
- de donner la signification des notations $x \to a^+$, $x \to a^-$, $x \to a$ et $\lim_{x \to a} f(x) = L$;

– de calculer les limites de fonction dans les cas réguliers et dans les cas d'exception;

– d'expliquer pourquoi les formes $\sqrt[2n]{0}$, $\dfrac{0}{0}$ et $\dfrac{c}{0}$ sont des cas d'exception;

– de prouver que $\lim\limits_{x \to \infty} (a_n x^n + a_{n-1} x^{n-1} + \ldots + a_1 x + a_0) = \lim\limits_{x \to \infty} a_n x^n$;

– de faire la différence entre les expressions $\infty + \infty = \infty$, $\infty \cdot \infty = \infty$ d'une part et les formes (dites indéterminées) $\infty - \infty$ et $\dfrac{\infty}{\infty}$ d'autre part;

– d'expliquer le rôle des asymptotes dans la construction des graphiques de fonctions.

2.2 La notion de limite

À titre d'introduction à la notion de limite, considérons les trois exemples suivants:

Exemple 1

Lorsqu'on écrit $1/3 = 0{,}333$, on fait une approximation, sachant très bien que cette égalité n'est pas exacte. Si on ajoute plusieurs 3 au développement décimal, on s'approche d'autant de la valeur exacte, sans jamais l'atteindre cependant. Dans cet exemple, $1/3$ est une *constante* et $0{,}333\ldots$ une *variable* dont la valeur change lorsqu'on modifie le nombre des 3; plus on ajoute de 3, plus on s'approche de la valeur exacte. On dit que la constante $1/3$ est une «*limite*» («la limite de $0{,}333\ldots$ lorsque le nombre de 3 tend vers l'infini»).

Exemple 2

Dans un cirque, on a dressé un kangourou de telle sorte que, pour aller d'un point à un autre, il procède par sauts, chaque saut devant être égal à la moitié de la distance qu'il reste à parcourir. On place le kangourou à un point *A* et on lui ordonne de se rendre de cette manière au point *B* situé à 2 mètres de *A*. La question est de savoir combien de sauts devra faire l'animal pour atteindre le point *B*? Voici un graphique illustrant la situation:

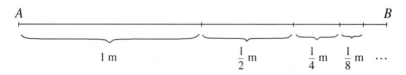

Théoriquement, s'il est fidèle à la consigne (?), le kangourou n'atteindra jamais le point *B*, mais il pourra parvenir aussi près du but que l'on veut (moyennant un nombre suffisant de sauts). Cette observation peut se traduire mathématiquement comme suit:

$$1 + \frac{1}{2} + \frac{1}{4} + \frac{1}{8} + \frac{1}{16} + \frac{1}{32} + \dots \to 2,$$

où la petite flèche $\to$ se lit : «*tend vers*». Le nombre 2 est une *limite* («la limite de la somme $1 + \frac{1}{2} + \frac{1}{4} + \dots + \frac{1}{2^n}$, lorsque n tend vers l'infini»).

Exemple 3

Ne disposant pas du nombre π pour calculer la circonférence d'un cercle en fonction de son diamètre, les anciens ont obtenu une très bonne approximation en inscrivant un hexagone régulier (6 côtés) dans un cercle pour ensuite prendre le périmètre de l'hexagone comme une première approximation de la circonférence cherchée. Ils ont ensuite doublé le nombre des côtés, après avoir mis au point une manière de calculer, à partir de l'approximation précédente, le périmètre du polygone régulier de 12 côtés ainsi obtenu. Ils ont ensuite passé à 24, 48, 96 côtés, etc., toujours en usant du même stratagème. L'idée était excellente, car plus le nombre des côtés augmentait, plus le polygone inscrit tendait à se confondre avec le cercle. Ici la circonférence du cercle est une *constante* et le périmètre du polygone inscrit une *variable* («la circonférence du cercle est égale à la limite du périmètre du polygone inscrit lorsque le nombre de ses côtés augmente à l'infini»).

2.3 Valeur limite d'une variable

On dit qu'une variable x tend vers une constante a, ce qu'on signifie par la notation :

$$x \to a$$

(lire : «*x tend vers a*»), si, par étapes successives, la variable x s'approche de plus en plus de la constante a, tout en demeurant différente de a (l'écart entre x et a devenant infiniment petit). Par exemple, on peut affirmer que $x \to 3$ si x prend les valeurs successives 2,9, 2,99, 2,999, etc., ou encore les valeurs successives 3,1, 3,01, 3,001, etc.

2.4 Limite et fonction

Un des cas les plus importants où s'applique la notion de limite est celui des fonctions. Soit $f(x)$ une fonction. Soient d'autre part L et a des nombres réels. Moyennant certaines conditions à être précisées plus loin, on peut dire d'une manière très intuitive que «$f(x)$ tend vers L lorsque x tend vers a» si, lorsque la valeur de x s'approche très près de la valeur de a, la valeur de $f(x)$ s'approche très près de la valeur de L. On signifie cela symboliquement en écrivant :

$$\lim_{x \to a} f(x) \ = \ L$$

(lire : «*la limite de f(x) lorsque x tend vers a est L*»). Par exemple, affirmer que :

$$\lim_{x \to 5} (2x + 3) \ = \ 13,$$

c'est affirmer que, lorsque la valeur de x s'approche très près de 5, la valeur de $f(x) \ = \ 2x + 3$ s'approche très près de 13.

2.5 Limite à gauche – Limite à droite

Limite à gauche

Revenons à la fonction $f(x) \ = \ 2x + 3$. À l'aide de la calculatrice, nous allons dresser ci-après deux tableaux exprimant les valeurs que prend $f(x)$ pour certaines valeurs particulières de x, en concentrant notre attention sur les valeurs de x se situant dans le proche voisinage de 5. Dans le premier tableau, nous nous limiterons aux valeurs de x s'approchant de 5 «*par la gauche*», c'est-à-dire que nous choisirons des valeurs de x inférieures à 5, mais s'approchant de plus en plus de 5 :

x	0	2	4	4,5	4,9	4,99	4,999
$2x + 3$	3	7	11	12	12,8	12,98	12,998

On voit que, plus x s'approche de 5 par la gauche (c'est-à-dire par des valeurs inférieures à 5), plus $f(x)$ s'approche de 13. En fait, la chose est claire, $f(x) \to 13$ lorsque $x \to 5$ par la gauche.

Il s'agit ici de ce qu'on appelle une *limite à gauche*. On dit que «*la limite de f(x) lorsque x tend vers 5 par la gauche est 13*», ce qu'on signifie symboliquement en écrivant :

$$\lim_{x \to 5^-} f(x) \ = \ 13.$$

DÉFINITION

Soient $f(x)$ une fonction et a et L des constantes. On dit que *«la limite de $f(x)$ lorsque x tend vers a par la gauche est L»*, ce qu'on signifie symboliquement en écrivant :

$$\lim_{x \to a^-} f(x) = L$$

si, lorsque x tend vers a par la gauche (c'est-à-dire par des valeurs inférieures à a), $f(x)$ tend vers L. Les limites de ce genre sont appelées *limites à gauche*.

Bien remarquer la notation :

$$\boxed{x \to a^-} \; ,$$

qui se lit : *«x tend vers a par la gauche»* et qui signifie que la valeur de x s'approche de plus en plus de a, tout en demeurant inférieure à a et différente de a.

Limite à droite

Poursuivant avec notre exemple, construisons un second tableau, en concentrant cette fois notre attention sur les valeurs de x s'approchant de 5 *«par la droite»* (c'est-à-dire choisissons des valeurs de x supérieures à 5, mais s'approchant de plus en plus de 5) :

x	10	8	6	5,5	5,1	5,01	5,001
$2x+3$	23	19	15	14	13,2	13,02	13,002

Il ressort de ce tableau que, plus x s'approche de 5 par la droite (c'est-à-dire par des valeurs supérieures à 5), plus $f(x)$ s'approche de 13. En fait, la chose est claire, $f(x) \to 13$ lorsque $x \to 5$ par la droite.

Il s'agit ici de ce qu'on appelle une *limite à droite*. On dit que *«la limite de $f(x)$ lorsque x tend vers 5 par la droite est 13»*, ce qu'on signifie symboliquement en écrivant :

$$\lim_{x \to 5^+} f(x) = 13.$$

---DÉFINITION---

> Soient $f(x)$ une fonction et a et L des constantes. On dit que *«la limite de*
> $f(x)$ *lorsque x tend vers a par la droite est L»*, ce qu'on signifie symboli-
> quement en écrivant:
>
> $$\lim_{x \to a^+} f(x) = L$$
>
> si, lorsque x tend vers a par la droite (c'est-à-dire par des valeurs supérieu-
> res à a), alors $f(x)$ tend vers L. Les limites de ce genre sont appelées
> ***limites à droite***.

Bien remarquer la notation:

$$\boxed{x \to a^+}\ ,$$

qui se lit: *«x tend vers a par la droite»* et qui signifie que la valeur de x s'approche de plus en plus de a, tout en demeurant supérieure à a et différente de a.

Pour clore l'étude faite ci-
dessus de la limite lorsque x
tend vers 5 (par la gauche ou
par le droite) de la fonction
$y = f(x) = 2x+3$, le graphique de cette fonction est
tracé ci-contre.

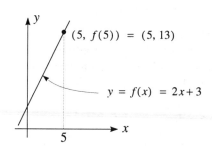

Remarque

Pour une fonction $f(x)$, la limite à droite et la limite à gauche en une valeur
donnée de x n'est pas nécessairement la même (à supposer que les deux limites
existent). Considérons, par exemple, la fonction:

$$y = f(x) = \frac{x-2}{|x-2|}$$

et intéressons-nous aux limites à droite et à gauche en $x = 2$. Comme précédemment, évaluons ces limites à l'aide de la calculatrice, en concentrant notre
attention sur les valeurs de x dans le proche voisinage de 2. Pour ce qui est de
la limite à gauche on obtient le tableau suivant:

x	1	1,5	1,9	1,99	1,999
$\dfrac{x-2}{\lvert x-2 \rvert}$	-1	-1	-1	-1	-1

Par conséquent:

$$\lim_{x \to 2^-} f(x) = -1.$$

Pour ce qui est de la limite à droite, on obtient le tableau:

x	3	2,5	2,1	2,01	2,001
$\dfrac{x-2}{\lvert x-2 \rvert}$	1	1	1	1	1

Par conséquent:

$$\lim_{x \to 2^+} f(x) = +1.$$

Donc la limite à gauche et la limite à droite en $x = 2$ sont distinctes. Voici le graphique de la fonction:

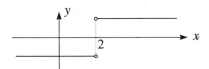

2.6 Valeur limite d'une fonction

DÉFINITION

Soient $f(x)$ une fonction et a et L des constantes. On dit que la ***limite*** de $f(x)$ lorsque x tend vers a est L, ce qu'on signifie en écrivant:

$$\lim_{x \to a} f(x) = L,$$

si, lorsque x tend vers a, les limites à gauche et à droite existent et sont toutes deux égales à L, c'est-à-dire si on a simultanément:

$$\lim_{x \to a^-} f(x) = L \qquad \text{et} \qquad \lim_{x \to a^+} f(x) = L.$$

Ainsi donc, pour la fonction $f(x) = 2x + 3$ examinée plus haut, la limite lorsque x tend vers 5 existe et est égale à 13 (vu que les limites à gauche et à droite existent toutes deux et sont égales à 13), tandis que pour la fonction $f(x) = \dfrac{x-2}{|x-2|}$, la limite lorsque x tend vers 2 n'existe pas (la limite à gauche étant différente de la limite à droite).

2.7 Calcul pratique des limites de fonctions

Tout en appliquant la définition ci-dessus, nous allons dans les trois prochains exemples calculer les limites proposées à l'aide d'une calculatrice, cette approche nous apparaissant plus concrète. Par la suite, nous en viendrons à des méthodes plus pratiques et plus conventionnelles.

Exemple 1

Considérons la fonction :

$$f(x) = 3x^2 + 5x,$$

et soit à calculer, si elle existe, la limite :

$$\lim_{x \to 2} f(x).$$

En ce qui concerne la limite à gauche, nous obtenons, à l'aide de la calculatrice, le tableau :

x	1,9	1,99	1,999	1,9999
$3x^2 + 5x$	20,33	21,83	21,983	21,998

et, en ce qui concerne la limite à droite, nous obtenons le tableau :

x	2,1	2,01	2,001	2,0001
$3x^2 + 5x$	23,73	22,17	22,017	22,002

À la suite de ces résultats, il est clair que :

$$\lim_{x \to 2^-} f(x) = 22 \qquad \text{et} \qquad \lim_{x \to 2^+} f(x) = 22,$$

et par conséquent que :

$$\lim_{x \to 2} f(x) = 22.$$

Remarque 1

Comme on pouvait intuitivement s'y attendre, la règle :

$$\lim_{x \to a} f(x) = f(a)$$

est observée dans l'exemple ci-dessus, c'est-à-dire que pour trouver la limite de $f(x)$ lorsque x tend vers a, il suffit de remplacer x par a dans la fonction, puis d'évaluer l'expression ainsi obtenue.

Limite d'une somme

Si, poursuivant avec le même exemple, on pose :

$$3x^2 = g(x) \qquad \text{et} \qquad 5x = h(x),$$

on a alors $f(x) = g(x) + h(x)$, ce qui nous fournit l'occasion de signaler qu'une règle importante des limites est observée ici. Cette règle s'énonce ainsi : *«La limite d'une somme est égale à la somme des limites, si ces dernières existent.»*. En effet, on a bien :

$$\lim_{x \to 2} f(x) = \lim_{x \to 2} (g(x) + h(x)) = \lim_{x \to 2} g(x) + \lim_{x \to 2} h(x)$$
$$= g(2) + h(2) = 12 + 10 = 22.$$

Exemple 2

Considérons maintenant la fonction :

$$f(x) = x\sqrt{x-2}$$

et soit à calculer, si elle existe, la limite :

$$\lim_{x \to 6} f(x).$$

En ce qui concerne la limite à gauche, on a :

x	5,9	5,99	5,999
$x\sqrt{x-2}$	11,652	11,965	11,996

et, en ce qui concerne la limite à droite :

x	6,1	6,01	6,001
$x\sqrt{x-2}$	12,351	12,035	12,003

À la suite de ces résultats, il est clair que :

$$\lim_{x \to 6^-} f(x) = 12 \qquad \text{et} \qquad \lim_{x \to 6^+} f(x) = 12,$$

ce qui nous amène à affirmer que :

$$\lim_{x \to 6} f(x) = 12.$$

Remarque 2

Encore ici, comme on pouvait intuitivement s'y attendre, la règle :

$$\lim_{x \to a} f(x) = f(a)$$

est observée.

Limite d'un produit

Si, poursuivant avec l'exemple 2, on pose :

$$x = g(x) \qquad \text{et} \qquad \sqrt{x-2} = h(x),$$

alors on a $f(x) = g(x) \cdot h(x)$, ce qui nous fournit l'occasion de signaler qu'une autre règle importante des limites est observée dans l'exemple ci-dessus. Cette règle s'énonce ainsi : *«La limite d'un produit est égale au produit des limites, si ces dernières existent.»*. En effet, on a bien dans le cas présent :

$$\lim_{x \to 6} f(x) = \lim_{x \to 6} (g(x) \cdot h(x)) = \lim_{x \to 6} g(x) \cdot \lim_{x \to 6} h(x)$$

$$= g(6) \cdot h(6) = 6 \cdot 2 = 12.$$

Exemple 3

Considérons la fonction :

$$f(x) = \frac{x-2}{x-4},$$

et soit à calculer, si elle existe, la limite :

$$\lim_{x \to 5} f(x).$$

En ce qui concerne la limite à gauche, on a :

x	4,9	4,99	4,999
$\dfrac{x-2}{x-4}$	3,222	3,020	3,002

et, en ce qui concerne la limite à droite :

x	5,1	5,01	5,001
$\dfrac{x-2}{x-4}$	2,818	2,980	2,998

À la suite de ces résultats, il est clair que :

$$\lim_{x \to 5^-} f(x) = 3 \qquad \text{et} \qquad \lim_{x \to 5^+} f(x) = 3,$$

et par conséquent que :

$$\lim_{x \to 5} f(x) = 3.$$

Remarque 3

Cette fois encore, notons-le, la règle :

$$\lim_{x \to a} f(x) = f(a)$$

est observée.

Limite d'une quotient

Si, poursuivant avec l'exemple 3, on pose :

$$x - 2 = g(x) \qquad \text{et} \qquad x - 4 = h(x),$$

on a $f(x) = \dfrac{g(x)}{h(x)}$, ce qui nous amène à signaler qu'une autre règle importante des limites est observée dans ce dernier exemple. La règle s'énonce ainsi :

«La limite d'un quotient est égale au quotient des limites, si ces dernières exis-tent et si la limite servant de dénominateur est différente de zéro.». En effet, on a bien:

$$\lim_{x \to 5} f(x) = \lim_{x \to 5} \frac{g(x)}{h(x)} = \frac{\lim_{x \to 5} g(x)}{\lim_{x \to 5} h(x)} = \frac{g(5)}{h(5)} = \frac{3}{1} = 3.$$

Procédé général pour les cas réguliers

À la suite des trois exemples précédents, il semble raisonnable d'affirmer que, d'une manière générale, la limite d'une fonction $f(x)$ lorsque x tend vers a est égale à $f(a)$:

$$\boxed{\lim_{x \to a} f(x) = f(a)} \quad,$$

c'est-à-dire qu'il suffit de remplacer x par a dans la fonction et d'évaluer ensuite l'expression obtenue. Quoique valable dans la majorité des cas, cette formule ne permet pas de résoudre directement tous les cas de limite. Par exemple, pour la limite:

$$\lim_{x \to 2} \frac{x - 2}{|x - 2|}$$

(V. page 14, Remarque), la règle ci-dessus n'est pas valable, puisque, comme nous l'avons vu, cette limite n'existe pas. Les principaux cas d'exception à cette règle seront examinés dans les prochains articles.

Limite d'une fonction constante

Soulignons que la limite d'une *fonction constante* est nécessairement égale à la constante concernée. Par exemple la limite lorsque x tend vers 5 de la fonction $f(x) = 2$ est (V. graphique ci-dessous):

$$\lim_{x \to 5} 2 = f(5) = 2.$$

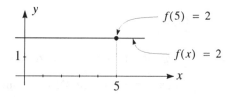

2.8 Propriétés des limites

Avant de passer aux cas d'exception, rappelons ici, vu leur importance, les trois propriétés générales mentionnées à l'article précédent :

(a) *La limite d'une somme est égale à la somme des limites, si ces dernières existent.*

(b) *La limite d'un produit est égale au produit des limites, si ces dernières existent.*

(c) *La limite d'un quotient est égale au quotient des limites, si ces dernières existent et si la limite servant de dénominateur est différente de zéro.*

Remarque

La règle (b) ci-dessus a comme conséquence immédiate cette autre règle :

$$\lim_{x \to a} (k\, f(x)) \;=\; k \lim_{x \to a} f(x)$$

(où k représente une constante et $f(x)$ une fonction). Cette règle pourrait s'énoncer comme suit :

(d) *La limite du produit d'une constante par une fonction est égale au produit de la constante par la limite de la fonction, si cette dernière existe.*

Voici la preuve de cette règle :

$$\lim_{x \to a} (k\, f(x)) \;=\; (\lim_{x \to a} k) \cdot (\lim_{x \to a} f(x)) \qquad \text{(suivant la règle (b) ci-dessus)}$$

$$\qquad\qquad = \; k \cdot (\lim_{x \to a} f(x)) \qquad \text{(vu que la limite d'une fonction constante est égale à la constante concernée).}$$

2.9 Exercices

1. Traduire l'expression algébrique en une phrase :

(a) $\displaystyle\lim_{x \to 5^-} 2x^2 = 50$;

(b) $\displaystyle\lim_{x \to -4^+} \sqrt{x+4} = 0$;

(c) $\displaystyle\lim_{x \to 3} f(x) = L$.

2. Énoncer la règle illustrée par l'expression :

(a) $\lim\limits_{x \to a} (g(x) + h(x)) = \lim\limits_{x \to a} g(x) + \lim\limits_{x \to a} h(x)$;

(b) $\lim\limits_{x \to a} (g(x) \cdot h(x)) = \lim\limits_{x \to a} g(x) \cdot \lim\limits_{x \to a} h(x)$;

(c) $\lim\limits_{x \to a} \dfrac{g(x)}{h(x)} = \dfrac{\lim\limits_{x \to a} g(x)}{\lim\limits_{x \to a} h(x)}$.

Pour les autres questions, calculer les limites :

3. $\lim\limits_{x \to 2} (2x^2 - 4x + 1)$.

4. $\lim\limits_{x \to -3} \dfrac{x + 2}{x - 4}$.

5. $\lim\limits_{x \to 2} (3x^2 - 2)(x^2 - 4)$.

6. $\lim\limits_{x \to 2} 7$.

7. $\lim\limits_{x \to a} c$ (où a et c tiennent lieu de constantes).

2.10   Cas d'exception

Dans les prochains articles, nous examinerons cinq cas pouvant faire difficulté dans le calcul des limites. Ces cas sont les suivants :

— Cas où se présente la forme $\sqrt[2n]{0}$ (V. article 2.11).

— Cas où se présente la forme $\dfrac{0}{0}$ (V. article 2.13).

— Cas où se présente la forme $\infty - \infty$ (V. article 2.16).

— Cas où se présente la forme $\dfrac{\infty}{\infty}$ (V. article 2.17).

— Cas où se présente la forme $\dfrac{c}{0}$, où c désigne un constante non nulle (V. article 2.19).

2.11   Premier cas d'exception : Forme $\sqrt[2n]{0}$

Les cas où se présente la forme $\sqrt[2n]{0}$ sont à surveiller, étant donné que, dans R, on ne peut accepter de valeurs strictement négatives sous un radical d'indice pair. Voici deux exemples à ce sujet.

Exemple 1

Soit à calculer la limite :

$$\lim_{x \to 0} \sqrt{x}.$$

La limite à droite existe dans ce cas, c'est-à-dire qu'on a :

$$\lim_{x \to 0^+} \sqrt{x} = \sqrt{0^+} = 0.$$

Dans l'expression $\sqrt{0^+}$ ci-dessus, la notation 0^+ doit être comprise dans le sens de $\lim_{x \to 0^+} x$ (limite de la fonction x lorsque x tend vers 0 par la droite). Par conséquent, la valeur $\sqrt{0^+}$ existe (et est égale à zéro), vu que toute valeur strictement supérieure à 0 est admissible sous un radical. Pour ce qui est de la limite à gauche :

$$\lim_{x \to 0^-} \sqrt{x} = \sqrt{0^-},$$

elle n'existe pas, car, dans R, toute valeur à la fois située à gauche de zéro et différente de zéro ne peut être admise sous un radical d'indice pair (quantité strictement négative sous le radical). Et vu que la limite à gauche n'existe pas, la limite cherchée n'existe pas davantage. Le graphique de la fonction concernée ($y = \sqrt{x}$) est tracé ci-dessous. Remarquer que, pour $x < 0$, la fonction n'est pas définie, ce qui correspond au fait que la limite lorsque $x \to 0^-$ n'existe pas.

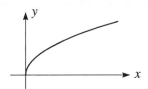

Remarque

Dans ce qui précède, il y a un *abus de notation*, en ce sens que les notations 0^+ et 0^- sont utilisées dans deux sens différents. Dans l'expression $\lim_{x \to 0^-} \sqrt{x}$, par exemple, le symbole $-$ placé après le chiffre 0 signifie «par la gauche» («limite lorsque x tend vers 0 *par la gauche*») et, par conséquent, 0^- joue le rôle de constante, cette constante ayant pour valeur 0 («x tend vers 0»), tandis que, dans l'expression $\sqrt{0^-}$, la notation 0^- signifie $\lim\limits_{x \to 0^-} x$, et ce n'est qu'à la limite, et si cette limite existe, que 0^- prend la valeur 0. Quoiqu'il en soit, vu que ces manières de noter tendent à se répandre et ne prêtent à aucune confusion fâcheuse, nous les conserverons.

Exemple 2

Soit à calculer la limite :

$$\lim_{x \to 6} (x + 3 + \sqrt{6 - x}).$$

La limite à gauche existe dans ce cas-ci. En effet, on a :

$$\lim_{x \to 6^-} (x + 3 + \sqrt{6 - x}) \;=\; 6 + 3 + \sqrt{6 - 6^-} \;=\; 9 + \sqrt{0^+} \;=\; 9 + 0 \;=\; 9.$$

Néanmoins, la limite à droite n'existe pas, puisqu'on a :

$$\lim_{x \to 6^+} (x + 3 + \sqrt{6 - x}) \;=\; 6 + 3 + \sqrt{6 - 6^+} \;=\; 9 + \sqrt{0^-},$$

où la limite $\sqrt{0^-}$ n'existe pas (V. Exemple 1).

Procédé général

Lorsque se présente la forme $\sqrt[2n]{0}$, il faut examiner la limite à gauche et la limite à droite, en tenant compte de ce que, dans R, aucune quantité strictement négative ne peut être admise sous un radical d'indice pair, ce qui fait en particulier que l'expression $\sqrt{0^-}$ ne représente pas un nombre réel.

2.12 Exercices

1. (a) Étant donnée la fonction $f(x) = \dfrac{\sqrt{x^2 + 9}}{x}$, calculer $f(3,9)$, $f(3,99)$ et $f(3,999)$.

   (b) Calculer $f(4,1)$, $f(4,01)$ et $f(4,001)$.

   (c) D'après les réponses obtenues en (a) et (b), quelle est d'après vous la valeur de la limite : $\lim\limits_{x \to 4} \dfrac{\sqrt{x^2 + 9}}{x}$?

   (d) Énoncer le procédé général du calcul des limites valable pour le calcul de la limite précédente.

2. (a) Tracer le graphique de la fonction $f(x) = \sqrt{x+5}$.

   (b) Quel est le domaine de définition de cette fonction?

   (c) Si on doit calculer la limite $\lim\limits_{x \to -5} \sqrt{x+5}$, est-il possible, à l'aide du graphique, de prévoir l'existence d'une limite à gauche et d'une limite à droite?

   (d) Peut-on établir un lien entre le domaine de définition d'une fonction et l'existence de la limite à gauche et de la limite à droite de la fonction en une valeur donnée du domaine?

3. Expliquer pourquoi $\sqrt{-5}$ n'existe pas chez les réels.

Pour les autres questions, calculer les limites:

4. $\lim\limits_{x \to 2} (x^2 + 2x + 4)$.

5. $\lim\limits_{x \to -2} \dfrac{x^2+4}{x+3}$.

6. $\lim\limits_{x \to 0^+} \sqrt{x^3 + x + 5}$.

7. $\lim\limits_{x \to 2^-} \sqrt{x^2 - 4}$.

8. $\lim\limits_{x \to 2^+} \sqrt{x^2 - 4}$.

9. $\lim\limits_{x \to 0} \sqrt{\dfrac{2x}{2-x}}$.

10. $\lim\limits_{x \to 4^-} \dfrac{x-4}{x+2}$.

11. $\lim\limits_{x \to 4^+} \dfrac{2x+2}{x-2}$.

12. $\lim\limits_{x \to 3^+} \sqrt{9 - x^2}$.

13. $\lim\limits_{x \to 2^-} \dfrac{1}{3x-2}$.

14. $\lim\limits_{x \to 3} \sqrt{\dfrac{x^2-4}{x-2}}$.

15. $\lim\limits_{x \to 1^+} (\sqrt{x^2+x} - \sqrt{x-1})$.

16. $\lim\limits_{x \to 4^-} (\sqrt{x^2+x} + \sqrt{x-4})$.

17. $\lim\limits_{x \to 4^-} \sqrt{16 - x^2}$.

18. $\lim\limits_{x \to 2} (\sqrt{x^2+x} + \sqrt{x+2})$.

19. $\lim\limits_{x \to 4} \sqrt{\dfrac{4-x}{x^2}}$.

20. $\lim\limits_{x \to -1^-} \sqrt{1 - x^2}$.

21. $\lim\limits_{x \to -1^+} \sqrt{1 - x^2}$.

22. $\lim\limits_{x \to -4^-} \dfrac{x+4}{x^2}$.

23. $\lim\limits_{x \to 0} \dfrac{(x+2)(x+1)}{x+3}$.

2.13 Deuxième cas d'exception : Forme $\frac{0}{0}$

Un autre cas à surveiller est celui où apparait la forme 0/0. Voici trois exemples sur cette forme.

Exemple 1

Considérons la fonction :

$$f(x) \;=\; \frac{x^2 - 4}{x - 2} \,,$$

et soit à évaluer la limite :

$$\lim_{x \to 2} f(x) .$$

Si on procède en remplaçant x par 2 dans la fonction, on arrive à la forme indéterminée 0/0. Afin de mieux y voir, traçons le graphique de la fonction :

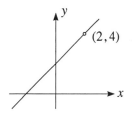

Remarquer qu'on a dû laisser un «trou» au point $(2, 4)$, étant donné que la valeur $x = 2$ ne fait pas partie du domaine de définition de la fonction (cette valeur annulant le dénominateur de $f(x)$). En faisant appel à la calculatrice et en concentrant notre attention sur les valeurs de x se trouvant dans le proche voisinage de 2, on arrive au double tableau suivant :

x	1,9	1,99	1,999	2,1	2,01	2,001
$\dfrac{x^2 - 4}{x - 2}$	3,9	3,99	3,999	4,1	4,01	4,001

On voit que, plus x s'approche de 2, par la gauche ou par la droite, plus $f(x)$ s'approche de 4. Donc, même si le nombre 2 ne fait par partie du domaine de définition de la fonction, on a :

$$\lim_{x \to 2^-} f(x) = \lim_{x \to 2^+} f(x) = 4$$

et par conséquent la limite cherchée existe et est égale à 4, c'est-à-dire que :

$$\lim_{x \to 2} f(x) = 4.$$

Remarque

Nous venons de voir que la valeur $x = 2$ ne fait pas partie du domaine de définition de la fonction $f(x)$ étudiée ci-dessus. Cependant, si on fait abstraction de cette valeur de x, on peut simplifier la fonction comme suit :

$$f(x) = \frac{x^2 - 4}{x - 2} = \frac{(x + 2)\,(x - 2)}{(x - 2)} = (x + 2).$$

Par suite, on a :

$$\lim_{x \to 2} \frac{x^2 - 4}{x - 2} = \lim_{x \to 2} (x + 2) = 2 + 2 = 4.$$

Donc, lorsque se présente la forme $0/0$, on peut, si la chose est possible, simplifier la fraction en divisant le numérateur et le dénominateur par un (ou des) facteur(s) commun(s) avant de calculer la limite. Ceci n'exclut cependant pas l'obligation d'écarter du domaine de définition toute valeur de x annulant le dénominateur (et ceci avant toute simplification). Ce genre de précaution est nécessaire si, par exemple, on doit construire le graphique de la fonction.

Exemple 2

Soit à calculer la limite :

$$\lim_{x \to 3} \frac{x^2 - 4x + 3}{x^2 - 5x + 6}.$$

Si on procède en remplaçant x par 3 dans la fonction, on obtient la forme $0/0$. Ceci provient du fait qu'un facteur appartenant à la fois au numérateur et au dénominateur, nommément le facteur $(x - 3)$, devient égal à 0 lorsque $x = 3$. En appliquant le principe mis au point à la remarque précédente, on obtient :

$$\lim_{x \to 3} \frac{x^2 - 4x + 3}{x^2 - 5x + 6} = \lim_{x \to 3} \frac{(x - 1)\,(x - 3)}{(x - 2)\,(x - 3)} = \lim_{x \to 3} \frac{x - 1}{x - 2} = \frac{2}{1} = 2.$$

Exemple 3

Soit à calculer la limite:

$$\lim_{x \to 1} \frac{\sqrt{x} - 1}{x - 1} \, .$$

Si on procède en remplaçant x par 1 dans la fonction, on obtient cette fois encore la forme $0/0$. Cependant, contrairement à ce qu'on a pu faire dans les deux exemples précédents, on ne peut directement lever l'indétermination en simplifiant par un facteur qui soit commun au numérateur et au dénominateur. On pourra cependant y arriver, après avoir appliqué un artifice de calcul simple consistant à multiplier le numérateur et le dénominateur par le *conjugué* $\sqrt{x} + 1$ du numérateur (V. page 290). Ainsi on obtient:

$$\lim_{x \to 1} \frac{\sqrt{x} - 1}{x - 1} = \lim_{x \to 1} \frac{(\sqrt{x} - 1)(\sqrt{x} + 1)}{(x - 1)(\sqrt{x} + 1)} = \lim_{x \to 1} \frac{(x - 1)}{(x - 1)(\sqrt{x} + 1)}$$

$$= \lim_{x \to 1} \frac{1}{(\sqrt{x} + 1)} = \frac{1}{2} \, .$$

Procédé général

Lorsque se présente la forme $0/0$, on divise si possible le numérateur et le dénominateur par le (ou les) facteur(s) contribuant à l'annulation du dénominateur, ce qui, à l'occasion, pourrait demander que l'on transforme préalablement la fonction à l'aide d'un artifice de calcul, comme dans le dernier exemple ci-dessus.

2.14 Exercices

Calculer les limites:

1. $\lim\limits_{x \to 1} \dfrac{x^2 - 1}{x - 1} \, .$

2. $\lim\limits_{x \to -1} \dfrac{x + 1}{x^2 - 1} \, .$

3. $\lim\limits_{x \to 4} \dfrac{x - 4}{x^2 - x - 12} \, .$

4. $\lim\limits_{x \to 3} \dfrac{x^4 - 81}{x^2 - 9} \, .$

5. $\lim\limits_{x \to 0} \dfrac{x^2 + x}{x^3 + x} \, .$

6. $\lim\limits_{x \to 2} \dfrac{x^2 + 8x - 20}{x^2 - 4} \, .$

7. $\lim\limits_{x \to -1} \dfrac{x^2 + 3x + 2}{x^2 + 4x + 3}$.

8. $\lim\limits_{x \to 4} \dfrac{3x + 4}{x - 2}$.

9. $\lim\limits_{x \to 1} \dfrac{x - 1}{\sqrt{x} - 1}$.

10. $\lim\limits_{x \to 0} \dfrac{\sqrt{x + 4} - 2}{x}$.

11. $\lim\limits_{x \to 0} \dfrac{\sqrt{3 + x} - \sqrt{3}}{x}$.

12. $\lim\limits_{x \to 2} \dfrac{2 - \sqrt{3x - 2}}{2x - 4}$.

2.15 L'infini mathématique

> **DÉFINITION**
>
> L'expression $x \to \infty$ (lire: «*x tend vers l'infini*») signifie que la variable x prend des valeurs de plus en plus grandes, plus grandes que tout nombre réel donné; l'expression $x \to -\infty$ (lire: «*x tend vers moins l'infini*») signifie que la variable x prend des valeurs négativement grandes, plus négativement grandes que tout nombre réel négatif donné.

L'infini *n'existe pas en tant que nombre*. Il s'ensuit que lorsqu'on écrit une expression comme:

$$\lim\limits_{x \to a} f(x) = \infty,$$

on commet un *abus d'écriture*. Il serait plus normal d'écrire à la place:

$$\lim\limits_{x \to a} f(x) \to \infty.$$

Néanmoins, par convention, c'est la première des deux notations qu'on utilise. C'est d'ailleurs dans la même logique que nous nous permettons d'écrire ci-dessous des expression comme $\infty + \infty = \infty$, etc.

N'étant pas un nombre, l'infini mathématique n'est pas tenu de suivre toutes les règles de calcul concernant les nombres réels. Il se conforme cependant aux règles intuitivement évidentes suivantes (où c désigne un nombre réel *strictement positif*):

$$\infty + \infty = \infty \qquad \infty \cdot \infty = \infty \qquad (-\infty)^2 = +\infty$$

$$\infty \cdot (-\infty) = -\infty \qquad \frac{1}{\infty} = 0^+ \qquad \frac{1}{-\infty} = 0^-$$

$$\sqrt{\infty} = \infty \qquad \infty^c = \infty \qquad c \cdot \infty = \infty$$

$$c \cdot (-\infty) = -\infty \qquad -c \cdot \infty = -\infty$$

$$c + \infty = \infty \qquad c - \infty = -\infty \qquad k^\infty = \begin{cases} \infty & \text{si} \quad k > 1 \\ 0 & \text{si} \quad 0 < k < 1 \end{cases}$$

On peut aussi rencontrer les expressions $\infty - \infty$ et $\frac{\infty}{\infty}$. Ces dernières demandent discussion. Elles sont abordées ci-après.

2.16 Troisième cas d'exception : Forme $\infty - \infty$

Exemple 1

Soit à calculer la limite :

$$\lim_{x \to \infty} (x^3 - 2x^2).$$

Si on remplace directement x par ∞ dans la fonction, on arrive à la forme indéterminée $\infty - \infty$. Nous allons lever l'indétermination en procédant de deux manières différentes :

(a) *Utilisation de la calculatrice*

À l'aide de la calculatrice on obtient le tableau :

x	10	100	1000
$x^3 - 2x^2$	800	980 000	998 000 000

De ce tableau il ressort clairement que lorsque x tend vers l'infini, alors $x^3 - 2x^2$ tend également vers l'infini.

(b) *Utilisation d'un artifice algébrique*

On observe que, pour $x \neq 0$ (ce qui est nécessairement le cas lorsque $x \to \infty$):

$$f(x) = x^3 - 2x^2 = x^3 \left(\frac{x^3 - 2x^2}{x^3} \right) \quad \text{(où on a multiplié et divisé par } x^3)$$

$$= x^3 \left(\frac{x^3}{x^3} - \frac{2x^2}{x^3} \right) = x^3 (1 - \frac{2}{x}).$$

Il s'ensuit que:

$$\lim_{x \to \infty} (x^3 - 2x^2) = \lim_{x \to \infty} \left[x^3 (1 - \frac{2}{x}) \right] = \infty \cdot (1 - 0) = \infty.$$

Exemple 2

Soit à calculer la limite:

$$\lim_{x \to -\infty} (2x^3 - 4x).$$

Si on remplace directement x par $-\infty$ dans la fonction, on arrive à la forme $-\infty + \infty$ (la forme « $\infty - \infty$ », en somme). En procédant comme dans la partie (b) ci-dessus, on obtient:

$$\lim_{x \to -\infty} (2x^3 - 4x) = \lim_{x \to -\infty} \left[2x^3 (1 - \frac{2}{x^2}) \right] = -\infty \cdot (1 - 0) = -\infty.$$

Loi générale

Retenons la loi générale suivante: *La limite d'un polynôme lorsque x tend vers $\pm \infty$ est égale à la limite lorsque x tend vers $\pm \infty$ du terme de plus haut degré du polynôme.* En notations symboliques, cette loi peut s'exprimer ainsi:

$$\lim_{x \to \pm \infty} (a_n x^n + a_{n-1} x^{n-1} + \ldots + a_1 x + a_0) = \lim_{x \to \pm \infty} a_n x^n$$

où, bien entendu, la notation $x \to \pm \infty$ doit être comprise dans le sens de $x \to +\infty$ ou bien $x \to -\infty$.

Exemple 3

$$\lim_{x \to \infty} (-5x^3 + 4x^2 - 7) = \lim_{x \to \infty} -5x^3 \qquad \text{(suivant la loi générale que nous venons de citer)}$$

$$= -5 \cdot \infty = -\infty.$$

2.17 Quatrième cas d'exception : Forme $\frac{\infty}{\infty}$

Exemple 1

Soit à calculer la limite :

$$\lim_{x \to \infty} \frac{3x^2 + 2x + 1}{2x^2 + x - 5} .$$

On a là une indétermination du type ∞/∞. Comme plus haut, résolvons le problème en procédant de deux manières différentes :

(a) *Utilisation de la calculatrice*

À l'aide de la calculatrice on obtient le tableau :

x	10	100	1000
$\dfrac{3x^2 + 2x + 1}{2x^2 + x - 5}$	$\dfrac{321}{205} = 1{,}5659$	$\dfrac{30\,201}{20\,095} = 1{,}5029$	$\dfrac{3\,002\,001}{2\,000\,995} = 1{,}5003$

Il est donc clair que, lorsque x tend vers l'infini, la fonction tend vers 1,5.

(b) *Utilisation d'un artifice algébrique*

$$\lim_{x \to \infty} \frac{3x^2 + 2x + 1}{2x^2 + x - 5}$$

$$= \lim_{x \to \infty} \frac{3x^2 \left(\dfrac{3x^2}{3x^2} + \dfrac{2x}{3x^2} + \dfrac{1}{3x^2} \right)}{2x^2 \left(\dfrac{2x^2}{2x^2} + \dfrac{x}{2x^2} - \dfrac{5}{2x^2} \right)} \qquad \text{(multiplication et division du numérateur par son terme de plus haut degré, et même chose au dénominateur)}$$

$$= \lim_{x \to \infty} \left(\frac{3x^2}{2x^2} \cdot \frac{\dfrac{3x^2}{3x^2} + \dfrac{2x}{3x^2} + \dfrac{1}{3x^2}}{\dfrac{2x^2}{2x^2} + \dfrac{x}{2x^2} - \dfrac{5}{2x^2}} \right) = \lim_{x \to \infty} \left(\frac{3}{2} \cdot \frac{1 + \dfrac{2}{3x} + \dfrac{1}{3x^2}}{1 + \dfrac{1}{2x} - \dfrac{5}{2x^2}} \right)$$

$$= \frac{3}{2} \cdot \frac{1 + 0 + 0}{1 + 0 - 0} = \frac{3}{2} .$$

Loi générale

Retenons la loi générale suivante : *La limite d'un quotient de polynômes lorsque x tend vers $\pm \infty$ est égale à la limite lorsque x tend vers $\pm \infty$ du quotient de monômes obtenu en remplaçant chaque polynôme par son terme du plus haut degré.*
En notations symboliques, cette loi peut s'exprimer ainsi :

$$\lim_{x \to \pm \infty} \frac{a_n x^n + a_{n-1} x^{n-1} + \dots + a_1 x + a_0}{b_m x^m + b_{m-1} x^{m-1} + \dots + b_1 x + b_0} = \lim_{x \to \pm \infty} \frac{a_n x^n}{b_m x^m} .$$

Exemple 2

$$\lim_{x \to -\infty} \frac{2x^3 + 2x + 3}{x^4 - 8x} = \lim_{x \to -\infty} \frac{2x^3}{x^4} \qquad \text{(suivant la loi générale énoncée ci-dessus)}$$

$$= \lim_{x \to -\infty} \frac{2}{x} = 0 .$$

2.18   Exercices

1. (a) Étant donnée la fonction $f(x) = \dfrac{1}{x}$, calculer $f(10)$, $f(100)$ et $f(1000)$.

   (b) À partir des résultats obtenus en (a), quelle devrait être la valeur de $\lim\limits_{x \to \infty} \dfrac{1}{x}$?

2. (a) Étant donnée la fonction $f(x) = \dfrac{1}{x}$, calculer $f(-10)$, $f(-100)$ et $f(-1000)$.

   (b) À partir des résultats obtenus en (a), quelle devrait être la valeur de $\lim\limits_{x \to -\infty} \dfrac{1}{x}$?

3. On dit que $\infty \cdot \infty = \infty$, alors qu'on dit que l'expression $\dfrac{\infty}{\infty}$ est indéterminée. Expliquer pourquoi.

Pour les questions qui restent, calculer les limites:

4. $\lim\limits_{x \to -\infty} \dfrac{x^2 - x + 7}{3x^3 + 2x^2 - 21}$.

5. $\lim\limits_{x \to -\infty} (x^3 + x^2 + x + 1)$.

6. $\lim\limits_{x \to \infty} (x^3 - 5x^2 - x + 7)$.

7. $\lim\limits_{x \to -\infty} \dfrac{x^4 + 2x^2 - 7}{2x^3 - x + 1}$.

8. $\lim\limits_{x \to -\infty} \dfrac{5x^3 + x^2 - 13}{2x^3 + x + 17}$.

9. $\lim\limits_{x \to \infty} \dfrac{2x^3 - x + 1}{x^4 + 2x^2 - 7}$.

10. $\lim\limits_{x \to -\infty} \dfrac{4x^2 + x - 6}{5x^2 + 1}$.

11. $\lim\limits_{x \to -\infty} \dfrac{x^4 + 7x + 10}{x^2 - x + 1}$.

2.19 Cinquième cas d'exception : Forme $\dfrac{c}{0}$, $c \neq 0$

Dans la forme $c/0$ ($c \neq 0$), la difficulté provient du fait que la division par zéro est impossible. On résout le cas en calculant la limite à gauche et la limite à droite. Si les deux limites coïncident (V. Remarque ci-après), elles constituent la limite cherchée. Dans le cas contraire, la limite n'existe pas.

Exemple 1
Si, pour calculer la limite:

$$\lim\limits_{x \to 2} \dfrac{2x + 4}{x - 2} ,$$

on procède en remplaçant x par 2 dans la fonction, on arrive à la forme indéterminée $c/0$ ($c \neq 0$). Tel que suggéré ci-dessus, allons-y pour les limites à gauche et à droite. Pour la limite à gauche, on a:

$$\lim\limits_{x \to 2^-} \dfrac{2x + 4}{x - 2} = \dfrac{4 + 4}{2^- - 2} = \dfrac{8}{0^-} = -\infty$$

et, pour la limite à droite:

$$\lim\limits_{x \to 2^+} \dfrac{2x + 4}{x - 2} = \dfrac{4 + 4}{2^+ - 2} = \dfrac{8}{0^+} = +\infty .$$

La limite cherchée n'existe donc pas, puisque la limite à gauche est différente de la limite à droite.

Remarque

Lorsqu'on écrit une expression comme:

$$\lim_{x \to a} f(x) = \infty,$$

c'est par «abus de langage» qu'on s'exprime de cette manière et qu'on se permet d'affirmer que la limite concernée *existe*, puisque, précisément, l'infini n'existe par en tant que nombre. Cependant, pour la commodité et conformément à l'usage, nous continuerons d'utiliser ces manières de s'exprimer.

Exemple 2

Si, pour calculer la limite:

$$\lim_{x \to 1} \frac{3}{(x-1)^2},$$

on procède en remplaçant x par 1 dans la fonction, on arrive à la forme indéterminée $c/0$ $(c \neq 0)$. Il nous faut donc calculer les limites à gauche et à droite. Pour la limite à gauche, on a:

$$\lim_{x \to 1^-} \frac{3}{(x-1)^2} = \frac{3}{(1^- - 1)^2} = \frac{3}{0^+} = +\infty$$

et, pour la limite à droite:

$$\lim_{x \to 1^+} \frac{3}{(x-1)^2} = \frac{3}{(1^+ - 1)^2} = \frac{3}{0^+} = +\infty.$$

Puisque les limites à gauche et à droite coïncident, la réponse est:

$$\lim_{x \to 1} \frac{3}{(x-1)^2} = \infty.$$

Procédé général

Lorsque se présente la forme $c/0$ $(c \neq 0)$, on calcule la limite à gauche et la limite à droite. Si les deux limites coïncident, elles constituent la limite cherchée. Dans le cas contraire, la limite n'existe pas.

2.20 Exercices

1. Soit la fonction $y = f(x) = \dfrac{1}{x}$.

   (a) Calculer $f(0,1)$, $f(0,01)$ et $f(0,001)$.

   (b) Calculer $f(-0,1)$, $f(-0,01)$ et $f(-0,001)$.

   (c) À partir des résultats obtenus en (a) et en (b), que conclure quant à la valeur de $\displaystyle\lim_{x \to 0} \dfrac{1}{x}$?

   (d) Refaire le calcul de $\displaystyle\lim_{x \to 0} \dfrac{1}{x}$ sans faire appel à la calculatrice (c'est-à-dire en procédant comme aux exemples de l'article 2.19).

2. Expliquer pourquoi la division par zéro est impossible.

Pour les autres questions, calculer les limites.

3. $\displaystyle\lim_{x \to -2} \dfrac{4}{x+2}$.

4. $\displaystyle\lim_{x \to -3^-} \dfrac{5}{x+3}$.

5. $\displaystyle\lim_{x \to 4^+} \dfrac{1}{4-x}$.

6. $\displaystyle\lim_{x \to 2} \dfrac{x^2+x}{(x-2)^2}$.

7. $\displaystyle\lim_{x \to 1} \dfrac{5x-7}{(x-1)^3}$.

8. $\displaystyle\lim_{x \to 3^-} \left(2x+1+\dfrac{1}{x-3}\right)$.

9. $\displaystyle\lim_{x \to 3} \dfrac{2x}{x^2-9}$.

10. $\displaystyle\lim_{x \to -2^+} \dfrac{x^2}{x^2-4}$.

11. $\displaystyle\lim_{x \to -2^+} \left(x^2+x+\dfrac{1}{x+2}\right)$.

12. $\displaystyle\lim_{x \to -2} \dfrac{x^3}{x^2-4}$.

13. $\displaystyle\lim_{x \to 1^+} \sqrt{1-x^2}$.

14. $\displaystyle\lim_{x \to 1} \dfrac{x^2-4}{x-2}$.

15. $\displaystyle\lim_{x \to 0} \dfrac{x^3-7}{x^4+x^2}$.

16. $\displaystyle\lim_{x \to 3} \dfrac{(x+2)(x-3)}{(x+4)(x-3)}$.

17. $\displaystyle\lim_{x \to -\infty} \left(2x^3+3x^2+x+1\right)$.

18. $\displaystyle\lim_{x \to -4} \dfrac{x^2-16}{x+4}$.

19. $\displaystyle\lim_{x \to 2^-} \dfrac{(x-1)(x+3)}{x^2+1}$.

20. $\displaystyle\lim_{x \to 3} \dfrac{x^2-x+2}{x-3}$.

21. $\lim\limits_{x \to \infty} \dfrac{4x^3 + x - 7}{2x^3 + x^2 + 14}$.

22. $\lim\limits_{x \to 3} \dfrac{\sqrt{x+1} - 2}{x - 3}$.

23. $\lim\limits_{x \to -2} \dfrac{x^2 - 3x - 10}{x^2 + 6x + 8}$.

24. $\lim\limits_{x \to -3^+} (3x + 2 - \dfrac{x}{x + 3})$.

25. $\lim\limits_{x \to 1} (2x - 5 + \sqrt{x - 1})$.

26. $\lim\limits_{x \to 1^+} (x^2 + x + 1)$.

27. $\lim\limits_{x \to \infty} \dfrac{2x^2 - 5x + 10}{3x^3 - x^2 + 7}$.

28. $\lim\limits_{x \to -3} \dfrac{x^2 + 8x + 15}{x^2 + 7x + 12}$.

29. $\lim\limits_{x \to -2} \dfrac{2x}{x^2 - 4}$.

30. $\lim\limits_{x \to 5} \dfrac{\sqrt{9 - x} - 2}{x - 5}$.

31. $\lim\limits_{x \to 3^+} \dfrac{x^2 + x - 3}{x^2 - x - 2}$.

32. $\lim\limits_{x \to -\infty} \dfrac{3x^3 + x - 8}{4x^2 + x + 7}$.

2.21 Asymptotes

> **DÉFINITION**
>
> Soient, dans le plan, une droite D et une courbe C (V. figure ci-dessous). Si, en se déplaçant sur C dans un sens donné et en s'éloignant à l'infini, un point P s'approche de plus en plus de la droite D sans jamais la rencontrer, on dit de cette droite qu'elle est une ***asymptote*** de la courbe C.
>
>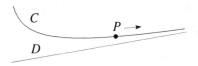

2.22 Asymptotes verticales (associées à la forme $\frac{c}{0}$, $c \neq 0$)

À supposer que, pour une fonction donnée $f(x)$ et un nombre donné a, on ait la forme $c/0$ ($c \neq 0$), alors le graphique de $f(x)$ possède une ***asymptote verticale***, l'équation de celle-ci étant $x = a$. L'existence d'une telle asymptote, notons-le, correspond au fait que, comme on l'a vu plus haut, les limites à gauche et à droite de $f(x)$ lorsque $x \to a$ sont soit $+\infty$, soit $-\infty$ (l'une de ces deux limites pourrait cependant faire défaut dans certains cas). Par exemple la fonction:

$$y \;=\; f(x) \;=\; \frac{1}{x-5}$$

(V. graphique ci-après) comporte une asymptote verticale (la droite $x = 5$), puisque, pour $x = 5$, on obtient la forme $c/0$ ($c \neq 0$). Les limites à gauche et à droite en $x = 5$ sont toutes deux infinies, puisqu'on a :

$$\lim_{x \to 5^-} \frac{1}{x-5} \;=\; \frac{1}{5^- - 5} \;=\; \frac{1}{0^-} \;=\; -\infty,$$

et :

$$\lim_{x \to 5^+} \frac{1}{x-5} \;=\; \frac{1}{5^+ - 5} \;=\; \frac{1}{0^+} \;=\; +\infty.$$

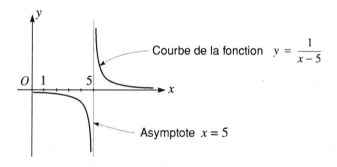

Courbe de la fonction $\;y = \dfrac{1}{x-5}$

Asymptote $x = 5$

2.23 Asymptotes horizontales (associées aux formes $\frac{c}{\infty}$ ou $\frac{\infty}{\infty}$ donnant un nombre réel)

Le graphique d'une fonction $f(x)$ comporte une **asymptote horizontale** si une *valeur réelle* de la fonction est obtenue lorsque x tend vers $+\infty$ ou vers $-\infty$. Si a est la valeur réelle en question, l'asymptote a pour équation $y = a$.

Exemple 1

Le graphique de la fonction $y = f(x) = \dfrac{3x-2}{x-1}$ comporte une *asymptote horizontale*, la droite $y = 3$, puisqu'on a :

$$\lim_{x \to \pm\infty} \frac{3x-2}{x-1} \;=\; \lim_{x \to \pm\infty} \frac{3x}{x} \;=\; \lim_{x \to \pm\infty} 3 \;=\; 3.$$

Le graphique comporte aussi une *asymptote verticale*, la droite $x = 1$, vu que, pour $x = 1$, on obtient la forme $c/0$ $(c \neq 0)$. Et on observe que :

$$\lim_{x \to 1^-} \frac{3x - 2}{x - 1} = \frac{3 - 2}{1^- - 1} = \frac{1}{0^-} = -\infty,$$

et :

$$\lim_{x \to 1^+} \frac{3x - 2}{x - 1} = \frac{3 - 2}{1^+ - 1} = \frac{1}{0^+} = +\infty.$$

Les deux asymptotes sont explicitées dans le graphique de la fonction, tracé ci-dessous :

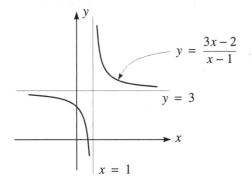

$$y = \frac{3x - 2}{x - 1}$$

$$y = 3$$

$$x = 1$$

Exemple 2

Soit à trouver les asymptotes attachées au graphique de la fonction :

$$y = f(x) = \frac{3x^2}{x^2 - 9}.$$

Puisque les valeur $x = 3$ et $x = -3$, et seulement ces valeurs, donnent la forme $c/0$ $(c \neq 0)$, il y a donc deux et seulement deux *asymptotes verticales* : les droites $x = 3$ et $x = -3$. Et on constate que, pour $x = -3$, on a d'une part :

$$\lim_{x \to -3^-} \frac{3x^2}{x^2 - 9} = \frac{27}{9^+ - 9} = \frac{27}{0^+} = +\infty,$$

et d'autre part :

$$\lim_{x \to -3^+} \frac{3x^2}{x^2 - 9} = \frac{27}{9^- - 9} = \frac{27}{0^-} = -\infty.$$

Pareillement, pour $x = 3$, on a d'une part :

$$\lim_{x \to 3^-} \frac{3x^2}{x^2 - 9} = \frac{27}{9^- - 9} = \frac{27}{0^-} = -\infty,$$

et d'autre part :

$$\lim_{x \to -3^+} \frac{3x^2}{x^2 - 9} = \frac{27}{9^+ - 9} = \frac{27}{0^+} = +\infty.$$

Le graphique possède aussi une *asymptote horizontale*, la droite $y = 3$, puisqu'on a :

$$\lim_{x \to \pm\infty} \frac{3x^2}{x^2 - 9} = \lim_{x \to \pm\infty} \frac{3x^2}{x^2} = \lim_{x \to \pm\infty} 3 = 3.$$

Le graphique de la fonction, muni de ses trois asymptotes, est tracé ci-dessous :

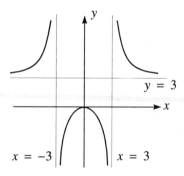

2.24 Asymptotes obliques

Nous allons traiter de la question à l'aide d'exemples.

Exemple 1

Considérons la fonction :

$$y = f(x) = x + \frac{1}{x}.$$

Il est facile de voir que, lorsque la variable x grandit beaucoup, positivement ou négativement, la composante «x» de la fonction grandit beaucoup également, positivement ou négativement, alors que la composante «$\frac{1}{x}$» tend vers zéro. C'est dire que, lorsque $x \to \pm \infty$, le graphique de la fonction tend à se confondre avec la droite oblique $y = x$, ce qui signifie au bout du compte que la droite $y = x$ est une ***asymptote oblique*** de la courbe de la fonction. La courbe possède aussi une *asymptote verticale*, la droite $x = 0$, puisque, pour $x = 0$, on obtient la forme $c/0$ ($c \neq 0$). À noter que les limites à gauche et à droite en $x = 0$ sont respectivement :

$$\lim_{x \to 0^-} \; x + \frac{1}{x} \; = \; 0 + \frac{1}{0^-} \; = \; 0 - \infty \; = \; -\infty$$

et :

$$\lim_{x \to 0^+} \; x + \frac{1}{x} \; = \; 0 + \frac{1}{0^+} \; = \; 0 + \infty \; = \; +\infty.$$

Le graphique de la fonction, muni de ses deux asymptotes, est tracé ci-dessous :

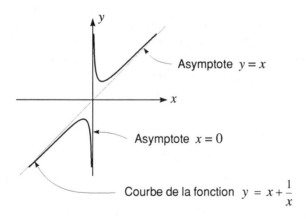

Asymptote $y = x$

Asymptote $x = 0$

Courbe de la fonction $y = x + \dfrac{1}{x}$

Remarque

La fonction étudiée ci-dessus :

$$y \; = \; f(x) \; = \; x + \frac{1}{x}$$

aurait tout aussi bien pu être présentée sous la forme équivalente :

$$y = f(x) = \frac{x^2 + 1}{x},$$

laquelle ne suggère cependant pas avec autant d'évidence que le graphique de la fonction comporte une asymptote oblique. Nous allons voir dans le prochain exemple comment procéder dans ce cas. Signalons immédiatement que les fonctions dont le graphique comporte une asymptote oblique se présentent généralement sous la forme d'un quotient de polynômes, où le polynôme constituant le numérateur est d'un degré supérieur au polynôme constituant le dénominateur.

Exemple 2

Soit à déterminer les asymptotes du graphique de la fonction :

$$y = f(x) = \frac{2x^2 - x - 1}{x - 2}.$$

Par le fait que la valeur $x = 2$ annule le dénominateur de $f(x)$ sans annuler le numérateur, la droite $x = 2$ est donc une *asymptote verticale* de la courbe de la fonction. Comme, d'autre part, le polynôme constituant le numérateur est d'un degré supérieur au polynôme constituant le dénominateur, la courbe a aussi une *asymptote oblique*. Dans le but de faire ressortir l'équation de cette dernière, divisons le numérateur par le dénominateur :

$$
\begin{array}{r|l}
2x^2 - x - 1 & \,x - 2 \\
\underline{-2x^2 + 4x} & \,2x + 3 \\
3x - 1 & \\
\underline{-3x + 6} & \\
5 &
\end{array}
$$

Par conséquent, la fonction peut s'exprimer comme suit :

$$y = \underbrace{2x + 3}_{\text{Équation d'une droite}} + \underbrace{\frac{5}{x - 2}}_{\substack{\text{Expression qui tend vers 0} \\ \text{lorsque x tend vers l'infini}}}.$$

De là, au même titre que dans le premier exemple (c'est-à-dire par le fait que la fraction $\dfrac{5}{x-2}$ tend vers 0 lorsque x tend vers $\pm\infty$), on conclut que la droite :

$$y = 2x + 3$$

est une asymptote oblique du graphique de $f(x)$. Voici ce graphique :

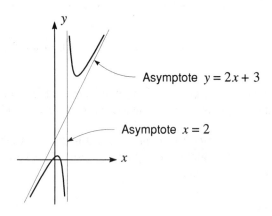

Asymptote $y = 2x + 3$

Asymptote $x = 2$

2.25 Exercices

Trouver les équations des asymptotes aux courbes suivantes :

1. $f(x) = \dfrac{2x^2}{1 + 3x^2}$.

2. $f(x) = \dfrac{3x}{x + 5}$.

3. $f(x) = \dfrac{2x}{x^2 - 4}$.

4. $f(x) = \dfrac{3}{(x - 1)\,(x - 3)}$.

5. $f(x) = \dfrac{2x^2 - 3}{x^2 - 9}$.

6. $f(x) = \dfrac{3x^3 + x^2}{x^2 + 1}$.

7. $f(x) = \dfrac{2x - 5}{x - 1}$.

8. $f(x) = \dfrac{-2x^2 - 3x + 2}{x + 1}$.

9. $f(x) = \dfrac{2x^3 + x^2 + x + 1}{x^2}$.

10. $f(x) = \dfrac{x^4 + 6}{x^2 + 4}$.

11. $f(x) = \dfrac{2x^2 + 4x + 1}{x + 1}$.

12. $f(x) = \dfrac{x^2 + x + 1}{x^3 + 1}$.

2.26 Résumé du chapitre

(a) Sens des notations

La notation $x \to a^-$ se lit *« x tend vers a par la gauche »* et signifie que, tout en demeurant strictement plus petite que a, la valeur de x s'approche de plus en plus de celle de a.

La notation $x \to a^+$ se lit *« x tend vers a par la droite »* et signifie que, tout en demeurant strictement plus grande que a, la valeur de x s'approche de plus en plus de celle de a.

La notation $x \to a$ se lit *« x tend vers a »* et signifie que, simultanément, $x \to a^-$ et $x \to a^+$.

La notation $x \to \infty$ se lit *«x tend vers l'infini»* et signifie que la variable x prend des valeurs de plus en plus grandes, plus grandes que tout nombre réel donné.

La notation $x \to -\infty$ se lit *«x tend vers moins l'infini»* et signifie que la variable x prend des valeurs de plus en plus négativement grandes, plus négativement grandes que tout nombre réel négatif donné.

(b) Limite d'une fonction

L'expression $\lim\limits_{x \to a} f(x) = L$ se lit *«la limite de f(x) lorsque x tend vers a est L»* et signifie que plus x s'approche de a (par la gauche et par la droite), plus la valeur de $f(x)$ s'approche de L.

(c) Propriétés des limites

(a) *La limite d'une somme est égale à la somme des limites, si ces dernières existent.*

(b) *La limite d'un produit est égale au produit des limites, si ces dernières existent.*

(c) *La limite d'un quotient est égale au quotient des limites, si ces dernières existent et si la limite servant de dénominateur est différente de zéro.*

(d) *La limite du produit d'une constante par une fonction est égale au produit de la constante par la limite de la fonction, si cette dernière existe.*

(d) Calcul des limites: cas réguliers

Règle générale, pour calculer la limite d'une fonction $f(x)$ lorsque x tend vers a, il suffit d'évaluer $f(a)$, c'est-à-dire d'appliquer la règle:

$$\lim\limits_{x \to a} f(x) = f(a).$$

(e) Calcul des limites : cas d'exception

La règle énoncée ci-dessus ne peut pas toujours être utilisée telle quelle pour évaluer les limites d'une fonction, c'est-à-dire que certaines difficultés peuvent surgir lors de son application. Voici une liste de cas d'exception et, pour chacun de ces cas, la manière de surmonter la difficulté :

(a) Cas où se présente la forme $\sqrt[2n]{0}$. Dans ce cas, on calcule la limite à gauche et la limite à droite. Si l'une de ces deux limites prend la forme $\sqrt[2n]{0^-}$, la limite cherchée n'existe pas (V. page 22, article 2.11).

(b) Cas où se présente la forme $0/0$. Dans ce cas, on divise si possible le numérateur et le dénominateur par le (ou les) facteur(s) contribuant à l'annulation du dénominateur, ce qui, à l'occasion, pourrait demander que l'on transforme préalablement la fonction à l'aide d'un artifice de calcul (V. page 28).

(c) Cas où se présente la forme $\infty - \infty$ (lorsque $x \to \infty$). Dans ce cas, si la fonction est du type polynomial, on met à profit la règle suivante : *«La limite d'un polynôme lorsque x tend vers $\pm \infty$ est égale à la limite lorsque x tend vers $\pm \infty$ du terme de plus haut degré du polynôme.»* (V. page 31).

(d) Cas d'un quotient de polynômes où se présente la forme ∞/∞ (lorsque $x \to \infty$). Dans ce cas, on applique la règle générale suivante : *«La limite d'un quotient de polynômes lorsque x tend vers $\pm \infty$ est égale à la limite lorsque x tend vers $\pm \infty$ du quotient de monômes obtenu en remplaçant chaque polynôme par son terme de plus haut degré.»* (V. page 31).

(e) Cas où se présente la forme $c/0$ ($c \neq 0$), où c désigne une constante non nulle. Dans ce cas, on calcule séparément la limite à gauche et la limite à droite. Si les deux limites coïncident, elles constituent la limite cherchée. Sinon, la limite cherchée n'existe pas (V. page 34, article 2.19).

(f) Asymptotes

Si, en se déplaçant sur une courbe C dans un sens donné et en s'éloignant à l'infini, un point P s'approche de plus en plus d'une droite sans jamais la rencontrer, on dit de cette droite qu'elle est une ***asymptote*** de la courbe C (V. page 37). Rappelons brièvement les trois cas d'asymptotes abordés dans ce chapitre :

(a) Le graphique d'une fonction $f(x)$ comporte une ***asymptote verticale*** si la fonction se présente sous la forme d'un quotient et si, pour un quelconque nombre a, le dénominateur de la fonction s'annule lorsque $x = a$ sans que, pour autant, le numérateur s'annule. L'existence d'une telle asymptote correspond au fait que les limites à gauche et à droite de $f(x)$ lorsque $x \to a$ sont soit $+\infty$, soit $-\infty$ (dans certains cas, cependant, l'une de ces deux limites pourrait faire défaut) (V. page 37, article 2.22).

(b) Le graphique d'une fonction $f(x)$ comporte une **asymptote horizontale** si une valeur réelle de la fonction est obtenue lorsque x tend vers $+\infty$ ou vers $-\infty$. Si a est la valeur réelle ainsi obtenue, l'asymptote a pour équation $y = a$ (V. page 38, article 2.23).

(c) Le graphique d'une fonction $f(x)$ comporte une **asymptote oblique** si la fonction se présente sous la forme d'un quotient de polynômes et si le polynôme servant de numérateur est d'un degré supérieur au polynôme servant de dénominateur. L'équation de l'asymptote s'obtient alors en divisant le numérateur par le dénominateur (V. page 40, article 2.24).

2.27 Exercices de révision

1. Que signifie la notation $x \to 3^+$?

2. Que signifie la notation $x \to 2^-$?

3. Que signifie la notation $x \to 4$?

4. Traduire en notations symboliques la phrase suivante: *«Si la valeur de x s'approche de plus en plus de 3, alors la valeur de la fonction $x^2 - 3$ s'approche de plus en plus de 6.».*

5. Calculer les limites suivantes:

   (a) $\lim\limits_{x \to 4} (3x + 7)$;

   (b) $\lim\limits_{x \to 5} \dfrac{x + 2}{x - 4}$.

6. Traduire en une phrase l'expression suivante: $\lim\limits_{x \to 4^-} (x + 5) = 9$.

7. Étant données une fonction $f(x)$ et une constante a, expliquer le sens de l'expression *«la limite de $f(x)$ lorsque x tend vers a».*

8. Considérons la fonction $f(x) = 4x + 2$.
   (a) Calculer successivement $f(2,9)$, $f(2,99)$ et $f(2,999)$.
   (b) D'après les résultats obtenus en (a), quelle est la limite de $f(x)$ lorsque $x \to 3^-$?

9. Dans l'évaluation des limites, la forme $\sqrt[2n]{0}$ ($n \in N^*$) fait souvent problème. Expliquer pourquoi.

10. On a $\sqrt{9} = 3$, $\sqrt[3]{-8} = -2$, alors que $\sqrt{-4}$ n'existe pas. Expliquer pourquoi.

11. Calculer les limites suivantes:

   (a) $\lim\limits_{x \to 0} \sqrt{x^2 + 7}$;

   (b) $\lim\limits_{x \to 7} \sqrt{7 - x}$;

   (c) $\lim\limits_{x \to 2^-} \dfrac{2 - x}{x^2}$;

   (d) $\lim\limits_{x \to -2} (4x + 2 - \sqrt{x + 2})$;

   (e) $\lim\limits_{x \to 2} \sqrt{x^2 - 4}$;

   (f) $\lim\limits_{x \to 3^-} \sqrt{9 - x^2}$;

   (g) $\lim\limits_{x \to 3} \dfrac{x^2 - 9}{x - 3}$;

   (h) $\lim\limits_{x \to 4} \dfrac{x^2 - 2x - 8}{x^2 - 3x - 4}$.

12. Calculer les limites:

   (a) $\lim\limits_{x \to 3} \dfrac{x - 3}{\sqrt{x} - \sqrt{3}}$;

   (b) $\lim\limits_{x \to 4} \dfrac{2 - \sqrt{x}}{2\,(x - 4)\,\sqrt{x}}$.

13. Nous savons que, pour calculer la limite:

$$\lim\limits_{x \to 2} \frac{(x + 2)\,(x - 2)}{x - 2}$$

   (présentant la forme $0/0$), il est permis de simplifier le numérateur et le dénominateur par le facteur $x - 2$. En faisant appel à la définition de la limite d'une fonction, expliquer pourquoi cette simplification est rigoureusement permise.

14. Quel procédé convient-il généralement d'employer si, à partir d'une expression comportant des radicaux, on obtient la forme $0/0$?

15. Traduisez en notations symboliques ce qui est illustré par le tableau ci-dessous:

x	2,9	2,99	2,999	2,9999
$f(x)$	8,7	8,97	8,997	8,9997

16. On dit d'une part que $\infty + \infty = \infty$ et d'autre part que $\infty - \infty$ est une forme indéterminée. Expliquer le sens de ces affirmations.

17. (a) Étant donnée la fonction $f(x) = x^3 - x^2$, calculer successivement $f(10)$, $f(100)$ et $f(1000)$.

    (b) D'après les résultats obtenus en (a), quelle est la valeur de $f(x)$ lorsque $x \to \infty$?

18. (a) Étant donnée la fonction $f(x) = x - x^2$, calculer successivement $f(10)$, $f(100)$ et $f(1000)$.

    (b) D'après les résultats obtenus en (a), quelle est la valeur de $f(x)$ lorsque $x \to \infty$?

19. Calculer les limites suivantes:

    (a) $\displaystyle\lim_{x \to -\infty} \frac{x^3 + 5x}{x^2 + 1}$;

    (b) $\displaystyle\lim_{x \to -\infty} \frac{x^2 + 7x + 1}{x^4 + 2x^2}$;

    (c) $\displaystyle\lim_{x \to -\infty} \frac{x^2 + 2x + 7}{x^3 - x^2 + 4}$;

    (d) $\displaystyle\lim_{x \to \infty} \frac{x^3 + 2x + 4}{2x^3 + x^2 + 5}$.

20. Pourquoi les formes $0/0$ et $c/0$ font-elles problème?

21. Pourquoi la division par zéro est-elle impossible?

22. Calculer les limites suivantes:

    (a) $\displaystyle\lim_{x \to 3^+} \sqrt{x - 3}$;

    (b) $\displaystyle\lim_{x \to 4} \frac{\sqrt{x} - 2}{x - 4}$;

    (c) $\displaystyle\lim_{x \to -2^-} \frac{3x}{x^2 - 4}$;

    (d) $\displaystyle\lim_{x \to 2} \frac{x^4 - 16}{x^2 - 4}$;

    (e) $\displaystyle\lim_{x \to \infty} \frac{2x^5 - 3x^3}{3x^5 + x^4}$;

    (f) $\displaystyle\lim_{x \to \infty} \frac{x^2 + 1000}{x^3 - 1}$;

    (g) $\displaystyle\lim_{x \to 0^+} 2^{1/x}$;

    (h) $\displaystyle\lim_{x \to 1^+} \frac{x^2}{x^3 - 1}$;

    (i) $\displaystyle\lim_{x \to 4^+} \sqrt{4 - x}$;

    (j) $\displaystyle\lim_{x \to -\infty} \frac{x^4 + 6x^2}{6x^2 + x}$.

23. Trouver les équations des asymptotes aux courbes suivantes:

(a) $f(x) = \dfrac{x^3}{x^2 - 1}$;

(b) $f(x) = \dfrac{x + 1}{x - 1}$;

(c) $f(x) = \dfrac{5x^2 + 1}{x^2 + 1}$;

(d) $f(x) = \dfrac{2x^3 + x^2 + 1}{x^2 + 1}$.

24. Quel est l'objet premier du calcul différentiel?

25. Quelle est la définition de la limite d'une fonction?

26. L'infini mathématique est-il un nombre?

Défis à relever

27. Considérons la fonction $y = f(x) = 2^{1/x}$.

(a) Quel est son domaine de définition?

(b) Le graphique de la fonction comporte deux asymptotes. Trouver celles-ci.

(c) Esquisser le graphique de la fonction.

Calculer les limites suivantes:

28. $\displaystyle\lim_{x \to 0^+} \dfrac{x}{|x|}$.

29. $\displaystyle\lim_{x \to 0^-} \dfrac{x}{|x|}$.

30. $\displaystyle\lim_{x \to 2} \dfrac{\frac{1}{x} - \frac{1}{2}}{x - 2}$.

31. $\displaystyle\lim_{x \to \infty} \dfrac{\sqrt{3x^2 + x}}{x}$.

32. $\displaystyle\lim_{x \to \infty} (\sqrt{x^2 + x} - x)$.

33. $\displaystyle\lim_{x \to \infty} (2^x + 2^{-x})$.

34. $\displaystyle\lim_{x \to 1^+} \dfrac{1}{2 - 2^x}$.

35. $\displaystyle\lim_{x \to 1} \dfrac{1}{2 - 2^x}$.

36. $\displaystyle\lim_{x \to \infty} \dfrac{3^x}{4^x}$.

37. $\displaystyle\lim_{x \to -\infty} \dfrac{3^x}{4^x}$.

38. $\displaystyle\lim_{x \to 0^+} \dfrac{2}{x^3 - x}$.

39. $\displaystyle\lim_{x \to 0} \dfrac{(1 + x)^2 - 1}{x}$.

Chapitre

3

CONTINUITÉ

Grâce à la notion de limite étudiée au chapitre précédent, nous sommes maintenant en mesure d'aborder une seconde notion fondamentale relative aux fonctions, la *continuité*. Les mathématiciens Bolzano, Cauchy et Weierstrass, mentionnés au chapitre 2 (V. page 9), comptent parmi les premiers à avoir proposé une définition précise de la continuité. Tout comme c'était le cas pour la notion de limite, c'est à Weierstrass qu'est attribuée la définition formelle de la continuité utilisée aujourd'hui.

3.1 Objectifs du chapitre

À la fin de ce chapitre, l'élève devra savoir:

- définir d'un point de vue graphique la continuité d'une fonction en un point, de même que sur un intervalle;
- définir les mêmes notions d'une manière analytique (c'est-à-dire sans avoir à se référer à un graphique);
- établir un parallèle entre la description graphique de la continuité en un point et la définition formelle correspondante;
- reconnaître les différents types de discontinuité;
- identifier les points ou intervalles de discontinuité d'une fonction donnée.

3.2 Continuité d'une fonction : approche graphique

Continuité en un point

D'un point de vue graphique, la courbe d'une fonction est dite *continue en un point* si ce point a deux voisins immédiats appartenant à la courbe, l'un à sa gauche et l'autre à sa droite, situés «infiniment près» de lui.

Continuité sur un intervalle

D'un point de vue graphique, la courbe d'une fonction est dite *continue sur un intervalle* si elle est continue en chaque point de cet intervalle. Par conséquent, la portion de courbe correspondante ne doit comporter aucune «brisure», c'est-à-dire qu'on doit pouvoir la tracer sans lever le crayon.

3.3 Discontinuité

Il arrive que pour mieux comprendre une notion, on a avantage à porter son attention sur son contraire. C'est ainsi que nous nous intéresserons ci-après aux *points de discontinuité* et aux *intervalles de discontinuité* d'une fonction. Nous reviendrons à la notion de continuité plus loin, alors que nous en donnerons une définition formelle. On peut distinguer plusieurs types de discontinuité :

(a) Discontinuité «par trou»

Pour une fonction donnée $f(x)$, nous dirons qu'il y a discontinuité *«par trou»* en $x = a$ si, d'une part, le remplacement de x par a dans la fonction donne la forme $0/0$ et si, d'autre part, $\lim\limits_{x \to a^-} f(x) = \lim\limits_{x \to a^+} f(x)$. Par exemple, pour la fonction :

$$f(x) = \frac{x^2 - 4}{x - 2} = \frac{(x - 2)\,(x + 2)}{x - 2} \; ,$$

considérée au chapitre 2 (V. page 26, Exemple 1) et dont le graphique est rappelé ci-contre, il y a discontinuité par trou en $x = 2$ puisque, d'une part, le remplacement de x par 2 dans la fonction donne la forme $0/0$ et que, d'autre part, on a :

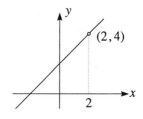

$$\lim\limits_{x \to 2^-} f(x) = \lim\limits_{x \to 2^-} \frac{(x - 2)\,(x + 2)}{x - 2} = \lim\limits_{x \to 2^-} (x + 2) = 4$$

de même que :

$$\lim_{x \to 2^+} f(x) \;=\; \lim_{x \to 2^+} (x+2) \;=\; 4 \;=\; \lim_{x \to 2^-} f(x) \,.$$

À noter que, même si les limites à gauche et à droite en $x = 2$ existent et sont égales, la valeur $x = 2$ ne fait pas partie du domaine de définition de la fonction, vu qu'elle annule le dénominateur de cette fonction. C'est d'ailleurs pour cette raison qu'il y a un « *trou* » dans le graphique de la fonction au point $(2, 4)$. La fonction est continue en toute autre valeur de x.

(b) Discontinuité « par passage à l'infini »

Il y a discontinuité *« par passage à l'infini »* en un point $x = a$ si, en ce point, on obtient la forme $c/0$, $c \neq 0$, et qu'au moins l'une des limites (à gauche ou à droite) tend vers l'infini. Par exemple, la fonction :

$$f(x) \;=\; \frac{1}{x-5} \,,$$

examinée au chapitre 2 (V. page 37, article 2.22) et dont le graphique est rappelé ci-contre, est discontinue par passage à l'infini en $x = 5$: la fonction n'est pas définie en $x = 5$ et on a $\lim_{x \to 5^-} f(x) = -\infty$ et $\lim_{x \to 5^+} f(x) = +\infty$. La fonction est continue en toute autre valeur réelle de x.

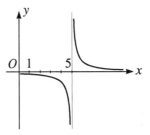

(c) Discontinuité « par défaut » (sur un intervalle)

La discontinuité *« par défaut »* se rencontre lorsque, sur un intervalle donné, la fonction n'est pas définie. C'est le cas pour la fonction :

$$f(x) \;=\; \sqrt{x},$$

qui n'est pas définie pour $x < 0$, c'est-à-dire sur l'intervalle $]\!-\infty, 0[$ (V. graphique ci-contre).

À remarquer qu'en $x = 0$ la fonction est discontinue, étant donné que le point $(0, f(0)) = (0, 0)$ n'a pas de «voisin immédiat» à gauche. Ce point est un exemple d'un point faisant partie de la courbe d'une fonction, mais où il y a discontinuité. Comme la valeur $x = 0$ marque la séparation entre un intervalle de continuité et un intervalle de discontinuité de la fonction, nous dirons que c'est un *«point frontière»*. La discontinuité en ce point sera dite *par défaut* (au même titre donc que la discontinuité des autres points de l'intervalle de discontinuité dont il fait partie et dont il constitue une extrémité).

En somme, pour notre exemple, il y a discontinuité par défaut sur l'intervalle $]-\infty, 0]$ et continuité sur l'intervalle $]0, \infty[$.

(d) Discontinuité «par saut»

Pour une fonction donnée $f(x)$, il y a discontinuité *«par saut»* en $x = a$ si les limites à gauche et à droite en $x = a$ existent mais sont *différentes*. C'est le cas, par exemple, pour la fonction:

$$y = f(x) = \frac{x-2}{|x-2|},$$

examinée au chapitre 2 (V. page 14, Remarque) et dont le graphique est rappelé ci-dessous.

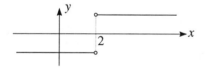

On observe qu'en $x = 2$ la limite à gauche est:

$$\lim_{x \to 2^-} f(x) = \lim_{x \to 2^-} (-1) = -1$$

(vu que, pour $x < 2$, c.-à-d. pour $x - 2 < 0$, on a $\dfrac{x-2}{|x-2|} = \dfrac{x-2}{-(x-2)} = -1$), alors que la limite à droite est:

$$\lim_{x \to 2^+} f(x) = \lim_{x \to 2^+} (+1) = +1$$

(vu que, pour $x > 2$, c.-à-d. pour $x - 2 > 0$, on a $\dfrac{x-2}{|x-2|} = \dfrac{x-2}{x-2} = +1$).

Par conséquent, en $x = 2$, la courbe saute brusquement du point $(2, -1)$ au point $(2, +1)$ et, de ce fait, la fonction est discontinue par saut en cette valeur de x. La fonction est continue en toute autre valeur de x.

3.4 Continuité d'une fonction: approche analytique

Présentons maintenant la notion de continuité d'une fonction à l'aide de définitions plus rigoureuses, valables pour tous les cas et telles qu'on n'ait pas besoin de recourir au graphique de la fonction pour étudier cette continuité.

Continuité en un point

DÉFINITION

Une fonction $f(x)$ est ***continue en un point*** $x = a$ si elle remplit les conditions suivantes:
(a) $f(a)$ existe, c'est-à-dire que la fonction est définie en $x = a$;
(b) les limites à gauche et à droite en $x = a$ existent et sont toutes deux égales à $f(a)$: $\lim\limits_{x \to a^-} f(x) = \lim\limits_{x \to a^+} f(x) = f(a)$.

Continuité sur un intervalle

DÉFINITION

Une fonction est ***continue sur un intervalle*** si elle est continue en chaque point de cet intervalle.

Exemple 1

La fonction polynomiale:

$$f(x) = x^3 - 2x^2 + 5$$

est continue en chaque point $x = a$ de son domaine de définition (qui est R tout entier) puisque, en chacun de ces points, on a:

$$\lim_{x \to a^-} f(x) = \lim_{x \to a^+} f(x) = a^3 - 2a^2 + 5 = f(a).$$

Et puisque la fonction est continue en chaque point $a \in R$, elle est continue sur R tout entier.

Exemple 2

Soit à étudier la continuité de la fonction:

$$f(x) = \frac{4}{x^2 - 9}.$$

De toute évidence cette fonction n'est pas définie en $x = \pm 3$ (c'est-à-dire en $x = 3$ et en $x = -3$), vu que le dénominateur s'annule pour ces deux valeurs de x. Il y a donc discontinuité en $x = 3$ et en $x = -3$ (la condition (a) de la définition de la continuité en un point n'étant pas remplie). Et puisque, si on remplace x par ± 3 dans la fonction, on obtient la forme $c/0$ ($c \neq 0$), la discontinuité y est du type *«passage à l'infini»* (présence d'asymptotes verticales). Il y a continuité en toute autre valeur de x.

Exemple 3

Soit à étudier la continuité de la fonction:

$$f(x) \;=\; \frac{x+2}{x^2-4} \;=\; \frac{x+2}{(x+2)\,(x-2)}\;.$$

La première chose à remarquer ici, c'est que la fonction n'est pas définie en $x = 2$ et $x = -2$ (annulation du dénominateur). Par conséquent, il y a discontinuité en ces deux valeurs de x (la condition (a) de la définition de la continuité en un point n'étant pas remplie). Comme, en $x = 2$, on obtient la forme $c/0$ ($c \neq 0$), la discontinuité y est du type *«passage à l'infini»*. En $x = -2$, on obtient la forme $0/0$. On vérifie facilement (après simplification) qu'en cette valeur de x les limites à gauche et à droite sont égales. Donc la discontinuité y est du type *«par trou»*.

Exemple 4

Soit à étudier la continuité de la fonction:

$$f(x) \;=\; \sqrt{x-7}\,.$$

Le domaine de définition de cette fonction est l'intervalle $[\,7,\,\infty\,[$, puisqu'on doit avoir $x - 7 \geq 0$. Il y a donc discontinuité *«par défaut»* sur l'intervalle $]-\infty,\,7[$. Il y a également discontinuité au point frontière $x = 7$ car, même si la limite à droite:

$$\lim_{x \to 7^+} \sqrt{x-7} \;=\; \sqrt{7^+ - 7} \;=\; \sqrt{0^+} \;=\; 0$$

existe, la limite à gauche:

$$\lim_{x \to 7^-} \sqrt{x-7} \;=\; \sqrt{7^- - 7} \;=\; \sqrt{0^-}$$

n'existe pas (V. page 23, Exemple 1), ce qui contrevient donc à la condition (b) de la définition de la continuité en un point. Cette discontinuité est du type «par défaut», compte tenu de ce dont il a été convenu au paragraphe (c) de la page 53. En résumé, la fonction est discontinue par défaut sur l'intervalle $]-\infty, 7]$ et continue sur l'intervalle $]7, \infty[$.

Exemple 5

Soit à étudier la continuité en $x = 0$ de la fonction :

$$f(x) = \sqrt[3]{x}.$$

Observons en premier lieu que la fonction est définie en $x = 0$, puisqu'on a : $f(0) = \sqrt[3]{0} = 0$. Donc la condition (a) de la définition de la continuité en un point est remplie. Compte tenu d'autre part de ce que les valeurs négatives sont admises sous un radical d'indice impair, on a :

$$\lim_{x \to 0^-} \sqrt[3]{x} = \sqrt[3]{0^-} = 0 = \lim_{x \to 0^+} \sqrt[3]{x} = \sqrt[3]{0^+}.$$

Donc, puisque les limites à gauche et à droite en $x = 0$ existent et sont toutes deux égales à $f(0)$, la condition (b) de la définition de la continuité en un point est aussi remplie. Par conséquent, il y a continuité de la fonction en $x = 0$.

Exemple 6

Soit à étudier la continuité de la fonction :

$$f(x) = \begin{cases} x^3 & \text{si } x \le -1 \\ x & \text{si } -1 < x < 2 \\ -2 & \text{si } x \ge 2 \end{cases}$$

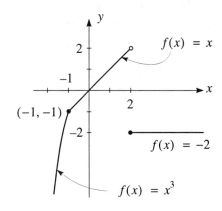

(dont le graphique est tracé ci-contre). Du point de vue de la continuité, les deux seules valeurs sur lesquelles il y a lieu de s'interroger sont évidemment $x = -1$ et $x = 2$ (marquant la jonction entre les diverses parties de la définition).

Il est clair que, de par la définition même de la fonction, la condition (a) de la définition de la continuité est satisfaite en chacun de ces points, c'est-à-dire que $f(-1)$ et $f(2)$ existent. Voyons ce qu'il en est de la condition (b). En $x = -1$, les limite à gauche et à droite sont respectivement:

$$\lim_{x \to -1^-} f(x) = \lim_{x \to -1^-} x^3 = (-1)^3 = -1 \quad \text{et}$$

$$\lim_{x \to -1^+} f(x) = \lim_{x \to -1^+} x = -1 .$$

Comme ces deux limites sont égales à -1 et que ce nombre est précisément égal à $f(-1)$ (puisque $f(-1) = (-1)^3 = -1$), on doit conclure que, à l'instar de la première, la seconde condition de la définition de la continuité est remplie en $x = -1$. Donc il y a continuité en ce point (comme le graphique en fait foi).

En $x = 2$, les limites à gauche et à droite sont respectivement:

$$\lim_{x \to 2^-} f(x) = \lim_{x \to 2^-} x = 2 \quad \text{et}$$

$$\lim_{x \to 2^+} f(x) = \lim_{x \to 2^+} (-2) = -2 \neq \lim_{x \to 2^-} f(x) .$$

La seconde condition de la définition de la continuité n'est donc pas remplie en $x = 2$ et, par conséquent, il y a discontinuité en ce point (comme la chose apparait bien sur le graphique). Cette discontinuité est du type par saut (la limite à gauche étant différente de la limite à droite).

3.5 Exercices

Étudier la continuité des fonctions ci-après. S'il y a discontinuité, déterminer les points ou intervalles de discontinuité et le type de discontinuité.

1. $f(x) = \dfrac{x+1}{x-2}$.

2. $f(x) = x^2 + x + 1$.

3. $f(x) = \dfrac{x^3 + x}{x}$.

4. $f(x) = 2^x$.

5. $f(x) = \dfrac{x+2}{x}$.

6. $f(x) = \sqrt[3]{x+4}$.

7. $f(x) = \sqrt{x-2}$.

8. $f(x) = \dfrac{2x^2 - x - 1}{x-1}$.

9. $f(x) = \sqrt{x^2 + 1}$.

10. $f(x) = \dfrac{x^2 + x + 1}{x^2 + 1}$.

11. $f(x) = \dfrac{4}{(x+1)^2}$.

12. $f(x) = \dfrac{x^2 - 1}{x + 1}$.

13. $f(x) = \dfrac{x^2 + 7}{x - 5}$.

14. $f(x) = 3^{-x}$.

15. $f(x) = \sqrt{(x-1)^2}$.

16. $f(x) = \sqrt{3 + x}$.

17. $f(x) = \dfrac{4}{(x+1)(x-3)}$.

18. $f(x) = \dfrac{3}{(x-2)^2}$.

19. $f(x) = \dfrac{(x+1)(x-2)}{(x+2)(x-2)}$.

20. $f(x) = \dfrac{5}{x(x-2)(x+3)}$.

21. $f(x) = \sqrt[3]{(x+1)^2}$.

22. $f(x) = \sqrt[3]{x + 2}$.

23. $f(x) = \dfrac{x^2 + 3x}{x^3 - 9x}$.

24. $f(x) = \dfrac{\sqrt{3 - x}}{x^2 - 9}$.

25. $f(x) = \begin{cases} x + 5 & \text{si } x \le -1 \\ x^2 & \text{si } x > -1. \end{cases}$

26. $f(x) = \begin{cases} 3x & \text{si } x < 1 \\ x^3 + x^2 + x & \text{si } x \ge 1. \end{cases}$

27. $f(x) = \begin{cases} \sqrt{x^2 + 4} & \text{si } x \le 0 \\ \dfrac{-10}{x - 5} & \text{si } x > 0. \end{cases}$

28. $f(x) = \begin{cases} 4 - x^2 & \text{si } x < -1 \\ \dfrac{x^2 - 1}{x - 1} & \text{si } x \ge -1. \end{cases}$

29. $f(x) = \begin{cases} x - 2 & \text{si } x \le -2 \\ 4 - x^2 & \text{si } -2 < x < 3 \\ 1 & \text{si } x \ge 3. \end{cases}$

30. $f(x) = \begin{cases} x^3 - 1 & \text{si } x \le -2 \\ x - 7 & \text{si } -2 < x < 4 \\ x^2 - 7 & \text{si } x \ge 4. \end{cases}$

3.6 Résumé du chapitre

(a) Fonction continue en un point

Une fonction $f(x)$ est continue en $x = a$ si elle remplit les conditions suivantes:

$$\begin{cases} \text{(a)} \ f(a) \text{ existe;} \\ \text{(b)} \ \lim_{x \to a^-} f(x) \ = \ \lim_{x \to a^+} f(x) \ = \ f(a) . \end{cases}$$

D'un point de vue graphique, la courbe d'une fonction est ***continue en un point***, si ce point a deux voisins immédiats appartenant à la courbe, l'un à sa gauche et l'autre à sa droite, situés «infiniment près» de lui.

(b) Fonction continue sur un intervalle

Une fonction est continue sur un intervalle si elle est continue en chacun des points de cet intervalle.

(c) Types de discontinuité

Type	Forme	Exemple
«par trou»	forme 0/0 avec lim. à gauche égale à lim. à droite	$f(x) = \dfrac{x^2 - 4}{x - 2}$ (en $x = 2$)
«par passage à l'infini»	forme $\dfrac{c}{0}$ $(c \neq 0)$	$f(x) = \dfrac{1}{x - 5}$ (en $x = 5$)
«par défaut»	$\sqrt[n]{?}$ (n pair)	$f(x) = \sqrt{x}$ (pour $x \leq 0$)
«par saut»	si lim. à gauche diffère de lim. à droite	$f(x) = \dfrac{x - 2}{|x - 2|}$ (en $x = 2$)

3.7 Exercices de révision

1. Comment, d'un point de vue graphique, peut-on savoir si une fonction f est continue en un point donné $(a, f(a))$ de sa courbe ?

2. Comment, d'un point de vue graphique, peut-on savoir si une fonction f est continue sur un intervalle ouvert donné ?

3. Comment, sans tracer le graphique d'une fonction f, peut-on savoir si cette fonction est continue en un point donné $x = a$?

4. Établir un parallèle entre elles la réponse à la question 3 (définition analytique de la continuité en un point) et la réponse à la question 1 (description graphique) ?

5. Ci-dessous sont présentés divers graphiques de fonctions. À l'examen de ces graphiques, indiquer les valeurs de x pour lesquelles les fonctions sont discontinues :

(a)

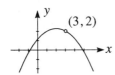

(b)

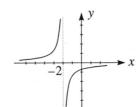

(c)

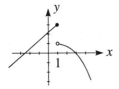

(d)

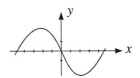

6. Identifier les points ou intervalles de discontinuité des fonctions suivantes :

(a) $f(x) = \dfrac{x+2}{x^2-4}$.

(b) $f(x) = \dfrac{4}{x+5}$.

(c) $f(x) = \sqrt{4-x}$.

(d) $f(x) = \dfrac{x+1}{(x-1)\,(x+3)}$.

(e) $f(x) = \dfrac{|4+x|}{4+x}$.

Pour les questions 7 à 24, étudier la continuité des fonctions proposées. S'il y a discontinuité, déterminer les points ou intervalles de discontinuité ainsi que le type de discontinuité :

7. $f(x) = \dfrac{x^2 + 2x}{x^3 - 4x}$.

8. $f(x) = \dfrac{4 + x}{\sqrt{16 + x^2}}$.

9. $f(x) = \dfrac{\sqrt{x - 5}}{x + 2}$.

10. $f(x) = \dfrac{4}{\sqrt{4 - x}}$.

11. $f(x) = \dfrac{x^2}{|x|}$.

12. $f(x) = \dfrac{\sqrt{2 - x}}{x + 4}$.

13. $f(x) = \sqrt[3]{4 - x}$.

14. $f(x) = \dfrac{x + 1}{x^3 + x}$.

15. $f(x) = \dfrac{|x|}{x}$.

16. $f(x) = \dfrac{|x + 2|}{x - 4}$.

17. $f(x) = |x|$.

18. $f(x) = \sqrt{-|x|}$

19. $f(x) = 2^x$.

20. $f(x) = \left| \dfrac{x^2 - x}{x - 1} \right|$.

21. $f(x) = \begin{cases} \dfrac{4}{x + 2} & \text{si } x \le 0 \\[2mm] x^2 + x + 2 & \text{si } 0 < x \le 3 \\[2mm] x^3 - 2x^2 & \text{si } x > 3. \end{cases}$

22. $f(x) = \begin{cases} \dfrac{1}{x - 4} & \text{si } x \le 0 \\[2mm] \dfrac{x - 1}{x^2 + 4} & \text{si } 0 < x < 1 \\[2mm] \ln x & \text{si } x \ge 1. \end{cases}$

23. $f(x) = \begin{cases} e^x & \text{si } x \leq 0 \\ \dfrac{1+x}{1-x^2} & \text{si } 0 < x < 5 \\ \sqrt{x^2 - 16} & \text{si } x \geq 5. \end{cases}$

24. $f(x) = \begin{cases} 5/2 & \text{si } x \leq -3 \\ \dfrac{\sqrt{x^2 + 16}}{2} & \text{si } -3 < x < 0 \\ \dfrac{4 - x^2}{x - 2} & \text{si } x \geq 0. \end{cases}$

25. Considérons la fonction $f(x) = \sqrt{4 - x}$.

    (a) Pour quelles valeurs de x cette fonction est-elle définie?

    (b) En quelles valeurs de x cette fonction est-elle continue?

    (c) À l'aide de la définition analytique de la continuité, expliquer pourquoi les réponses en (a) et (b) sont différentes.

    (d) Reprendre la même explication à l'aide, cette fois, de la description graphique de la continuité en un point.

Défis à relever

26. Considérons la fonction $f(x) = x^3 + 2x^2 + x - 4$.

    (a) Trouver l'ensemble des valeurs de x pour lesquelles cette fonction est continue?

    (b) On peut tracer le graphique de la fonction sur l'intervalle $]-\infty, +\infty[$ sans avoir à lever le crayon. Vrai ou faux?

    (c) Calculer $\lim\limits_{x \to -\infty} f(x)$ et $\lim\limits_{x \to \infty} f(x)$.

    (d) À l'aide des réponses trouvées en (b) et (c), expliquer pourquoi nous pouvons être assurés que la courbe de la fonction coupe l'axe des x au moins une fois (c'est-à-dire que la fonction possède au moins un zéro).

27. Étudier la continuité de la fonction sur l'intervalle indiqué:

    (a) $f(x) = \dfrac{x+3}{x-4}$, sur l'intervalle $[0, 3]$;

    (b) $f(x) = \dfrac{4}{x^2 - 4}$, sur l'intervalle $[-5, 0]$;

(c) $f(x) = \sqrt{4-x}$, sur l'intervalle $[0, 8]$;

(d) $f(x) = \sqrt{x-5}$, sur l'intervalle $[5, 10]$.

28. Trouver une fonction $f(x)$ qui satisfasse aux conditions proposées, puis tracer le graphique de la fonction trouvée :

(a) $f(x)$ est partout définie sur R, sauf en $x = 4$; de plus $\lim\limits_{x \to 4} f(x) = 2$.

(b) $f(x)$ est continue sur l'intervalle $]5, \infty[$ et discontinue sur l'intervalle $]-\infty, 5]$.

(c) $f(x)$ est continue sur R, sauf en $x = -4$; de plus $\lim\limits_{x \to -4} f(x)$ n'existe pas.

(d) $f(x)$ est continue sur R, sauf en $x = 3$; de plus $\lim\limits_{x \to 3^-} f(x) = -1$ et $\lim\limits_{x \to 3^+} f(x) = +1$.

LA DÉRIVÉE D'UNE FONCTION

La notion de limite, introduite au chapitre 2, s'est jusqu'ici avérée un excellent moyen pour mieux comprendre le concept de fonction. Par exemple, au chapitre 2, la notion de limite nous a permis d'identifier les asymptotes attachées au graphique de certaines fonctions. Au chapitre 3, la même notion nous a permis de définir et de bien comprendre le concept de continuité d'une fonction.

Dans le présent chapitre, nous allons introduire une autre notion relative aux fonctions qui, cette fois encore, mettra à contribution le concept de limite. Il s'agit de ce qu'on appelle la *dérivée* d'une fonction. La dérivée est de loin la notion la plus importante abordée dans ce livre. Elle nous permettra d'améliorer considérablement notre compréhension de la notion de fonction et d'en tirer plusieurs applications pratiques.

La notion de dérivée a été inventée simultanément par Newton (Angleterre, 1642-1727) et Leibniz (Allemagne, 1646-1716). Ces deux célèbres mathématiciens poursuivaient des objectifs aussi différents que la recherche d'un procédé général pour le calcul de la pente de la tangente à une courbe en un point donné de cette courbe et la recherche d'un instrument mathématique adéquat pour l'étude du mouvement des corps.

4.1 Objectifs du chapitre

À la fin de ce chapitre, l'élève devra être capable :

- de définir la *dérivée* d'une fonction à l'aide de notations symboliques ;

- de définir le même concept dans ses mots, c'est-à-dire de donner la signification des notations dont il est question ci-dessus ;

- d'expliquer pourquoi la *pente* de la tangente à une courbe en un point donné de cette courbe est égale à la valeur de la dérivée de la fonction en ce point ;

- de calculer la dérivée de diverses fonctions par la méthode présentée dans ce chapitre ;

- de faire le lien entre la notion de *taux de variation* et celle de *dérivée* ;

- de faire le lien entre la notion de *vitesse* et celle de *dérivée*.

4.2 Rappels

Courbe d'une fonction

Rappelons qu'à toute fonction $y = f(x)$ est associée une courbe du plan cartésien, celle-ci étant constituée de l'ensemble des points $(x, y) = (x, f(x))$ du plan, $x \in D_f$ (D_f étant le domaine de définition de la fonction). Par exemple, si $f(x) = x^2 - 3$, alors les points de la courbe de f ont la forme générale $(x, f(x)) = (x, x^2 - 3)$. Ainsi, aux valeurs $x = 2$ et $x = -1$ du domaine de définition D_f correspondent respectivement les points $(2, f(2)) = (2, 1)$ et $(-1, f(-1)) = (-1, -2)$ de la courbe de f (V. graphique ci-dessous).

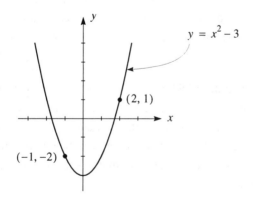

Pente d'une droite

DÉFINITION

À toute droite donnée D, non parallèle à l'axe des y, est associé un nombre important ordinairement désigné par la lettre m et appelé la **pente** de la droite. Pour obtenir ce nombre, il suffit de connaître deux points distincts $A(x_1, y_1)$ et $B(x_2, y_2)$ de la droite. Et alors la pente est donnée par la formule (V. graphique ci-dessous):

$$m = \frac{y_2 - y_1}{x_2 - x_1}.$$

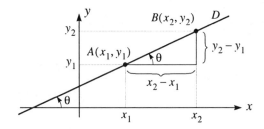

La pente d'une droite, notons-le, n'est autre que la tangente trigonométrique de l'angle orienté que fait la droite avec l'axe des x (ou avec toute autre droite parallèle à l'axe des x).

Droite sécante à une courbe

DÉFINITION

Soient $y = f(x)$ une fonction, C la courbe du plan correspondant à cette fonction, $A(x_1, f(x_1))$ et $M(x_2, f(x_2))$ deux points distincts de la courbe, et AM la droite déterminée par ces deux points (V. figure ci-dessous). Par le fait que la droite AM coupe la courbe C à au moins un de ses points, on dit qu'elle est **sécante** à cette courbe.

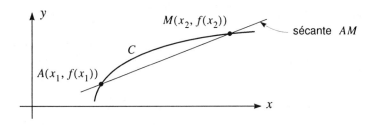

Dans ce qui va suivre, nous nous intéresserons tout particulièrement aux sécantes coupant une courbe en deux points distincts de cette courbe, comme dans le graphique ci-dessus.

4.3 Pente d'une sécante

DÉFINITION

Si, poursuivant dans le même contexte que ci-dessus, on pose $\Delta x = x_2 - x_1$ et $\Delta y = y_2 - y_1 = f(x_2) - f(x_1)$ (V. figure ci-dessous), alors, de par la définition même de la pente d'une droite (V. page 67), la **pente** de la sécante AM a pour valeur:

$$m = \frac{\Delta y}{\Delta x} = \frac{y_2 - y_1}{x_2 - x_1} = \frac{f(x_2) - f(x_1)}{x_2 - x_1}. \tag{1}$$

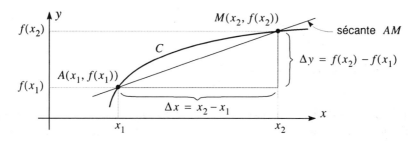

Les accroissements Δx et Δy

Le symbole Δ utilisé dans le graphique ci-dessus est une lettre grecque nommée *delta* et correspondant à notre D majuscule. La notation Δx (lire: *«delta x»*) est utilisée en calcul différentiel pour signifier l'écart entre deux valeurs successives de la variable x, lors de l'étude d'une fonction $f(x)$. On dit que Δx est un **accroissement** de la variable x. La notation Δy (lire: *«delta y»*), appelée **accroissement** de la variable y, a un sens analogue en ce qui concerne la variable y. L'accroissement Δy est généralement mesuré par référence à l'accroissement Δx. Par exemple, si Δx s'étend de x_1 à $x_1 + \Delta x$ (V. figure ci-après), alors Δy a pour valeur $\Delta y = f(x_1 + \Delta x) - f(x_1)$.

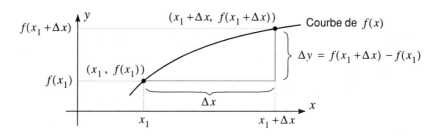

Exemple

Soit à calculer la pente de la sécante à la courbe d'équation :

$$y = f(x) = x^3 - x^2 + 3$$

si les points d'intersection de la sécante avec la courbe sont ceux d'abscisses respectives −2 et 2. L'application de la formule (1) donne :

$$m = \frac{\Delta y}{\Delta x} = \frac{f(x_2) - f(x_1)}{x_2 - x_1} = \frac{f(2) - f(-2)}{2 - (-2)}$$

$$= \frac{[2^3 - 2^2 + 3] - [(-2)^3 - (-2)^2 + 3]}{4}$$

$$= \frac{7 - (-9)}{4} = \frac{16}{4} = 4 \, .$$

4.4 Exercices

Pour chacune des fonctions ci-après, trouver la pente de la sécante à la courbe de la fonction si les points d'intersection de la sécante avec la courbe ont pour abscisses respectives les extrémités de l'intervalle indiqué :

1. $f(x) = x^2 - 4x + 5$, $[1, 3]$.

2. $f(x) = x^3 - x^2 + x - 1$, $[0, 3]$.

3. $f(x) = \dfrac{2x - 4}{x + 1}$, $[-2, 2]$.

4. $f(x) = \dfrac{4x - 5}{2 + x}$, $[-1, 0]$.

5. $f(x) = \sqrt{2x - 3}$, $[6, 14]$.

6. $f(x) = \sqrt{3x + 1}$, $[1, 5]$.

4.5 Droite tangente à une courbe

> **DÉFINITION**
>
> Si, poursuivant dans le même contexte qu'à l'article 4.2 (droite sécante à une courbe), on déplace le point M sur la courbe C de la fonction $f(x)$ de telle sorte qu'il se rapproche de plus en plus du point A, on obtient une suite de sécantes intermédiaires AM', AM'', etc. (V. figure ci-après). Lorsque, à la limite, M se confond avec A, la sécante AM change de nom et prend le nom de **tangente**. Soit T cette tangente (V. figure). On dit que T est *tangente à la courbe C au point A.*

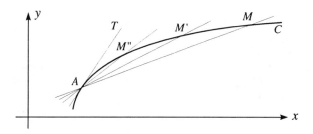

Nous insistons sur le fait que la tangente en un point A d'une courbe peut être vue comme une *limite*: la limite d'une sécante en deux points A et M de la courbe lorsque, par le déplacement du point M, celui-ci en vient à se confondre avec le point A.

4.6 Calcul de la pente d'une tangente à une courbe

Considérons la fonction $y = f(x) = x^2$. Soient C la courbe du plan définie par cette fonction, $A = (1, f(1)) = (1, 1)$ le point de la courbe d'abscisse 1, et soit à trouver la *pente* de la tangente à la courbe au point A (V. figure ci-dessous).

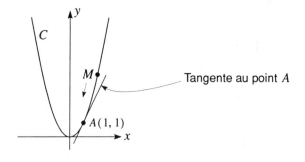

Tangente au point A

Pour trouver cette pente, nous allons, en usant de la calculatrice, mettre à profit le fait que la pente de la tangente au point A peut être vue comme la *limite* de la pente de la sécante AM lorsqu'un point M de la courbe s'approche de plus en plus du point A (V. figure). Calculons donc la pente de la sécante AM pour divers points M, choisis de plus en plus près de $A(1, 1)$.

(a) Commençons avec $M = (1,1, f(1,1)) = (1,1, 1,21)$. Alors la pente de la sécante AM est (V. formule (1) à la page 68):

$$m \;=\; \frac{\Delta y}{\Delta x} \;=\; \frac{f(x_2) - f(x_1)}{x_2 - x_1} \;=\; \frac{1,21 - 1}{1,1 - 1} \;=\; \frac{0,21}{0,1} \;=\; \mathbf{2{,}1}.$$

(b) Recommençons avec $M = (1,01, f(1,01)) = (1,01, 1,0201)$. Dans ce cas la pente de la sécante AM est:

$$m \;=\; \frac{\Delta y}{\Delta x} \;=\; \frac{f(x_2) - f(x_1)}{x_2 - x_1} \;=\; \frac{1,0201 - 1}{1,01 - 1} \;=\; \frac{0,0201}{0,01} \;=\; \mathbf{2{,}01}.$$

(c) Poursuivons avec $M = (1,001, f(1,001)) = (1,001, 1,002001)$. Cette fois, la pente de la sécante AM est:

$$m \;=\; \frac{\Delta y}{\Delta x} \;=\; \frac{f(x_2) - f(x_1)}{x_2 - x_1} \;=\; \frac{1,002001 - 1}{1,001 - 1} \;=\; \frac{0,002001}{0,001} \;=\; \mathbf{2{,}001}.$$

De ce qui précède, il ressort clairement que plus le point M s'approche de A, plus la pente de la sécante AM s'approche de 2. Par conséquent, la pente de la tangente au point A est:

$$m = 2$$

(limite du quotient $\dfrac{f(x_2) - f(x_1)}{x_2 - x_1}$ lorsque $x_2 \to x_1$, avec $x_1 = 1$).

Procédé général

En généralisant ce que nous venons d'observer, nous allons maintenant mettre au point un procédé général pour le calcul de la pente d'une tangente à la courbe d'une fonction en un point donné de cette courbe.

Soient $y = f(x)$ une fonction et C la courbe du plan correspondant à cette fonction (V. figure ci-après). Soit d'autre part x_1 une constante appartenant au domaine de définition de f, et intéressons-nous à déterminer la *pente* de la tangente T à la courbe au point précis $A(x_1, f(x_1))$. Pour atteindre le but, choisissons un second point $M(x_2, f(x_2))$ de la courbe, distinct du point A, et considérons la sécante AM (comme le suggère la figure, nous supposons ici que la courbe est continue et admet une tangente en chaque point de la courbe sur l'intervalle $[x_1, x_2]$). La pente de la sécante AM est (V. figure ci-dessous):

$$m = \frac{\Delta y}{\Delta x} = \frac{f(x_2) - f(x_1)}{x_2 - x_1} \, ,$$

où, tel que convenu plus haut (V. page 68), Δy représente l'accroissement de la variable y évalué en fonction de l'accroissement Δx de la variable x.

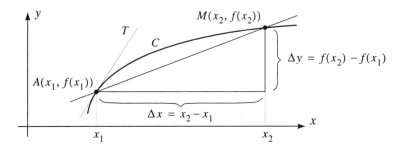

Ceci dit, réfléchissons à ce qui se passe lorsqu'on choisit M très près de A, c'est-à-dire lorsqu'on s'arrange pour que l'accroissement Δx soit très petit. Alors la sécante AM vient très près de se confondre avec la tangente T et, du même coup, la pente de cette sécante vient très près de se confondre avec la pente de la tangente T. Il est donc clair que la pente m cherchée a pour valeur:

$$m = \lim_{\Delta x \to 0} \frac{\Delta y}{\Delta x} = \lim_{x_2 \to x_1} \frac{f(x_2) - f(x_1)}{x_2 - x_1} \, . \tag{2}$$

4.7 La dérivée d'une fonction

Poursuivons avec la situation ci-dessus en ayant soin de modifier les notations comme suit (V. figure ci-après): le point particulier $A(x_1, f(x_1))$ de la courbe C de la fonction sera remplacé par le *«point général»* $A(x, f(x))$ de la même courbe. Le point $M(x_2, f(x_2))$, quant à lui, va devenir le point $M(x + \Delta x, \ f(x + \Delta x))$, étant donné que l'écart entre l'abscisse de M et l'abscisse de A est de Δx (V. figure ci-après). En appliquant la formule (2) ci-dessus, nous sommes amenés à conclure que la pente de la tangente T au point $A(x, f(x))$ a pour valeur:

$$m = \lim_{\Delta x \to 0} \frac{\Delta y}{\Delta x} = \lim_{\Delta x \to 0} \frac{f(x+\Delta x) - f(x)}{(x+\Delta x) - x} = \lim_{\Delta x \to 0} \frac{f(x+\Delta x) - f(x)}{\Delta x} . \quad (3)$$

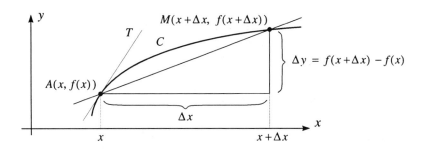

L'expression (3), apte à nous fournir la pente de la tangente au *point général* $(x, f(x))$ de la courbe d'une fonction est appelée la ***dérivée*** de cette fonction. La dérivée d'une fonction $y = f(x)$ est généralement désignée par l'une au l'autre des notations suivantes:

$$\frac{d}{dx} f(x), \qquad \frac{dy}{dx}, \qquad f'(x) \qquad \text{et} \qquad y'.$$

Retenons donc la définition suivante:

DÉFINITION

La ***dérivée*** d'une fonction $y = f(x)$ est la limite générale:

$$\frac{dy}{dx} = \lim_{\Delta x \to 0} \frac{\Delta y}{\Delta x}, \quad (4)$$

où $\Delta y = f(x+\Delta x) - f(x)$.

Interprétation graphique de la dérivée

À la suite de ce que nous venons de voir, il est clair que la dérivée d'une fonction $y = f(x)$ permet de connaître la pente de la tangente à la courbe de la fonction en tout point $(x, f(x))$ de cette courbe, sauf éventuellement en certains points où la dérivée (c'est-à-dire la limite $\lim\limits_{\Delta x \to 0} \frac{\Delta y}{\Delta x}$) ne serait pas définie.

4.8 Calcul de la dérivée

Dans ce qui va suivre, nous allons nous exercer à calculer la dérivée d'une fonction à l'aide de la formule (4) précédente. Pour chaque exercice, nous procéderons en trois temps, comme suit:

(a) nous calculerons d'abord $\Delta y = f(x + \Delta x) - f(x)$;

(b) nous calculerons ensuite le quotient $\dfrac{\Delta y}{\Delta x}$;

(c) nous calculerons finalement la dérivée $\dfrac{dy}{dx} = \lim\limits_{\Delta x \to 0} \dfrac{\Delta y}{\Delta x}$.

Exemple 1

Soit à calculer la dérivée de la fonction $y = f(x) = x^2$. En procédant tel que convenu ci-dessus, on obtient successivement:

(a)
$$\begin{aligned}
\Delta y &= f(x + \Delta x) - f(x) \\
&= (x + \Delta x)^2 - x^2 && \text{(puisque } f(x) = x^2) \\
&= x^2 + 2x\Delta x + (\Delta x)^2 - x^2 \\
&= \Delta x (2x + \Delta x) && \text{(annulation des «} x^2 \text{», puis mise en}
\end{aligned}$$
évidence de Δx).

(b) $\dfrac{\Delta y}{\Delta x} = \dfrac{\Delta x (2x + \Delta x)}{\Delta x} = 2x + \Delta x$ (simplification, ce qu'on peut faire pour $\Delta x \neq 0$; V. Remarque, p. 27).

(c) $\dfrac{dy}{dx} = \lim\limits_{\Delta x \to 0} \dfrac{\Delta y}{\Delta x} = \lim\limits_{\Delta x \to 0} (2x + \Delta x) = 2x.$

La dérivée de la fonction $y = x^2$ est donc: $\dfrac{dy}{dx} = 2x.$

Remarque 1

Rappelons que la réponse ci-dessus aurait aussi pu s'écrire $y' = 2x$ ou encore $f'(x) = 2x$. Signalons d'autre part que, par le fait que la dérivée est $f'(x) = 2x$, la pente de la tangente en tout point $(x, f(x))$ de la courbe de f est égale à $2x$. Ainsi, par exemple, aux points:

$$(-1, f(-1)) = (-1, 1) \quad \text{et} \quad (2, f(2)) = (2, 4)$$

de la courbe de f (V. figure ci-après), les pentes des tangentes sont respectivement:

$$f'(-1) \ = \ 2\,(-1) \ = \ -2 \quad \text{et} \quad f'(2) \ = \ 2\cdot 2 \ = \ 4.$$

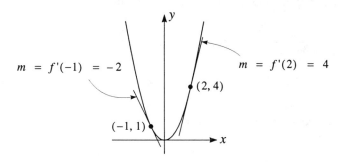

$$m \ = \ f'(-1) \ = \ -2 \qquad\qquad m \ = \ f'(2) \ = \ 4$$

$(2, 4)$

$(-1, 1)$

Exemple 2

Soit à calculer la dérivée de la fonction $y = f(x) = 4x - 7$.

(a) $\Delta y \ = \ f(x + \Delta x) - f(x)$

$\qquad = \ [\,4(x + \Delta x) - 7\,] - [\,4x - 7\,]$

$\qquad = \ 4\,\Delta x.$

(b) $\dfrac{\Delta y}{\Delta x} \ = \ \dfrac{4\Delta x}{\Delta x} \ = \ 4.$

(c) $\dfrac{dy}{dx} \ = \ \lim\limits_{\Delta x \to 0} \dfrac{\Delta y}{\Delta x} \ = \ \lim\limits_{\Delta x \to 0} 4 \ = \ 4$ (limite d'une constante; V. page 20).

La dérivée de la fonction $y = 4x - 7$ est donc: $f'(x) = 4$.

Remarque 2

Donc, pour la fonction $y = 4x - 7$ que nous venons de considérer, la pente de la tangente en tout point de la courbe (tracée ci-dessous) est égale à 4. Ceci correspond évidemment au fait que la courbe en question est une droite de pente 4.

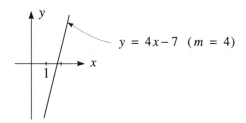

$y = 4x - 7 \ \ (m = 4)$

Exemple 3

Soit à calculer la pente de la tangente à la courbe d'équation :

$$y = f(x) = \frac{1}{3x+2}$$

au point $(-1, f(-1)) = (-1, -1)$ de cette courbe.

Vu que l'équation proposée définit une fonction, commençons par calculer la dérivée de celle-ci :

(a) $\Delta y = f(x + \Delta x) - f(x) = \dfrac{1}{3(x + \Delta x) + 2} - \dfrac{1}{3x+2}$

$\qquad = \dfrac{3x + 2 - (3x + 3\Delta x + 2)}{[3(x + \Delta x) + 2](3x+2)}$ (mise au commun dénominateur)

$\qquad = \dfrac{-3\Delta x}{[3(x + \Delta x) + 2](3x+2)}$.

(b) $\dfrac{\Delta y}{\Delta x} = \dfrac{-3\Delta x}{[3(x + \Delta x) + 2](3x+2)\,\Delta x} = \dfrac{-3}{[3(x + \Delta x) + 2](3x+2)}$.

(c) $f'(x) = \dfrac{dy}{dx} = \lim\limits_{\Delta x \to 0} \dfrac{\Delta y}{\Delta x} = \dfrac{-3}{(3x+2)(3x+2)} = \dfrac{-3}{(3x+2)^2}$.

Donc la dérivée de la fonction $y = \dfrac{1}{3x+2}$ est $\dfrac{dy}{dx} = \dfrac{-3}{(3x+2)^2}$.

Autrement dit, la pente de la tangente à la courbe proposée, au point général $(x, f(x))$ de cette courbe, est donnée par la formule :

$$m = \frac{-3}{(3x+2)^2} \qquad (x \neq -2/3).$$

En particulier, au point d'abscisse -1, la pente de la tangente à la courbe est :

$$m = f'(-1) = \frac{-3}{(-3+2)^2} = -3 .$$

Exemple 4

Soit à calculer la dérivée de la fonction $y = f(x) = \sqrt{x}$.

(a) $\Delta y = f(x + \Delta x) - f(x) = \sqrt{x + \Delta x} - \sqrt{x}$

$$= \frac{(\sqrt{x + \Delta x} - \sqrt{x})\,(\sqrt{x + \Delta x} + \sqrt{x})}{\sqrt{x + \Delta x} + \sqrt{x}}$$

(multiplication puis division par le *conjugué* (V. page 290) de $\sqrt{x + \Delta x} - \sqrt{x}$)

$$= \frac{x + \Delta x - x}{\sqrt{x + \Delta x} + \sqrt{x}} = \frac{\Delta x}{\sqrt{x + \Delta x} + \sqrt{x}}.$$

(b) $\dfrac{\Delta y}{\Delta x} = \dfrac{\Delta x}{\Delta x\,(\sqrt{x + \Delta x} + \sqrt{x})} = \dfrac{1}{\sqrt{x + \Delta x} + \sqrt{x}}.$

(c) $\dfrac{dy}{dx} = \lim\limits_{\Delta x \to 0} \dfrac{\Delta y}{\Delta x} = \dfrac{1}{\sqrt{x} + \sqrt{x}} = \dfrac{1}{2\sqrt{x}}.$

Par conséquent la dérivée de la fonction $y = \sqrt{x}$ est: $\dfrac{dy}{dx} = \dfrac{1}{2\sqrt{x}}.$

4.9 Exercices

Calculer la dérivée des fonctions:

1. $y = f(x) = 3x + 7$.

2. $y = f(x) = 4\pi x^2$.

3. $a = A(r) = 4\pi r^2$.

4. $s = S(t) = 50t - t^2$. $\quad \dfrac{ds}{dt} = \lim\limits_{\Delta t \to 0} \dfrac{s(t+\Delta t)}{\Delta t}$

5. $s = S(t) = 2t - 0{,}05\,t^2$.

6. $y = f(x) = \dfrac{4}{x - 1}$.

7. $y = f(x) = \dfrac{3x}{x - 3}$.

8. $y = f(x) = \sqrt{x + 5}$.

9. $y = f(x) = \sqrt{2 - 3x}$.

10. $y = f(x) = \dfrac{1}{\sqrt{x}}$.

11. $y = f(x) = x^3$.

12. $y = f(x) = c$ (où c désigne une constante quelconque).

Pour chacun des exercices qui restent :

(a) trouver une formule permettant de calculer la pente de la tangente en chaque point de la courbe admettant une tangente ;

(b) donner la pente de la tangente à la courbe au point indiqué.

13. $f(x) = \dfrac{1 + x}{x - 1}$ au point $(3, -2)$.

14. $f(x) = x^2 + x + 8$ au point $(-2, 10)$.

15. $f(x) = 2\sqrt{x}$ au point $(4, 4)$.

16. $f(x) = \dfrac{4x}{1 - 2x}$ au point $(1, -4)$.

4.10 Taux de variation

Dans son acception la plus générale, le mot *taux* signifie : quotient d'une quantité par une autre, pourcentage. C'est dans ce sens que l'on parle du «taux de l'impôt», d'un «taux d'intérêt», du «taux de change», du «taux d'alcool dans le sang», du «taux de chômage», etc.

Taux de variation moyen

Un concept très important étroitement lié à celui de dérivée est celui de *« taux de variation »*. L'importance du concept de taux de variation résulte du fait que, lorsque que l'on doit recourir à la dérivée dans les applications concrètes, on le fait généralement par le biais des taux de variation (aussi appelés taux d'accroissement).

D'un point de vue très général, une fonction peut être considérée comme une correspondance entre deux variables telle qu'une variation dans les valeurs accordées à l'une des variables (la variable indépendante) amène une variation correspondante dans les valeurs de l'autre (la variable dépendante). Considérons, par exemple, la fonction :

$$a = A(r) = \pi r^2$$

décrivant l'aire a d'un cercle en fonction de son rayon r et supposons que le rayon de cercle passe de 2 cm à 4 cm. L'aire du cercle passe donc alors de $A(2)$ cm^2 à $A(4)$ cm^2, c'est-à-dire de 4π cm^2 à 16π cm^2. Le rapport entre ces deux accroissements (ou « variations ») des variables est un point essentiel sur lequel nous allons maintenant nous interroger. Un tel rapport est appelé *taux de variation* ou *taux d'accroissement*. Pour l'exemple ci-dessus, le taux de variation a pour valeur :

$$\frac{\Delta a}{\Delta r} = \frac{A(4) - A(2)}{4 - 2} = \frac{16\pi - 4\pi}{2} = 6\pi \ \text{cm}^2/\text{cm} .$$

C'est le « taux de variation moyen » de l'aire du cercle par rapport à son rayon, lorsque celui-ci passe de 2 cm à 4 cm.

D É F I N I T I O N

Soit $y = f(x)$ une fonction continue sur un intervalle $[a, b]$. On appelle *taux de variation moyen* (*T. V. M.*) ou *taux d'accroissement moyen* de cette fonction sur l'intervalle $[a, b]$, le quotient de l'accroissement Δy de la variable y par l'accroissement Δx de la variable x sur l'intervalle $[a, b]$. Ce taux de variation a donc pour valeur (V. figure ci-dessous) :

$$T. V. M. = \frac{\Delta y}{\Delta x} = \frac{f(b) - f(a)}{b - a} .$$

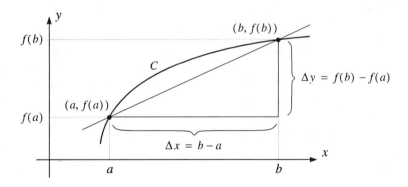

Exemple 1

Pour la fonction $y = f(x) = 2\sqrt{x}$, le taux de variation (d'accroissement) moyen sur l'intervalle $[1, 4]$ est (V. graphique ci-après) :

$$T. V. M. = \frac{\Delta y}{\Delta x} = \frac{f(4) - f(1)}{4 - 1} = \frac{4 - 2}{3} = \frac{2}{3} = 66{,}6... \% .$$

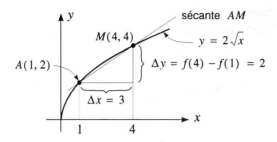

Ce résultat signifie que, sur l'intervalle $[1, 4]$, l'accroissement moyen de y est des $2/3$ de celui de x. Clairement, ce taux de variation moyen correspond à la *pente de la sécante AM*, A et M étant les points de la courbe d'abscisses respectives 1 et 4 (V. figure).

Taux de variation instantané

Nous venons de voir ce qu'on entend par *taux de variation moyen* (*taux d'accroissement moyen*) d'une fonction continue $y = f(x)$ sur un intervalle $[a, b]$: le quotient de l'accroissement Δy de la variable y par l'accroissement Δx de la variable x sur l'intervalle $[a, b]$:

$$T.\,V.\,M. = \frac{\Delta y}{\Delta x} = \frac{f(b) - f(a)}{b - a}.$$

Lorsque l'accroissement accordé à la variable x devient infiniment petit (c'est-à-dire lorsqu'il tend vers 0), alors le *taux de variation moyen* prend le nom de *taux de variation instantané* (*T.\,V.\,I.*). Le taux de variation instantané en un point $x = a$ est le quotient de l'accroissement Δy de la variable y par l'accroissement correspondant Δx de la variable x sur l'intervalle $[a, b]$, sauf qu'on prend l'intervalle $[a, b]$ infiniment petit, en faisant tendre b vers a.

DÉFINITION

Étant donnée une fonction $y = f(x)$, on appelle *taux de variation instantané* ou *taux d'accroissement instantané* en $x = a$ le quotient de l'accroissement Δy par l'accroissement Δx lorsque ce dernier devient infiniment petit dans le voisinage de a. En notations symboliques, le taux de variation instantané a donc pour valeur (V. figure ci-dessous):

$$T.\,V.\,I. = \lim_{\Delta x \to 0} \frac{\Delta y}{\Delta x} = \lim_{\Delta x \to 0} \frac{f(a + \Delta x) - f(a)}{\Delta x}. \qquad (5)$$

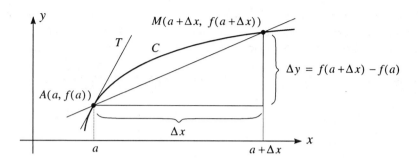

Taux de variation instantané et dérivée

D'après ce que nous venons de voir, il est clair que le taux de variation instantané d'une fonction $f(x)$ lorsque $x = a$ n'est autre que la *dérivée* $f'(x)$ de la fonction considérée en $x = a$, ou encore à la *pente* de la tangente T à la courbe de la fonction au point $(a, f(a))$ (V. figure précédente).

Soulignons que la plupart des applications concrètes de la dérivée sont une conséquence du fait que $f'(a)$ représente le taux de variation instantané de la fonction concernée $f(x)$ lorsque $x = a$.

Remarque

En pratique, lorsque l'expression «taux de variation» est utilisée sans que l'on précise s'il s'agit du taux de variation moyen ou du taux de variation instantané, on doit considérer qu'il s'agit du taux instantané.

Exemple 2

Si on revient à la fonction $y = f(x) = 2\sqrt{x}$ (dont le graphique est rappelé ci-contre), le taux d'accroissement instantané de cette fonction lorsque $x = 1$ est :

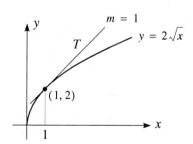

$$f'(1) = \frac{1}{\sqrt{1}} = 1,$$

vu que la dérivée de la fonction $f(x) = 2\sqrt{x}$ est $f'(x) = \dfrac{1}{\sqrt{x}}$
(V. page 78, exercice 15).

Le fait qu'en $x = 1$ le taux de variation soit 1 signifie qu'en $x = 1$ la fonction $f(x)$ croît exactement au même rythme que la variable x (ce qui correspond au fait qu'en $x = 1$ la pente de la tangente à la courbe est $m = 1$).

En $x = 4$, le taux de variation de la fonction par rapport à la variable x est $1/2$, puisqu'en ce point la dérivé de la fonction est:

$$f'(4) \;=\; \frac{1}{\sqrt{4}} \;=\; \frac{1}{2}\,, \qquad \text{etc.}$$

Exemple 3

On sait que l'aire d'une sphère varie en fonction de son rayon suivant la formule:

$$a = A(r) = 4\pi r^2.$$

où r désigne le rayon de la sphère (en centimètres, par exemple) et a son aire (en cm²). À partir de cette formule, voici quelques observations relatives aux notions présentées dans les pages précédentes:

(a) L'accroissement de l'aire lorsque r varie de 3 à 6 est:

$$\Delta a \;=\; A(6) - A(3) \;=\; 144\pi - 36\pi \;=\; 108\pi \text{ cm}^2.$$

(b) Le taux d'accroissement moyen (de variation moyen) de l'aire par rapport au rayon, sur le même intervalle (l'intervalle $[3, 6]$), est:

$$T.V.M. \;=\; \frac{\Delta a}{\Delta r} \;=\; \frac{108\pi}{6-3} \;=\; \frac{108\pi}{3} \;=\; 36\pi \text{ cm}^2/\text{cm}.$$

(c) Le taux d'accroissement (de variation) instantané lorsque $r = 3$ est:

$$T.V.I. \;=\; 8\pi \cdot 3 \;=\; 24\pi \text{ cm}^2/\text{cm},$$

étant donné que la dérivée de la fonction $4\pi r^2$ est $8\pi r$ (V. page 77, exercice 3). C'est donc dire que lorsque $r = 3$ l'augmentation de l'aire de la sphère est 24π fois plus rapide que celle du rayon. Lorsque $r = 4$, l'augmentation de l'aire est 32π fois plus rapide que celle du rayon, puisque, pour $r = 4$:

$$T.V.I. \;=\; 8\pi \cdot 4 \;=\; 32\pi \text{ cm}^2/\text{cm}, \qquad \text{etc.}$$

4.11 Exercices

1. On sait que l'aire a d'un carré varie en fonction de la longueur x de son côté suivant la formule $a = A(x) = x^2$.

   (a) Quel est l'accroissement de l'aire du carré lorsque x varie de 2 cm à 5 cm?

   (b) Quel est le taux d'accroissement (de variation) moyen de l'aire par rapport à la longueur du côté, sur le même intervalle (l'intervalle $[2, 5]$)?

   (c) Quel est le taux d'accroissement (de variation) instantané lorsque $x = 2$? (Si on le juge à propos, on mettra à profit le fait que la dérivée de la fonction x^2 est $2x$; V. page 74, Exemple 1.)

2. Le directeur général d'un cégep estime que, dans les prochaines années, le nombre d'étudiants inscrits dans son institution répondra à la formule $n = N(t) = 1843 - 9t$, où n désigne le nombre d'étudiants et t le temps en années.

   (a) Trouver une formule générale permettant de connaître en tout temps le taux de variation du nombre d'inscrits par rapport au temps.

   (b) Que signifie le fait que la formule trouvée en (a) est une constante?

   (c) Que signifie le fait que cette constante est négative?

3. Considérons la fonction $y = f(x) = x^2 + x + 8$ (dont la dérivée, qui est $f'(x) = 2x + 1$, a été calculée à l'exercice 4.9 – 13), ainsi que l'intervalle $I = [1, 3]$ de son domaine de définition.

   (a) Quel est l'accroissement de cette fonction sur l'intervalle I?

   (b) Quel est le taux d'accroissement moyen de cette fonction sur l'intervalle I?

   (c) Quel est le taux d'accroissement instantané de cette fonction en $x = a$, si a est la limite inférieure de l'intervalle I?

   (d) Quelle est la pente de la sécante à la courbe de cette fonction si les points d'intersection de cette sécante avec la courbe ont pour abscisses respectives les extrémités de l'intervalle I?

   (e) Quelle est la pente de la tangente à la courbe de cette fonction au point de cette courbe dont l'abscisse est la limite inférieure de l'intervalle I?

4. Mêmes questions qu'à l'exercice précédent si la fonction est $y = f(x) = \sqrt{x + 5}$ et l'intervalle $I = [4, 11]$. (Rappelons que la dérivée de cette fonction est $f'(x) = \dfrac{1}{2\sqrt{x + 5}}$; V. exercice 4.9 – 8.)

4.12   Vitesse de déplacement d'un objet

Le calcul différentiel est un outil des plus efficaces pour l'étude de mouvement des corps. Cette étude était d'ailleurs l'une des préoccupations des inventeurs du calcul différentiel.

Vitesse moyenne

DÉFINITION

D'une manière générale, la **vitesse moyenne** (v_m) de déplacement d'un corps sur un laps de temps donné est égale au quotient de la distance parcourue par le temps mis pour parcourir cette distance.

Par exemple, si une voiture parcourt $\Delta s = 400$ kilomètres en $\Delta t = 5$ heures, sa *vitesse moyenne* est :

$$v_m = \frac{\Delta s}{\Delta t} = \frac{400}{5} = 80 \quad \text{kilomètres à l'heure.}$$

Remarque

Il est clair que la vitesse moyenne de déplacement d'un corps sur un intervalle de temps donné $[t_1, t_2]$ n'est autre que le *taux de variation moyen* de la fonction de déplacement sur cet intervalle.

Vitesse instantanée

Affirmer qu'un automobiliste s'est déplacé à une *vitesse moyenne* de 80 km/h n'implique pas nécessairement qu'il a roulé à 80 km/h à tout moment du parcours : il aurait très bien pu faire du 100 km/h sur un certain tronçon de route et du 50 km/h dans telle courbe. La vitesse à laquelle se déplace un objet à un moment précis du déplacement est ce qu'on appelle sa *vitesse instantanée* à ce moment précis.

Pour connaître la vitesse instantanée d'un corps en mouvement à un moment précis t_0, on calcule, comme pour la vitesse moyenne, le quotient de la distance parcourue par le temps mis pour parcourir cette distance, sauf qu'on choisit un intervalle de temps Δt infiniment court dans le voisinage de t_0.

DÉFINITION

Si $s = f(t)$ est la fonction décrivant le déplacement d'un corps (à supposer que cette fonction corresponde à une formule connue), alors la ***vitesse instantanée*** (v_i) du corps au temps t_0 est donnée par la formule (V. figure ci-après) :

$$v_i = \lim_{\Delta t \to 0} \frac{\Delta s}{\Delta t} = \lim_{\Delta t \to 0} \frac{f(t_0 + \Delta t) - f(t_0)}{\Delta t} \, .$$

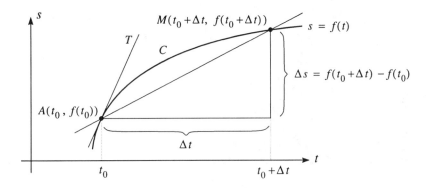

Vitesse instantanée et dérivée

De toute évidence, la vitesse instantanée au temps $t = t_0$ n'est autre que le *taux de variation instantané* de la fonction de déplacement $f(t)$ en $t = t_0$ ou, ce qui revient au même, la ***dérivée*** de la même fonction en $t = t_0$ (V. page 73, formule (3)). Bien entendu, on peut aussi dire que la vitesse instantanée correspond à la ***pente de la tangente*** à la courbe de la fonction $f(t)$ au point $(t_0, f(t_0))$. (Nous entendons ici par ***fonction de déplacement*** la fonction exprimant la distance parcourue par rapport au temps.)

Remarque

En pratique, lorsqu'on parle de la vitesse de déplacement d'un corps sans qu'il soit précisé s'il s'agit de sa vitesse moyenne (sur un laps de temps donné) ou de sa vitesse instantanée (à tel instant précis), on doit considérer qu'il s'agit de sa vitesse instantanée.

4.13 Exemple (corps en chute libre)

Admettons que, par rapport au temps de chute t (en secondes), la distance s (en mètres) parcourue par un corps en chute libre est donnée par la formule :

$$s \;=\; f(t) \;=\; 5t^2 \tag{6}$$

(formule relativement conforme à la réalité, si on fait abstraction de la résistance de l'air et si on suppose que la vitesse initiale est nulle). La courbe tracée ci-dessous correspond à cette formule :

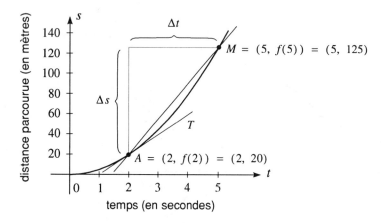

Ceci dit, supposons qu'on veuille connaître la vitesse moyenne du corps en chute libre sur l'intervalle de temps s'étendant de la deuxième à la cinquième seconde de chute (l'intervalle $[2, 5]$). En faisant le quotient de la distance parcourue par le temps mis pour parcourir cette distance, on trouve que cette vitesse moyenne est (V. graphique ci-dessus) :

$$v_m \;=\; \frac{\Delta s}{\Delta t} \;=\; \frac{f(5) - f(2)}{5 - 2} \;=\; \frac{125 - 20}{3} \;=\; \frac{105}{3} \;=\; 35 \;\; \text{m} / \text{s} \, .$$

Bien entendu, comme il apparait bien sur la figure, cette vitesse moyenne correspond à la *pente* de la sécante AM, où A et M désignent les points de la courbe d'abscisses respectives $t = 2$ et $t = 5$.

(*Note :* De prime abord, la valeur de la pente $\Delta y / \Delta x$ de la droite AM du graphique précédent semble bien plutôt être égale à 1,2 (approximativement) qu'à 35. Cette illusion résulte du fait que les deux axes ne sont pas gradués suivant la même échelle.)

Intéressons-nous maintenant, par exemple, à connaître la *vitesse instantanée* au temps $t = 2$ de la chute. Comme nous l'avons souligné plus haut, cette vitesse correspond à la dérivée $f'(t)$ de la fonction $f(t)$ évaluée en $t = 2$. En procédant comme aux articles précédents ou autrement (au prochain chapitre nous mettrons au point une manière beaucoup plus pratique de calculer la dérivée d'une fonction), on trouve que $f'(t) = 10t$. Par conséquent, la *vitesse instantanée* au temps $t = 2$ est:

$$v_i = f'(2) = 10 \cdot 2 = 20 \text{ mètres par seconde.}$$

Il va de soi que la vitesse instantanée au temps $t = 3$ est de $f'(3) = 10 \cdot 3 = 30$ mètres par seconde, la vitesse instantanée au temps $t = 4$ est de $f'(4) = 10 \cdot 4 = 40$ mètres par seconde, etc.

Remarque

Puisque la vitesse instantanée d'un corps en mouvement à un temps donné $t = t_0$ correspond à la pente de la *tangente* à la courbe de la fonction de déplacement au point $(t_0, f(t_0))$, il s'ensuit que plus la pente de la tangente est abrupte, plus la vitesse instantanée correspondante est grande (l'espace parcouru augmente rapidement par rapport au temps), et vice versa. Si la pente de la tangente est nulle à un instant donné (droite horizontale), le corps est immobile à cet instant. Et si la pente est négative, le corps recule (il «perd du terrain» sur l'axe des y).

4.14 Exercices

1. La distance s (en mètres) parcourue par un corps se déplaçant sur une trajectoire rectiligne est conforme à la fonction:
$$s = S(t) = 50t - t^2,$$
où t désigne le temps en secondes.
   (a) Quel est le trajet parcouru au bout de 10 secondes? de 15 secondes?
   (b) Quelle est la vitesse moyenne du corps sur l'intervalle de temps $[10, 15]$?
   (c) Quelle est la vitesse instantanée du corps au bout de 10 secondes, de 15 secondes? (Rappelons que la dérivée de la fonction s est $50 - 2t$; V. Exercice 4.9 – 4.)

2. Un mobile s'élève verticalement du sol conformément à la loi $s = S(t) = 39{,}2\,t - 4{,}9t^2$, où s désigne l'espace parcouru en mètres et t le temps en secondes.
   (a) Quelle est sa vitesse instantanée après une seconde de parcours?
   (b) Après combien de secondes cesse-t-il de monter?
   (c) Montrer que sa vitesse est réduite de moitié après 2 secondes.

4.15 Résumé du chapitre

(a) Dérivée

La *dérivée* $y' = f'(x)$ d'une fonction $y = f(x)$ est la limite du quotient $\Delta y/\Delta x$ de l'accroissement Δy de la variable y par l'accroissement Δx de la variable x, lorsque Δx tend vers zéro :

$$f'(x) = \lim_{\Delta x \to 0} \frac{\Delta y}{\Delta x}, \qquad \text{où} \qquad \Delta y = f(x + \Delta x) - f(x)$$

(V. page 73, (4)). À noter que la dérivée $f'(x)$ correspond à la *pente de la tangente* à la courbe de $f(x)$ au point général $(x, f(x))$ ou, ce qui revient au même, au taux de *variation instantané* en ce point.

(b) Taux de variation moyen

Soit $y = f(x)$ une fonction continue sur un intervalle donné $[a, b]$. On appelle *taux de variation moyen* (*taux d'accroissement moyen*) de cette fonction sur l'intervalle $[a, b]$, le quotient de l'accroissement Δy de la variable y par l'accroissement Δx de la variable x sur l'intervalle $[a, b]$:

$$T.V.M. = \frac{\Delta y}{\Delta x} = \frac{f(b) - f(a)}{b - a}.$$

Ce taux de variation moyen correspond à la *pente de la sécante* à la courbe de $f(x)$, lorsque cette sécante coupe la courbe aux points $(a, f(a))$ et $(b, f(b))$.

(c) Taux de variation instantané

Étant donnée une fonction $y = f(x)$, on appelle *taux de variation instantané* (*taux d'accroissement instantané*) en $x = a$ le quotient de l'accroissement Δy de la variable y par l'accroissement Δx de la variable x lorsque ce dernier devient infiniment petit dans le voisinage de $x = a$:

$$T.V.I. = \lim_{\Delta x \to 0} \frac{\Delta y}{\Delta x} = \lim_{\Delta x \to 0} \frac{f(a + \Delta x) - f(a)}{\Delta x}.$$

Donc le taux de variation instantané en $x = a$ n'est autre que la *dérivée* $f'(a)$ de $f(x)$ évaluée en $x = a$ ou, ce qui revient au même, la *pente de la tangente* à la courbe de $f(x)$ au point $(a, f(a))$ de cette courbe.

(d) Vitesse moyenne

La *vitesse moyenne* d'un corps en mouvement sur un intervalle $[t_1, t_2]$ est égale au quotient de la distance parcourue Δs par le temps $\Delta t = t_2 - t_1$ mis pour parcourir cette distance:

$$v_m = \frac{\Delta s}{\Delta t}.$$

Cette vitesse moyenne correspond à la *pente de la sécante* à la courbe de la fonction de déplacement $s = f(t)$, cette sécante coupant la courbe aux points $(t_1, f(t_1))$ et $(t_2, f(t_2))$.

(e) Vitesse instantanée

Si $s = f(t)$ est la fonction décrivant le déplacement d'un corps (à supposer que cette fonction puisse être traduite par une formule et que celle-ci soit connue), alors la *vitesse instantanée* du corps au temps t_0 est donnée par la formule:

$$v_i = \lim_{\Delta t \to 0} \frac{\Delta s}{\Delta t} = \lim_{\Delta t \to 0} \frac{f(t_0 + \Delta t) - f(t_0)}{\Delta t}.$$

La vitesse instantanée au temps t_0 n'est autre que la *dérivée* $f'(t_0)$ de $f(t)$ évaluée au temps $t = t_0$ ou, si l'on veut, le *taux de variation instantané* au temps $t = t_0$ de l'espace parcouru par rapport au temps. Remarquer que cette vitesse instantanée correspond à la *pente de la tangente* à la courbe de $f(t)$ au point $(t_0, f(t_0))$.

4.16 Exercices de révision

1. Définir la dérivée d'une fonction $y = f(x)$ à l'aide de notations symboliques.

2. Définir la dérivée d'une fonction en ses mots, c'est-à-dire en donnant la signification des notations utilisées pour répondre à la question 1.

3. Considérons la fonction $y = f(x) = 2x^2$.
   (a) Quelle est la pente de la sécante à la courbe de cette fonction sur l'intervalle $[2, 3]$? (Ici il faut comprendre que les points d'intersection de la sécante avec la courbe ont pour abscisses respectives les extrémités de l'intervalle proposé.)
   (b) Quelle est la pente de la sécante à la courbe sur l'intervalle $[2, 2,01]$?

(c) Quelle est la pente de la sécante à la courbe sur l'intervalle $[2,\ 2{,}001]$?

(d) D'après les résultats précédents, quelle est la pente de la tangente à la courbe au point $(2,\ f(2))\ =\ (2,8)$?

(e) À partir de l'exemple qu'on vient d'examiner, expliquer en quel sens on peut dire que la pente d'une tangente à une courbe est la *limite* de la pente d'une sécante.

(f) En usant de la méthode mise au point dans ce chapitre, calculer la dérivée $f'(x)$ de $f(x)\ =\ 2x^2$.

(g) Quelle est la valeur de $f'(2)$?

(h) Pourquoi trouve-t-on la même réponse en (d) et en (g) ?

4. Considérons la fonction $y\ =\ f(x)\ =\ \dfrac{4}{x-1}$ (dont la dérivée, qui est $\dfrac{-4}{(x-1)^2}$, a été calculée à l'exercice 4.9 – 6).

(a) Quelle est la valeur de $f'(2)$?

(b) Quelle est la signification particulière du nombre obtenu ?

5. Considérons la fonction $y\ =\ f(x)\ =\ x^2-2x$.

(a) Construire une formule donnant la pente m de la sécante à la courbe de $f(x)$ sur l'intervalle $[x,\ x+\Delta x]$.

(b) Trouver une formule permettant de calculer directement la pente de la tangente en tout point $(x,\ f(x))$ de la courbe de $f(x)$.

(c) Quelle est la pente de la tangente à la courbe de $f(x)$ au point d'abscisse $x\ =\ 1$?

(d) Qu'a de spécial l'orientation de la tangente à la courbe de $f(x)$ au point d'abscisse $x\ =\ 1$?

6. Le tableau suivant donne la population d'une ville selon les années :

1900	1920	1940	1960	1980
40 000	70 000	80 000	75 000	65 000

(a) Quelle fut l'augmentation de la population de 1900 à 1940 ?

(b) Quel fut le taux de variation moyen de la population par rapport au temps entre 1960 et 1980 ?

(c) Quelle est la signification du signe moins dans la réponse en (b) ?

(d) Peut-on, à partir des données de ce problème, trouver le taux de variation instantané pour l'année 1920 ? Motiver sa réponse.

7. On a observé que la température à Montréal par une belle journée de printemps est décrite par la fonction $c = C(t) = 2t - 0,05\,t^2$ (dont la dérivée, qui est $2 - 0,1\,t$, a été calculée à l'exercice 4.9 – 5), où $C(t)$ désigne la température en degrés Celcius et t le temps en heures.

   (a) Quelle est la variation de la température entre 0 h et 10 h ?

   (b) Quel est le taux de variation moyen de la température par rapport au temps entre 0 h et 10 h ?

   (c) Donner une formule qui permette de connaître le taux de variation instantané pour chaque moment de la journée.

   (d) Quel est le taux de variation instantané à 11 h ? à 20 h ?

8. Supposons qu'à partir du moment où on applique ses freins, un véhicule se déplace conformément à la formule $s = S(t) = 10t - t^2$, où $S(t)$ représente l'espace parcouru en mètres et t le temps en secondes. (*Note:* Pour les besoins du problème, on prendra pour acquis que la dérivée de la fonction $S(t)$ est $S'(t) = 10 - 2t$.)

   (a) Trouver une fonction qui, à compter du moment où on applique les freins, donnera la vitesse du véhicule en fonction du temps.

   (b) Quelle est la vitesse du véhicule au moment où on applique les freins ?

   (c) Quel est le temps requis pour que le véhicule s'immobilise ?

   (d) Quel est l'espace parcouru pendant la période de freinage ?

9. Supposons que le graphique ci-contre décrive la distance parcourue par un objet en fonction du temps :

   (a) Par rapport à la vitesse, que représente la pente de la sécante AB ?

   (b) Par rapport à la vitesse, que représente la pente de la tangente à la courbe au point A ?

   (c) Par rapport au taux de variation, que représente la pente de la sécante AB ?

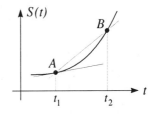

   (d) Par rapport au taux de variation, que représente la pente de la tangente à la courbe au point A ?

10. Expliquer en quel sens on peut dire qu'une tangente à une courbe peut être considérée comme une limite.

11. Donner 3 façons différentes d'interpréter la dérivée d'une fonction numérique.

12. Énumérer 4 notions étudiées dans ce chapitre qui font appel à la notion de limite.

Défis à relever

13. Soit la fonction $y = f(x) = |x|$.
    (a) Tracer son graphique.
    (b) Cette fonction est-elle continue ?
    (c) Quelle est sa dérivée sur l'intervalle $]0, \infty[$?
    (d) Quelle est sa dérivée sur l'intervalle $]-\infty, 0[$?
    (e) Quelle est sa dérivée en $x = 0$? (*Suggestion:* Comparer la limite à gauche avec la limite à droite.)

14. La tangente à la courbe $y = x^2$ au point $(1, 1)$ passe par le point $(4, 7)$. Vrai ou faux ? (*Note:* Rappelons que la dérivée de la fonction $y = x^2$, calculée à l'exemple 1 de la page 74, est $y' = 2x$.)

15. Il existe deux droites tangentes à la courbe $y = x^2$ passant par le point $(2, 3)$. Trouver les points de tangence.

16. Trouver une fonction qui soit continue sur R et non dérivable en $x = 3$.

17. Un caillou lancé dans une piscine produit des ondes circulaires concentriques. Calculer par rapport au rayon du front d'onde le taux de variation de l'aire de la surface circulaire délimitée par ce front d'onde lorsque le rayon de celui-ci égale 40 cm.

18. Des mathématiciens contemporains de Newton n'acceptaient pas l'utilisation de la dérivée. Ils y trouvaient une contradiction. En utilisant l'exemple 1 de la page 74, voici comment cette contradiction pourrait être formulée : à l'étape (b) on simplifie le quotient par Δx , ce qu'on fait en supposant $\Delta x \neq 0$; à l'étape (c) on néglige Δx , ce qu'on fait en supposant que $\Delta x = 0$. Qu'est-ce que ces mathématiciens n'avaient pas compris ?

Chapitre

5

FORMULES DE DÉRIVATION

Au chapitre précédent, nous avons pris pour règle de calculer la dérivée des fonctions en appliquant directement la définition de la dérivée (ce que nous faisions en trois temps). Ceci a eu l'avantage de nous aider à bien comprendre le sujet étudié, le plus important de tout le calcul différentiel. Cette manière d'effectuer les calculs comporte néanmoins des inconvénients: outre qu'elle peut dans certains cas se révéler très complexe, elle devient vite fastidieuse, puisqu'elle nous amène à répéter sans cesse les mêmes opérations. Dans le présent chapitre, nous allons introduire une méthode de dérivation beaucoup plus pratique, qui consistera à appliquer des *«formules de dérivation»* préétablies.

Signalons ici que dès qu'ils eurent commencé à calculer des dérivées, Newton et Leibniz ont senti la nécessité de créer des notations se prêtant bien au genre de calculs effectués. Les notations de Newton furent abandonnées à cause de leur complexité. Au contraire, Leibniz a introduit des notations tellement pratiques qu'on les utilise encore aujourd'hui.

5.1 Objectifs du chapitre

À la fin de ce chapitre, l'élève devra:

- bien comprendre la signification des symboles utilisés dans les formules de dérivation;
- savoir choisir la formule de dérivation appropriée à l'expression à dériver;

- savoir pourquoi, par exemple, la dérivée de x^2 ne se calcule pas de la même manière que la dérivée de y^2, à supposer que $y = x^2$ et qu'on dérive par rapport à x;
- savoir dériver les fonctions de fonction et les fonctions implicites;
- connaître la signification des notations utilisées pour les dérivées successives.

5.2 Rappels

La dérivée d'une fonction

La dérivée $y' = f'(x)$ d'une fonction $y = f(x)$ est (V. page 72, article 4.7) la limite générale:

$$y' = f'(x) = \lim_{\Delta x \to 0} \frac{\Delta y}{\Delta x} = \lim_{\Delta x \to 0} \frac{f(x + \Delta x) - f(x)}{\Delta x} .$$

Procédé de dérivation

Au chapitre précédent (V. page 74, article 4.8), nous avons convenu d'effectuer la dérivée d'une fonction $y = f(x)$ en procédant en trois temps, comme suit:

(a) on calculait d'abord $\Delta y = f(x + \Delta x) - f(x)$;

(b) on calculait ensuite le quotient $\dfrac{\Delta y}{\Delta x}$;

(c) on calculait finalement la limite $y' = \dfrac{dy}{dx} = \lim_{\Delta x \to 0} \dfrac{\Delta y}{\Delta x}$.

5.3 Dérivée d'une fonction constante

Considérons la *«fonction constante générale»*:

$$y = f(x) = c \quad \text{(où } c \text{ désigne une constante quelconque),}$$

et calculons sa dérivée en procédant suivant les trois étapes rappelées ci-dessus:

(a) $\Delta y = f(x + \Delta x) - f(x)$

$\qquad = c - c$

$\qquad = 0.$

(b) $\dfrac{\Delta y}{\Delta x}$ = $\dfrac{0}{\Delta x}$ = 0.

(c) $\dfrac{dy}{dx}$ = $\lim\limits_{\Delta x \to 0} \dfrac{\Delta y}{\Delta x}$ = $\lim\limits_{\Delta x \to 0} 0$ = 0 (puisque le limite d'une constante est
égale à cette constante; V. page 20).

D'où la formule :

$$\boxed{\dfrac{d}{dx}\,c \;=\; 0}$$ (si c est une constante).   [1]

Remarque 1

Soulignons qu'une *fonction constante* (comme, par exemple, la fonction $y = f(x) = 5$) n'est constituée que de la constante concernée, c'est-à-dire que cette constante n'est accompagnée d'aucune variable (comme c'est le cas, par exemple, pour la fonction $f(x) = 5x$). Et ce n'est que pour les fonctions de ce genre que la dérivée égale 0. Ainsi, pour la fonction $f(x) = 5$, la dérivée est 0, alors que pour la fonction $f(x) = 5x$ (qui n'est pas une fonction constante) la dérivée est non nulle, comme on pourra le constater bientôt.

Remarque 2

À remarquer que, pour une fonction constante, par exemple pour la fonction $f(x) = 2$ (V. graphique ci-dessous), la pente de la tangente (et donc la dérivée) en tout point de la courbe est égale à zéro. Bien entendu, cela correspond au fait que la courbe en question est une droite horizontale.

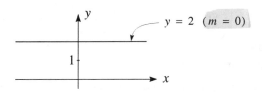

5.4 Dérivée de la variable *x*

Considérons la fonction :

$$y \;=\; f(x) \;=\; x,$$

et calculons sa dérivée (par rapport à x):

(a) $\Delta y = f(x+\Delta x) - f(x)$

$\qquad = (x+\Delta x) - x \qquad\qquad$ (puisque $f(x) = x$)

$\qquad = \Delta x$

(b) $\dfrac{\Delta y}{\Delta x} = \dfrac{\Delta x}{\Delta x} = 1.$

(c) $\dfrac{dy}{dx} = \lim\limits_{\Delta x \to 0} \dfrac{\Delta y}{\Delta x} = \lim\limits_{\Delta x \to 0} 1 = 1$ (puisque le limite d'une constante est égale à cette constante; V. page 20).

D'où la formule:

$$\boxed{\dfrac{d}{dx}\,x = 1}\;.$$

[2]

Remarque 1

Puisque la dérivée de la fonction $f(x) = x$ est $f'(x) = 1$, il s'ensuit donc qu'en tout point de la courbe de $f(x)$ la pente de la tangente à la courbe est 1, ce qui, bien entendu, correspond au fait que la courbe en question est une droite de pente $m = 1$ (V. graphique ci-dessous).

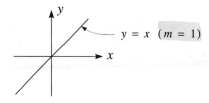

Conventions de notation

Dans les nombreuses formules à être établies dans ce chapitre:

- les lettres c et n désigneront des *constantes*, comme c'est le cas, par exemple, dans la fonction $f(x) = cx$ (où c représente une constante quelconque) et dans la fonction $f(x) = x^n$;
- les lettres t, u, v et w désigneront des fonctions de la variable x, au même titre donc que y et $f(x)$ dans l'expression $y = f(x)$; par exemple, on pourrait s'intéresser à une fonction comme $y = uv$, où $u = g(x) = 3x^2$ et $v = h(x) = x^3 - 2x^2 + 7$, ce qui signifierait par conséquent que $y = g(x) \cdot h(x) = (3x^2)(x^3 - 2x^2 + 7)$.

Remarque 2

Au chapitre précédent, alors que, pour une fonction donnée $y = f(x)$, il était question de l'accroissement Δy de la variable y par rapport à l'accroissement Δx de la variable x (V. page 73), nous avons vu (V. graphique ci-après) que:

$$\Delta y \;=\; f(x + \Delta x) - f(x). \tag{1}$$

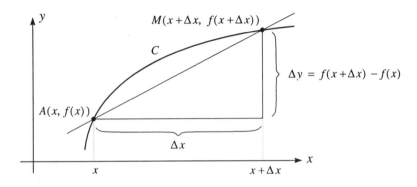

Le remplacement dans la relation (1) de $f(x)$ par y (ce qui est permis, puisque $y = f(x)$ par définition) nous conduit à la relation équivalente:

$$y + \Delta y \;=\; f(x + \Delta x). \tag{2}$$

Bien remarquer que, à l'instar de la relation (1), la relation (2) est absolument générale. Par exemple, si $u = g(x)$, alors on a:

$$g(x + \Delta x) \;=\; u + \Delta u \tag{3}$$

et, pareillement, si $v = h(x)$, on a:

$$h(x + \Delta x) \;=\; v + \Delta v. \tag{4}$$

5.5 Dérivée des fonctions de la forme cu

Considérons la fonction:

$$y \;=\; f(x) \;=\; cu,$$

où, tel que convenu plus haut, c désigne une constante et u une fonction de la variable x. Posons $u = g(x)$ et calculons la dérivée de la fonction cu (en procédant suivant les trois étapes habituelles):

(a) $\Delta y = f(x+\Delta x) - f(x)$

   $= c\,g(x+\Delta x) - c\,g(x)$ (puisque $f(x) = c\,u = c\,g(x)$)

   $= c\,(u+\Delta u) - c\,u$ (puisque $g(x) = u$ et, par suite, que

              $g(x+\Delta x) = u + \Delta u$; V. (3) ci-dessus)

   $= c\,u + c\,\Delta u - c\,u$

   $= c\,\Delta u.$

(b) $\dfrac{\Delta y}{\Delta x} = \dfrac{c\,\Delta u}{\Delta x} = c\,\dfrac{\Delta u}{\Delta x}.$

(c) $\dfrac{dy}{dx} = \lim\limits_{\Delta x \to 0} \dfrac{\Delta y}{\Delta x} = \lim\limits_{\Delta x \to 0} \left(c\,\dfrac{\Delta u}{\Delta x} \right)$

   $= c \lim\limits_{\Delta x \to 0} \dfrac{\Delta u}{\Delta x}$ (V. page 21, Remarque)

   $= c\,\dfrac{du}{dx}$ (car l'expression $\lim\limits_{\Delta x \to 0} \dfrac{\Delta u}{\Delta x}$ est la défini-

            tion même de la dérivée $\dfrac{du}{dx}$ de la fonc-

            tion u par rapport à x; V. page 73).

D'où la formule:

$$\boxed{\;\dfrac{d}{dx}\,(c\,u) = c\,\dfrac{du}{dx}\;}\;.$$
                         [3]

Remarque

Donc, si on dérive le produit d'une constante par une fonction, on extrait la constante et on dérive la fonction.

Exemple

Soit à dériver la fonction $y = f(x) = 5x$. On a:

$\dfrac{dy}{dx} = \dfrac{d}{dx}(5x) = 5\,\dfrac{d}{dx}(x)$ (d'après la formule [3])

    $= 5\,(1)$ (d'après la formule [2])

    $= 5.$

5.6 Dérivée d'une somme de fonctions

Soit à dériver la fonction $y = f(x) = u + v$, où u et v sont elles-mêmes des fonctions de x. Pour les frais de la démonstration, posons $u = g(x)$ et $v = h(x)$ et, par conséquent, $f(x) = g(x) + h(x)$. On a:

(a) $\Delta y = f(x + \Delta x) - f(x)$

$\quad\quad = [g(x + \Delta x) + h(x + \Delta x)] - [g(x) + h(x)]$

$\quad\quad\quad\quad\quad$ (vu que $f(x) = g(x) + h(x)$)

$\quad\quad = [(u + \Delta u) + (v + \Delta v)] - [u + v]$

$\quad\quad\quad\quad\quad$ (vu que $u = g(x)$ et $v = h(x)$ et, par suite, que $g(x + \Delta x) = u + \Delta u$ et $h(x + \Delta x) = v + \Delta v$; V. page 97, (3) et (4))

$\quad\quad = \Delta u + \Delta v.$

(b) $\dfrac{\Delta y}{\Delta x} = \dfrac{\Delta u + \Delta v}{\Delta x} = \dfrac{\Delta u}{\Delta x} + \dfrac{\Delta v}{\Delta x}.$

(c) $\dfrac{dy}{dx} = \lim\limits_{\Delta x \to 0} \dfrac{\Delta y}{\Delta x} = \lim\limits_{\Delta x \to 0} \left(\dfrac{\Delta u}{\Delta x} + \dfrac{\Delta v}{\Delta x}\right)$

$\quad\quad = \lim\limits_{\Delta x \to 0} \dfrac{\Delta u}{\Delta x} + \lim\limits_{\Delta x \to 0} \dfrac{\Delta v}{\Delta x}$ $\quad\quad$ (limite d'une somme; V. page 21)

$\quad\quad = \dfrac{du}{dx} + \dfrac{dv}{dx}$ $\quad\quad$ (définition de la dérivée d'une fonction; V. page 73).

D'où la formule:

$$\boxed{\dfrac{d}{dx}(u + v) = \dfrac{du}{dx} + \dfrac{dv}{dx}}.$$ [4]

Remarque

Dans les exemples qui suivent, nous allons utiliser deux résultats calculés au chapitre précédent et rappelés ci-après:

$$\dfrac{d}{dx}(x^2) = 2x \quad\quad \text{et} \quad\quad \dfrac{d}{dx}(x^3) = 3x^2.$$

Exemple 1

Soit à calculer $\dfrac{dy}{dx}$ si $y = 3x^2 + \dfrac{x}{4} + 5$. On a:

$$\frac{dy}{dx} = \frac{d}{dx}(3x^2 + \frac{x}{4} + 5)$$

$$= \frac{d}{dx}(3x^2) + \frac{d}{dx}(\frac{1}{4}x) + \frac{d}{dx}(5) \qquad \text{(d'après la formule [4])}$$

$$= 3\frac{d}{dx}(x^2) + \frac{1}{4}\frac{d}{dx}(x) + \frac{d}{dx}(5) \qquad \text{(d'après la formule [3])}$$

$$= 3(2x) + \frac{1}{4}(1) + 0 \qquad \text{(d'après le premier résultat rappelé à la remarque ci-dessus, et aussi}$$

$$= 6x + \frac{1}{4}. \qquad \text{d'après les formules [1] et [2])}$$

Exemple 2

Soit à calculer $\dfrac{dy}{dx}$ si $y = x^3 - \dfrac{2x^2}{3} + 5x - \pi$. On a:

$$\frac{dy}{dx} = \frac{d}{dx}(x^3 - \frac{2x^2}{3} + 5x - \pi)$$

$$= \frac{d}{dx}(x^3) - \frac{d}{dx}(\frac{2}{3}x^2) + \frac{d}{dx}(5x) - \frac{d}{dx}(\pi) \qquad \text{(d'après la formule [4])}$$

$$= \frac{d}{dx}(x^3) - \frac{2}{3}\frac{d}{dx}(x^2) + 5\frac{d}{dx}(x) - \frac{d}{dx}(\pi) \qquad \text{(d'après la formule [3])}$$

$$= 3x^2 - \frac{2}{3}(2x) + 5(1) - 0 \qquad \text{(d'après les résultats rappelés à la remarque ci-dessus, et aussi d'a-}$$

$$= 3x^2 - \frac{4x}{3} + 5. \qquad \text{près les formules [1] et [2])}$$

5.7 Exercices

Dériver les fonctions:

1. $y = 3x^2 - 5x + 6$.

2. $y = \dfrac{x^2}{5} + 7x + 15$.

3. $y = \dfrac{3x^3}{2} - 5x^2 - \dfrac{x}{7}$.

4. $y = x^3 + x^2 + x + 1$.

5. $y = 6x - 3.$

6. $y = \dfrac{7x^2}{2} + \pi x - 3.$

7. $y = 4x^3 + 5x^2.$

8. $y = \dfrac{x}{3} + 8x - 37.$

9. $y = \dfrac{x^2}{2} + \sqrt{\pi}\, x - \sqrt{10^3}.$

10. $y = \dfrac{x^3}{3} + \dfrac{x^2}{2} + x + 5.$

Remarque

En vue des prochains développements, soulignons que si une fonction $y = f(x)$ est continue sur un intervalle ouvert donné *I*, et si, sur *I*, un accroissement Δx tend vers zéro, alors l'accroissement correspondant Δy tend aussi vers zéro.

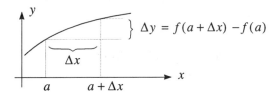

Pour le démontrer, mettons-nous dans le contexte illustré par la figure ci-dessus (contexte utilisé pour définir la dérivée), et supposons que Δx tend vers zéro. Alors Δy tend obligatoirement aussi vers zéro, puisqu'on a alors :

$$\Delta y \;=\; f(a + \Delta x) - f(a) \;=\; f(a + 0) - f(a) \;=\; 0.$$

5.8 Dérivée d'une fonction à la puissance *n*

Soit à dériver la fonction $y = f(x) = u^n$, où *u* est une fonction de *x*, disons $u = g(x)$, et *n* un nombre naturel. Au lieu de dériver la fonction proposée pour le cas général ($n \in N$), nous allons procéder sur un cas particulier ($n = 5$). De cette façon, le raisonnement, qui sera essentiellement le même que pour le cas général, sera plus facile à suivre. De plus, la formule pour le cas général en découlera avec évidence. Au préalable, rappelons que :

$$
\begin{aligned}
(a + b)^2 &= a^2 + 2ab + b^2 ; \\
(a + b)^3 &= a^3 + 3a^2 b + 3ab^2 + b^3 ; \\
(a + b)^4 &= a^4 + 4a^3 b + 6a^2 b^2 + 4ab^3 + b^4 ; \\
(a + b)^5 &= a^5 + 5a^4 b + 10a^3 b^2 + 10a^2 b^3 + 5ab^4 + b^5 ; \quad \text{etc.}
\end{aligned}
\tag{5}
$$

Newton a inventé une formule permettant de développer $(a+b)^n$, quel que soit $n \in N$. Cette formule, nommée *«formule du binôme de Newton»* est présentée en appendice (V. page 283). Ceci dit, soit à dériver la fonction $y = u^5$ (avec $u = g(x)$). On a:

(a) $\begin{aligned} \Delta y &= f(x+\Delta x) - f(x) \\[2mm] &= [g(x+\Delta x)]^5 - [g(x)]^5 & (\text{vu que } f(x) = u^5 = [g(x)]^5) \\[2mm] &= (u+\Delta u)^5 - u^5 & \begin{array}{l}(\text{car, par le fait que } u = g(x), \text{ il} \\ \text{s'ensuit que } g(x+\Delta x) = u+\Delta u; \\ \text{V. page 97, (3))}\end{array} \\[2mm] &= [u^5 + 5u^4\Delta u + 10u^3(\Delta u)^2 + 10u^2(\Delta u)^3 + 5u(\Delta u)^4 + (\Delta u)^5] - u^5 \\ & \qquad\qquad (\text{V. (5) ci-dessus}) \\[2mm] &= 5u^4\Delta u + 10u^3(\Delta u)^2 + 10u^2(\Delta u)^3 + 5u(\Delta u)^4 + (\Delta u)^5 \\[2mm] &= [5u^4 + 10u^3\Delta u + 10u^2(\Delta u)^2 + 5u(\Delta u)^3 + (\Delta u)^4]\,\Delta u\,. \end{aligned}$

(b) $\dfrac{\Delta y}{\Delta x} = [5u^4 + 10u^3\Delta u + 10u^2(\Delta u)^2 + 5u(\Delta u)^3 + (\Delta u)^4]\,\dfrac{\Delta u}{\Delta x}\,.$

(c) $\begin{aligned} \frac{dy}{dx} &= \lim_{\Delta x \to 0} \frac{\Delta y}{\Delta x} \\[3mm] &= \lim_{\Delta x \to 0} [5u^4 + 10u^3\Delta u + 10u^2(\Delta u)^2 + 5u(\Delta u)^3 + (\Delta u)^4]\,\frac{\Delta u}{\Delta x} \\[3mm] &= \lim_{\Delta x \to 0} (5u^4)\,\frac{\Delta u}{\Delta x} \end{aligned}$

(car, lorsque Δx tend vers 0, il en va ainsi de Δu (V. p. 101, Remarque), ce qui entraîne donc que tous les termes de l'expression entre crochets, sauf le premier, s'annulent)

$\qquad = (\lim_{\Delta x \to 0} (5u^4)) \cdot (\lim_{\Delta x \to 0} \frac{\Delta u}{\Delta x})$ (limite d'un produit; V. page 21)

$\qquad = 5u^4\,\dfrac{du}{dx}$

(compte tenu de ce que l'expression $5u^4$ n'est pas affectée par les variations de l'accroissement Δx).

Il s'ensuit donc que :

$$\frac{d}{dx}(u^5) = 5u^4\frac{du}{dx}.$$

Pour le cas général (en remplaçant 5 par n), on a la formule :

$$\boxed{\frac{d}{dx}(u^n) = nu^{n-1}\frac{du}{dx}}.$$ [5]

Remarque 1

Pour le cas particulier où $u = x$, on a :

$$\frac{d}{dx}(u^n) = \frac{d}{dx}(x^n) = nx^{n-1}\frac{dx}{dx} = nx^{n-1} \quad \text{(vu que } \frac{dx}{dx} = 1 \text{ ; formule [2]).}$$

Retenons donc cette autre formule :

$$\boxed{\frac{d}{dx}(x^n) = nx^{n-1}}.$$ [6]

Exemple 1

Soit à calculer $\frac{dy}{dx}$ si $y = (x^4+1)^3$. Ici c'est la formule [5] qu'il convient d'appliquer en premier lieu :

$$\frac{dy}{dx} = \frac{d}{dx}\left[(x^4+1)^3\right]$$

$$= 3(x^4+1)^{3-1}\frac{d}{dx}(x^4+1) \qquad \text{(application de la formule [5],}$$
$$\text{après avoir posé : } u = x^4+1 \text{ et}$$
$$n = 3)$$

$$= 3(x^4+1)^2\left[\frac{d}{dx}(x^4) + \frac{d}{dx}(1)\right] \qquad \text{(formule [4])}$$

$$= 3(x^4+1)^2\left[4x^3 + \frac{d}{dx}(1)\right] \qquad \text{(formule [6])}$$

$$= 3(x^4+1)^2\left[4x^3 + 0\right] \qquad \text{(formule [1])}$$

$$= 12x^3(x^4+1)^2.$$

Remarque 2

Même si la formule [5] n'a été démontrée ci-dessus que pour les exposants entiers et positifs, on peut montrer qu'elle est valable pour tout exposant réel, en particulier pour les exposants fractionnaires ou négatifs. Ainsi, par exemple, avant d'être dérivées, les expressions comportant des radicaux pourront être transformées en expressions à exposants fractionnaires.

Exemple 2

Soit à calculer $\dfrac{dy}{dx}$ si $y = \sqrt[3]{x^2} + \dfrac{1}{x^4}$.

Observons en premier lieu qu'en vertu des propriétés des exposants (V. page 198) on a:

$$y = x^{2/3} + x^{-4}.$$

Il s'ensuit que:

$$\frac{dy}{dx} = \frac{d}{dx}(x^{2/3} + x^{-4})$$

$$= \frac{d}{dx}x^{2/3} + \frac{d}{dx}x^{-4} \qquad \text{(formule [4])}$$

$$= \frac{2}{3}x^{(2/3)-1} + (-4)x^{-4-1} \qquad \text{(formule [6])}$$

$$= \frac{2}{3}x^{-1/3} - 4x^{-5} = \frac{2}{3\sqrt[3]{x}} - \frac{4}{x^5}.$$

Exemple 3

Soit à calculer $\dfrac{dy}{dx}$ si $y = \sqrt{x^3 + 2x}$.

$$\frac{dy}{dx} = \frac{d}{dx}(x^3 + 2x)^{1/2} \qquad \text{(passage aux exposants fractionnaires)}$$

$$= \frac{1}{2}(x^3 + 2x)^{(1/2)-1}\frac{d}{dx}(x^3 + 2x) \qquad \text{(formule [5]: } u = x^3 + 2x, \ n = \frac{1}{2}\text{)}$$

$$= \frac{1}{2}(x^3 + 2x)^{-1/2}\left[\frac{d}{dx}x^3 + \frac{d}{dx}(2x)\right] \qquad \text{(formule [4])}$$

$$= \frac{1}{2} (x^3 + 2x)^{-1/2} \left[3x^2 + 2 \frac{dx}{dx} \right] \qquad \text{(formules [6] et [3])}$$

$$= \frac{1}{2} (x^3 + 2x)^{-1/2} (3x^2 + 2) \qquad \text{(formule [2])}$$

$$= \frac{3x^2 + 2}{2\sqrt{x^3 + 2x}} .$$

5.9 Exercices

Dériver les fonctions :

1. $y = \sqrt{x} + 4.$

2. $y = 2x^{1/3} + 3x^{2/5} .$

3. $y = \sqrt{x^3} + \sqrt[3]{x^2} .$

4. $y = \frac{1}{2x^2} + \frac{4}{\sqrt{x}} .$

5. $y = \sqrt[3]{x} .$

6. $y = \frac{1}{x^{1/3}} + \frac{1}{x^{4/3}} .$

7. $y = x^\pi + \frac{\pi}{x} .$

8. $y = \frac{3}{x^2} - \frac{5}{x^{2/3}} .$

9. $y = (x^2 + 1)^4.$

10. $y = \sqrt{x^3 + 1} .$

11. $y = \frac{3}{(x^2 - 5)^3} .$

12. $y = (x^3 + 2x^2 + x + 4)^3.$

13. $y = \sqrt[3]{x^2 + 7} .$

14. $y = (3x + 4)^5.$

15. $y = (x^2 + 3x + 2)^{7/2}.$

16. $y = \frac{5}{(x^2 + x + 1)^2} .$

17. $y = \sqrt{x^5 + x} .$

18. $y = \frac{3}{\sqrt[3]{1 - x^2}} .$

19. $y = (1 - x)^{5/3}.$

20. $y = \frac{(2x + 3)^3}{4} .$

5.10 Dérivée d'un produit de fonctions

Soit à dériver la fonction $y = f(x) = u \cdot v$, où u et v sont des fonctions de x. Posons $u = g(x)$ et $v = h(x)$, ce qui entraîne donc que $f(x) = g(x) \cdot h(x)$, et procédons en trois temps, comme précédemment :

(a) $\Delta y = f(x + \Delta x) - f(x)$

$\qquad = [\, g(x + \Delta x) \cdot h(x + \Delta x)\,] - [\, g(x) \cdot h(x)\,]$

$\qquad\qquad$ (vu que $f(x) = g(x) \cdot h(x)$)

$\qquad = [\,(u + \Delta u) \cdot (v + \Delta v)\,] - [uv]$

$\qquad\qquad$ (car, par le fait que $u = g(x)$ et $v = h(x)$, il s'ensuit que $g(x + \Delta x) = u + \Delta u$ et $h(x + \Delta x) = v + \Delta v$; V. page 97, (3) et (4))

$\qquad = uv + u\Delta v + v\Delta u + \Delta u \Delta v - uv$

$\qquad = u\Delta v + v\Delta u + \Delta u \Delta v\,.$

(b) $\dfrac{\Delta y}{\Delta x} = \dfrac{u\Delta v + v\Delta u + \Delta u \Delta v}{\Delta x} = u\dfrac{\Delta v}{\Delta x} + v\dfrac{\Delta u}{\Delta x} + \Delta u\dfrac{\Delta v}{\Delta x}\,.$

(c) $\dfrac{dy}{dx} = \lim\limits_{\Delta x \to 0} \dfrac{\Delta y}{\Delta x} = \lim\limits_{\Delta x \to 0} \left(u\dfrac{\Delta v}{\Delta x} + v\dfrac{\Delta u}{\Delta x} + \Delta u\dfrac{\Delta v}{\Delta x}\right)$

$\qquad = \lim\limits_{\Delta x \to 0} \left(u\dfrac{\Delta v}{\Delta x} + v\dfrac{\Delta u}{\Delta x}\right)$
$\qquad\qquad$ (car, lorsque Δx tend vers 0, il en va ainsi de Δu (V. p. 101, Remarque), ce qui entraîne donc que le troisième terme de l'expression entre parenthèses s'annule)

$\qquad = \lim\limits_{\Delta x \to 0} u\dfrac{\Delta v}{\Delta x} + \lim\limits_{\Delta x \to 0} v\dfrac{\Delta u}{\Delta x}$
$\qquad\qquad$ (limite d'une somme; V. p. 21)

$\qquad = u \lim\limits_{\Delta x \to 0} \dfrac{\Delta v}{\Delta x} + v \lim\limits_{\Delta x \to 0} \dfrac{\Delta u}{\Delta x}$
$\qquad\qquad$ (limite d'un produit (V. p. 21); on tient compte ici du fait que les fonctions u et v ne sont pas affectées par les variations de Δx).

D'où la formule :

$$\boxed{\; \dfrac{d}{dx}(uv) = u\dfrac{dv}{dx} + v\dfrac{du}{dx} \;}\,. \qquad\qquad [7]$$

Exemple 1

Soit à calculer $\dfrac{dy}{dx}$ si $y = (x^3 - 2)(4 - x)$.

$$\frac{dy}{dx} = \frac{d}{dx}\left[(x^3 - 2)(4 - x)\right]$$

$$= (x^3 - 2)\frac{d}{dx}(4 - x) + (4 - x)\frac{d}{dx}(x^3 - 2)$$

(formule [7]: $u = x^3 - 2$, $v = 4 - x$)

$$= (x^3 - 2)\left[\frac{d}{dx}(4) - \frac{d}{dx}(x)\right] + (4 - x)\left[\frac{d}{dx}(x^3) - \frac{d}{dx}(2)\right]$$

(formule [4])

$$= (x^3 - 2)[0 - 1] + (4 - x)[3x^2 + 0] \qquad \text{(formules [1], [2] et [6])}$$

$$= -x^3 + 2 + 12x^2 - 3x^3$$

$$= -4x^3 + 12x^2 + 2.$$

Remarque

On aurait aussi pu effectuer la multiplication avant de dériver.

Exemple 2

Soit à calculer $\dfrac{dy}{dx}$ si $y = (3 - 2x)^3 \sqrt{x}$.

$$\frac{dy}{dx} = \frac{d}{dx}\left[(3 - 2x)^3 x^{1/2}\right] \qquad \text{(passage aux exposants fractionnaires)}$$

$$= (3 - 2x)^3 \frac{d}{dx}(x^{1/2}) + (x^{1/2})\frac{d}{dx}(3 - 2x)^3$$

(formule [7]: $u = (3 - 2x)^3$, $v = x^{1/2}$)

$$= (3 - 2x)^3\left[\frac{1}{2}x^{-1/2}\right] + (x^{1/2})\left[3(3 - 2x)^2 \frac{d}{dx}(3 - 2x)\right]$$

(formules [6] et [5])

$$= (3 - 2x)^3\left[\frac{1}{2}x^{-1/2}\right] + (x^{1/2})[3(3 - 2x)^2(0 - 2)]$$

(formules [1] et [2])

$$= \frac{(3 - 2x)^3}{2x^{1/2}} - 6(3 - 2x)^2 x^{1/2} = \frac{(3 - 2x)^3}{2\sqrt{x}} - 6(3 - 2x)^2\sqrt{x}.$$

5.11 Exercices

Dériver les fonctions:

1. $y = x^3 (x^2 + 1)$.

2. $y = (3 - x) (4x^2 + 7)$.

3. $y = x^2 \sqrt{4 + x}$.

4. $y = (2x + 1)^2 (x^2 + 3)$.

5. $y = x^5 \sqrt[3]{x + 1}$.

6. $y = (2x + 1) (x^2 + 1)$.

7. $y = (2x + 4)^3 (2 - x)$.

8. $y = (x + 3)^5 (x - 4)$.

9. $y = 5x (2x - 5)^2$.

10. $y = x^{-3} \sqrt{3x + 1}$.

5.12 Dérivée d'un quotient de fonctions

Soit à dériver la fonction $y = f(x) = \dfrac{u}{v}$, où u et v sont des fonctions de x. Posons $u = g(x)$ et $v = h(x)$, ce qui entraîne donc que $f(x) = \dfrac{g(x)}{h(x)}$. On a:

(a) $\Delta y = f(x + \Delta x) - f(x)$

$= \dfrac{g(x + \Delta x)}{h(x + \Delta x)} - \dfrac{g(x)}{h(x)}$ (vu que $f(x) = \dfrac{g(x)}{h(x)}$)

$= \dfrac{u + \Delta u}{v + \Delta v} - \dfrac{u}{v}$ (car, par le fait que $u = g(x)$ et $v = h(x)$, il s'ensuit que $g(x + \Delta x) = u + \Delta u$ et $h(x + \Delta x) = v + \Delta v$; V. page 97, (3) et (4))

$= \dfrac{uv + v\Delta u - uv - u\Delta v}{(v + \Delta v) v}$ (mise au commun dénominateur)

$= \dfrac{v\Delta u - u\Delta v}{v (v + \Delta v)}$.

(b) $\dfrac{\Delta y}{\Delta x} = \dfrac{v \dfrac{\Delta u}{\Delta x} - u \dfrac{\Delta v}{\Delta x}}{v (v + \Delta v)}$.

(c) $\dfrac{dy}{dx} = \lim\limits_{\Delta x \to 0} \dfrac{\Delta y}{\Delta x} = \lim\limits_{\Delta x \to 0} \left(\dfrac{v\,\dfrac{\Delta u}{\Delta x} - u\,\dfrac{\Delta v}{\Delta x}}{v\,(v + \Delta v)} \right)$

$= \dfrac{\lim\limits_{\Delta x \to 0} v\,\dfrac{\Delta u}{\Delta x} - \lim\limits_{\Delta x \to 0} u\,\dfrac{\Delta v}{\Delta x}}{\lim\limits_{\Delta x \to 0} v\,(v + \Delta v)}$

(limite d'une somme et limite d'un quotient; V. p. 21)

$= \dfrac{v \lim\limits_{\Delta x \to 0} \dfrac{\Delta u}{\Delta x} - u \lim\limits_{\Delta x \to 0} \dfrac{\Delta v}{\Delta x}}{v \lim\limits_{\Delta x \to 0} (v + \Delta v)}$

(limite d'un produit (V. p. 21); on tient compte ici du fait que les fonctions u et v ne sont pas affectées par les variations de Δx)

$= \dfrac{v \lim\limits_{\Delta x \to 0} \dfrac{\Delta u}{\Delta x} - u \lim\limits_{\Delta x \to 0} \dfrac{\Delta v}{\Delta x}}{v^2}$

(puisque, lorsque Δx tend vers 0, il en va ainsi de Δv; V. p. 101, Remarque).

D'où la formule:

$$\frac{d}{dx}\left(\frac{u}{v}\right) = \frac{v\,\dfrac{du}{dx} - u\,\dfrac{dv}{dx}}{v^2} \ .$$

[8]

Remarque 1

Lorsqu'on calcule la dérivée d'expressions complexes, il est souvent avantageux de varier les notations. Par exemple, on pourrait écrire $(3x^2 - x)'$ au lieu de $\dfrac{d}{dx}(3x^2 - x)$. Les formules de dérivation elles-mêmes peuvent également s'exprimer de diverses manières; ainsi la formule [8] ci-dessus pourrait tout aussi bien s'écrire comme suit:

$$\left(\frac{u}{v}\right)' = \frac{vu' - uv'}{v^2} \ .$$

Exemple 1

Soit à calculer $\dfrac{dy}{dx}$ si $y = \dfrac{1-x^2}{1+x^2}$. La formule [8] est la première à utiliser ici

(en ayant soin de poser $u = 1-x^2$ et $v = 1+x^2$):

$$\frac{dy}{dx} = \frac{d}{dx}\left(\frac{1-x^2}{1+x^2}\right)$$

$$= \frac{(1+x^2)\,(1-x^2)' - (1-x^2)\,(1+x^2)'}{(1+x^2)^2}$$

$$= \frac{(1+x^2)\,(-2x) - (1-x^2)\,(2x)}{(1+x^2)^2}$$

$$= \frac{-2x-2x^3-2x+2x^3}{(1+x^2)^2} = \frac{-4x}{(1+x^2)^2} \ .$$

Remarque 2

Lorsqu'une expression à être dérivée se présente sous la forme d'un quotient et que le numérateur ou le dénominateur est une constante, alors on a avantage à faire appel à la formule [3] plutôt qu'à la formule [8], en faisant donc les conversions de notations préalables nécessaires.

Exemple 2

Soit à calculer $\dfrac{dy}{dx}$ si $y = \dfrac{x^2}{3} + \dfrac{4}{x^3} + \dfrac{x}{1-x}$.

$$\frac{dy}{dx} = \frac{d}{dx}\left[\frac{1}{3}x^2 + 4x^{-3} + \frac{x}{1-x}\right]$$

$$= \frac{1}{3}(x^2)' + 4(x^{-3})' + \frac{(1-x)\,x' - x\,(1-x)'}{(1-x)^2}$$

$$= \frac{1}{3}(2x) + 4(-3x^{-4}) + \frac{(1-x)\,(1) - x\,(-1)}{(1-x)^2}$$

$$= \frac{2x}{3} - 12x^{-4} + \frac{1-x+x}{(1-x)^2} = \frac{2x}{3} - \frac{12}{x^4} + \frac{1}{(1-x)^2} \ .$$

5.13 Exercices

Dériver les fonctions :

1. $y = \dfrac{1-x}{1+x}$.

2. $y = \dfrac{\sqrt{x+4}}{x^2+1}$.

3. $y = \dfrac{4}{x^2+1}$.

4. $y = \dfrac{(x^2+1)^4}{3}$.

5. $y = \dfrac{1+x^2}{1-x^2}$.

6. $y = \dfrac{6x}{\sqrt{1-x^2}}$.

7. $y = \dfrac{3x}{x^2+4}$.

8. $y = \dfrac{3}{x^2+4}$.

9. $y = \dfrac{\sqrt{4-x^2}}{5}$.

10. $y = \dfrac{\sqrt{5-x}}{2x}$.

5.14 Résumé sur les formules de dérivation

Lorsqu'on entreprend de dériver une expression algébrique, il faut bien examiner l'expression à dériver dans son ensemble, afin d'être fixé sur le choix de la première formule de dérivation à utiliser. Ci-dessous nous rappelons les formules de dérivation mises au point jusqu'ici dans ce chapitre, en ayant soin d'indiquer à droite de chacune son utilité particulière. Dans ces formules, rappelons-le, les lettres c et n désignent des *constantes*, alors que les lettres u, v, et w désignent des *fonctions de la variable x*.

[1]: $\dfrac{d}{dx}\,c = 0$ (pour dériver une constante c);

[2]: $\dfrac{d}{dx}\,x = 1$ (pour dériver la variable x);

[3]: $\dfrac{d}{dx}(c\,u) = c\,\dfrac{du}{dx}$ (pour dériver le produit d'une constante c par une fonction u);

[4]: $\dfrac{d}{dx}(u+v) = \dfrac{du}{dx} + \dfrac{dv}{dx}$ (pour dériver la somme de deux fonctions u et v);

[5]: $\dfrac{d}{dx}(u^n) = nu^{n-1}\dfrac{du}{dx}$ (pour dériver une fonction u à une puissance n quelconque);

[6]: $\dfrac{d}{dx}(x^n) = nx^{n-1}$ (pour dériver la variable x à une puissance n quelconque);

[7]: $\dfrac{d}{dx}(uv) = u\dfrac{dv}{dx} + v\dfrac{du}{dx}$ (pour dériver le produit de deux fonctions u et v);

[8]: $\dfrac{d}{dx}(\dfrac{u}{v}) = \dfrac{v\dfrac{du}{dx} - u\dfrac{dv}{dx}}{v^2}$ (pour dériver le quotient de deux fonctions u et v);

5.15 Exercices

Dériver les fonctions:

1. $y = (\dfrac{x}{7+x})^5$.

2. $y = \sqrt{\dfrac{3x-4}{5x+7}}$.

3. $y = 5\sqrt{x^3} + 2\sqrt[3]{x^2} - 5\sqrt[4]{x}$.

4. $y = (x^2+2)(x-3)^3$.

5. $y = \dfrac{4}{\sqrt{1-x^2}}$.

6. $y = 4x^3\sqrt{4-x}$.

7. $y = \sqrt{2x^2-4x+5}$.

8. $y = \dfrac{x^2}{\sqrt{x^2+4}}$.

9. $y = (\dfrac{1+x}{1-x})^4$.

10. $y = 2\sqrt{x^5} - 3\sqrt[4]{x} + 5x^{-2}$.

11. $y = (x^3+7)(3-x)^2$.

12. $y = (\dfrac{x}{1-2x})^4$.

13. $y = \sqrt{\dfrac{2}{x} + \dfrac{x}{3}}$.

14. $y = \dfrac{x^2+x+1}{1-x^2}$.

15. $y = \dfrac{2}{\sqrt{x}} + \dfrac{5}{x} - \dfrac{x^2}{6}$.

16. $y = (x^2 - 3)(3 - x)^3$.

17. $y = \dfrac{2x}{\sqrt{x^2 + 3}}$.

18. $y = (1 - 5x)^6$.

19. $y = (\dfrac{x}{1 + 2x})^5$.

20. $y = 2x^2 \sqrt{2 - x}$.

21. $y = \sqrt{1 + \sqrt{x}}$.

22. $y = \dfrac{x^2 - 4}{x^3 + 27}$.

23. $y = 4x^2 \sqrt{x^2 - 1}$.

24. $y = \dfrac{4}{3x - 1}$.

25. $y = \dfrac{2x}{(x - 2)^2}$.

26. $y = \dfrac{7}{(x - 2)^2}$.

27. $y = 9\sqrt{x^2 + 4}$.

28. $y = \dfrac{1}{x^3 + x}$.

5.16 Dérivée d'une fonction de fonction

Soient $y = f(u)$ une fonction de u, et $u = g(x)$ une fonction de x. Dans ces conditions, la fonction $y = f(u)$ (qui est ultimement une fonction de x) est appelée une ***fonction de fonction*** (ou une ***fonction composée***). Par exemple, si $y = f(u) = \sqrt{u}$ et $u = 3x^2 + 2$, alors on a:

$$y = f(u) = f(3x^2 + 2) = \sqrt{3x^2 + 2} . \tag{6}$$

Dérivée d'une fonction de fonction

Supposons que, comme ci-dessus, on ait $y = f(u)$ et $u = g(x)$ et qu'on veuille connaître la dérivée $\dfrac{dy}{dx}$ de la fonction y par rapport à la variable x. Pour ce faire, on peut, comme ci-dessus (V. (6)), procéder par substitution, puis calculer directement $\dfrac{dy}{dx}$. On peut aussi calculer d'abord la dérivée $\dfrac{dy}{du}$ (de y par rapport à u) et la dérivée $\dfrac{du}{dx}$ (de u par rapport à x) et, par la suite, multiplier les deux dérivées, ce qui donnera $\dfrac{dy}{dx}$. En effet, pour $\Delta x \neq 0$ et $\Delta u \neq 0$, on a:

$$\frac{\Delta y}{\Delta x} = \frac{\Delta y}{\Delta u} \cdot \frac{\Delta u}{\Delta x} . \tag{7}$$

Il s'ensuit que:

$$\frac{dy}{dx} = \lim_{\Delta x \to 0} \frac{\Delta y}{\Delta x} \qquad \text{(définition de la dérivée; V. page 73)}$$

$$= \lim_{\Delta x \to 0} (\frac{\Delta y}{\Delta u} \cdot \frac{\Delta u}{\Delta x}) \qquad \text{(V. (7))}$$

$$= (\lim_{\Delta x \to 0} \frac{\Delta y}{\Delta u}) \cdot (\lim_{\Delta x \to 0} \frac{\Delta u}{\Delta x}) \qquad \text{(limite d'un produit; V. page 21)}$$

$$= \frac{dy}{du} \cdot \frac{du}{dx} \qquad \text{(définition de la dérivée).}$$

Retenons donc la formule:

$$\boxed{\frac{dy}{dx} = \frac{dy}{du} \cdot \frac{du}{dx}} . \tag{9}$$

Exemple 1

Soit à calculer $\frac{dy}{dx}$ si $y = u^2 - 3u + 2$ et $u = 4x^2 + 1$. Calculons d'abord les dérivées intermédiaires $\frac{dy}{du}$ et $\frac{du}{dx}$:

$$\frac{dy}{du} = 2u - 3 \qquad \text{et} \qquad \frac{du}{dx} = 8x.$$

Par suite, en appliquant la formule [9], on obtient la dérivée cherchée:

$$\frac{dy}{dx} = \frac{dy}{du} \cdot \frac{du}{dx} = (2u - 3)(8x) = [2(4x^2 + 1) - 3](8x)$$

$$= (8x^2 - 1)(8x) = 64x^3 - 8x.$$

Remarque 1

Il est clair que la formule [9] ci-dessus est valable indépendamment des variables considérées, c'est-à-dire que, par exemple, on peut écrire :

$$\frac{du}{dx} = \frac{du}{dy} \cdot \frac{dy}{dx} \tag{8}$$

ou encore :

$$\frac{dw}{dt} = \frac{dw}{dv} \cdot \frac{dv}{dt} .$$

Plusieurs dérivées intermédiaires peuvent aussi bien entrer en ligne de compte. Ainsi on peut écrire :

$$\frac{dy}{dx} = \frac{dy}{du} \cdot \frac{du}{dv} \cdot \frac{dv}{dw} \cdot \frac{dw}{dx} .$$

Remarque 2

Tout comme, pour $\Delta x \neq 0$ et $\Delta t \neq 0$, il est permis d'écrire :

$$\frac{\Delta y}{\Delta x} = \frac{\dfrac{\Delta y}{\Delta t}}{\dfrac{\Delta x}{\Delta t}}$$

(où, bien entendu, il est supposé que y et x sont exprimés en fonctions de t), on peut également écrire :

$$\frac{dy}{dx} = \frac{\dfrac{dy}{dt}}{\dfrac{dx}{dt}} \qquad (\text{si } \frac{dx}{dt} \neq 0), \tag{10}$$

en vertu de la règle concernant la limite d'un quotient (V. page 21). Il va de soi qu'on suppose ici (au même titre d'ailleurs que dans ce chapitre tout entier) que toutes les dérivées sont définies pour les variables concernées de même que pour les valeurs attribuées à ces variables.

La formule [10] est utilisée lorsque les variables x et y d'une fonction $y = f(x)$ sont définies à l'aide d'une troisième variable t, nommée **paramètre**. Par exemple, on pourrait avoir $x = g(t)$ et $y = h(t)$, et alors chaque valeur attribuée à t détermine un point de la courbe de la fonction.

Exemple 2

Soit à calculer $\dfrac{dy}{dx}$ si y et x sont exprimées en fonction de t comme suit :

$y = 8t^3 - 6t$ et $x = 1/t^2$. On a :

$$\frac{dy}{dt} = 24t^2 - 6 \qquad \text{et}$$

$$\frac{dx}{dt} = \frac{d}{dt}(1/t^2) = \frac{d}{dt}(t^{-2}) = -2t^{-3} = -\frac{2}{t^3}.$$

Par suite, en appliquant la formule [10], on obtient la dérivée cherchée :

$$\frac{dy}{dx} = \frac{\dfrac{dy}{dt}}{\dfrac{dx}{dt}} = \frac{24t^2 - 6}{-\dfrac{2}{t^3}} = -12t^5 + 3t^3.$$

5.17 Exercices

Calculer la dérivée de y par rapport à x si :

1. $y = u^6$ et $u = 1 + 2\sqrt{x}$.

2. $x = 2t - 1$ et $y = t^3$.

3. $y = \sqrt{1 + u^2}$ et $u = \dfrac{x}{4}$.

4. $y = \sqrt[3]{t^2 + 4}$ et $x = \dfrac{t}{2}$.

5. $y = \sqrt{1 - u^2}$ et $u = \dfrac{4}{x}$.

6. $y = \dfrac{1 + u}{1 - u}$ et $u = \sqrt{\dfrac{4}{x}}$.

7. $y = \sqrt{4 - u}$ et $u = \dfrac{x^2}{4}$.

8. $y = \dfrac{t + 1}{t - 1}$ et $x = \dfrac{t}{4}$.

9. $y = \sqrt[3]{4 - u^2}$ et $u = \dfrac{x^2}{3}$.

10. $y = \dfrac{1 - t}{1 + t}$ et $x = \sqrt{\dfrac{2}{t}}$.

11. $y = \sqrt[3]{2 - u}$ et $u = (2x + 1)^2$.

12. $x = \dfrac{t^2 + 1}{t + 1}$ et $y = \dfrac{2t + 3}{t - 1}$.

5.18 Dérivée d'une fonction implicite

Lorsqu'une fonction est définie sous la forme usuelle $y = f(x)$, on dit que c'est une *fonction explicite*. C'est le cas, par exemple, des fonctions :

$$y = x^3 + x^2 + 1 \qquad \text{et} \qquad y = \frac{\sqrt{1 + 2x^2}}{4x^3} .$$

Les fonctions peuvent aussi être définies sous une forme où y n'est pas explicitée par rapport à x. On dit alors que ce sont des *fonctions implicites*. Tel est le cas, par exemple, des fonctions :

$$x^3 - 5x^2 y^2 + xy - 4 = 0 \qquad \text{et} \qquad xy^2 - x^2 y + 4x - 5y + 2 = 0.$$

Dérivée d'une fonction implicite

Les fonctions implicites peuvent être dérivées sans qu'il soit nécessaire de passer au préalable à la forme explicite, ce qui n'est d'ailleurs pas toujours facile, voire possible. Avant de présenter la manière de procéder, voici une observation pertinente concernant la dérivée des fonctions explicites. Supposons, par exemple, qu'on ait à dériver la fonction explicite :

$$y = 3x^2 + 4x + 7. \tag{9}$$

On peut considérer que l'opération consiste à dériver par rapport à x chacun des membres de l'équation (9), ce que nous allons faire en procédant par étapes successives, comme suit :

$$\frac{d}{dx}(y) = \frac{d}{dx}(3x^2 + 4x + 7) ;$$

$$\frac{d}{dx}(y) = \frac{d}{dx}(3x^2) + \frac{d}{dx}(4x) + \frac{d}{dx}(7) ;$$

$$\frac{dy}{dx} = 6x + 4 + 0.$$

Par conséquent, la dérivée cherchée est :

$$\frac{dy}{dx} = 6x + 4.$$

Pour le cas des fonctions implicites, on procède de la même manière, c'est-à-dire qu'on dérive chacun des membres de l'équation définissant la fonction, ce qui demandera à l'occasion de faire appel aux formules de dérivation [7] et [9] (*produit de fonctions* et *fonction de fonction*).

Exemple 1

Soit à calculer $\dfrac{dy}{dx}$ pour la fonction implicite $x^3 + y^2 + x^2y^3 + 4 = 0$. Tel que suggéré plus haut, commençons par dériver par rapport à x chacun des membres de l'équation :

$$\frac{d}{dx}(x^3 + y^2 + x^2y^3 + 4) = \frac{d}{dx}(0),$$

ce qui revient à dériver chaque terme du membre de gauche et chaque terme du membre de droite :

$$\frac{d}{dx}(x^3) + \frac{d}{dx}(y^2) + \frac{d}{dx}(x^2y^3) + \frac{d}{dx}(4) = \frac{d}{dx}(0). \tag{10}$$

Nous allons dériver les termes en question un à un, en faisant les commentaires appropriés. Dans le premier cas, il s'agit d'une fonction explicite, puisque seule la variable x apparait dans le terme concerné. Donc il n'y a qu'à procéder comme dans les pages précédentes :

$$\frac{d}{dx}(x^3) = 3x^2.$$

Dans le second cas, il s'agit d'une *fonction de fonction* (V. formule [9]), puisqu'il s'agit de dériver la fonction y^2, qui est une fonction de la variable y et celle-ci une fonction de la variable x. Ici, la formule [9] s'applique comme suit (V. page 115, (8)): $\dfrac{du}{dx} = \dfrac{du}{dy} \cdot \dfrac{dy}{dx}$, où $u = y^2$:

$$\frac{d}{dx}(y^2) = \frac{d}{dy}(y^2)\frac{dy}{dx} = 2y\frac{dy}{dx}.$$

Dans le troisième cas, il s'agit d'un *produit de fonctions* (V. formule [7]):

$$\frac{d}{dx}(x^2y^3) = x^2\frac{d}{dx}(y^3) + y^3\frac{d}{dx}(x^2)$$

$$= x^2\frac{d}{dy}(y^3)\frac{dy}{dx} + y^3(2x)$$

$$= x^2(3y^2)\frac{dy}{dx} + 2xy^3$$

$$= 3x^2y^2\frac{dy}{dx} + 2xy^3.$$

Pour ce qui est des quatrième et cinquième cas, les dérivées sont égales à zéro, puisque les fonctions à dériver sont des constantes. Donc, globalement, l'expression (10) devient:

$$3x^2 + 2y\frac{dy}{dx} + 3x^2y^2\frac{dy}{dx} + 2xy^3 = 0. \tag{11}$$

Pour terminer, isolons $\dfrac{dy}{dx}$:

$$(11) \Rightarrow 2y\frac{dy}{dx} + 3x^2y^2\frac{dy}{dx} = -3x^2 - 2xy^3$$

$$\Rightarrow (2y + 3x^2y^2)\frac{dy}{dx} = -3x^2 - 2xy^3$$

$$\Rightarrow \frac{dy}{dx} = \frac{-3x^2 - 2xy^3}{2y + 3x^2y^2}.$$

Exemple 2

Soit à calculer $\dfrac{dy}{dx}$ pour la fonction $y = f(x)$ définie implicitement par l'équation $x + 2y = \sqrt{x + y}$.

(a) *Dérivation par rapport à x de chaque membre de l'équation:*

$$\frac{d}{dx}(x + 2y) = \frac{d}{dx}(\sqrt{x + y}) ;$$

$$\frac{d}{dx}(x) + \frac{d}{dx}(2y) = \frac{d}{dx}[(x + y)^{1/2}] ;$$

$$1 + 2\frac{dy}{dx} = \frac{1}{2}(x + y)^{-1/2}\frac{d}{dx}(x + y) ;$$

$$1 + 2\frac{dy}{dx} = \frac{1}{2\sqrt{x + y}}(1 + \frac{dy}{dx}).$$

La multiplication des deux membres par $2\sqrt{x + y}$ donne finalement:

$$2\sqrt{x + y} + 4\sqrt{x + y}\,\frac{dy}{dx} = 1 + \frac{dy}{dx}.$$

(b) *Explicitation de* $\dfrac{dy}{dx}$:

$$4\sqrt{x+y}\,\frac{dy}{dx} - \frac{dy}{dx} = 1 - 2\sqrt{x+y}\,;$$

$$[4\sqrt{x+y} - 1]\,\frac{dy}{dx} = 1 - 2\sqrt{x+y}\,;$$

$$\frac{dy}{dx} = \frac{1 - 2\sqrt{x+y}}{4\sqrt{x+y} - 1}\,.$$

Exemple 3

Soit le cercle $x^2 + y^2 = 25$ et soit à trouver la pente de la tangente à ce cercle au point $(3, 4)$. (Le point $(3, 4)$ appartient bien au cercle, puisqu'il en vérifie l'équation.) Comme le lecteur doit le savoir, le cercle en question est centré à l'origine et est de rayon égal à 5 (V. figure ci-dessous).

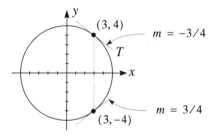

Pour trouver la pente demandée, dérivons implicitement l'équation du cercle :

$$\frac{d}{dx}(x^2 + y^2) = \frac{d}{dx}(25)\;;$$

$$\frac{d}{dx}(x^2) + \frac{d}{dx}(y^2) = 0\;;$$

$$2x + 2y\,\frac{dy}{dx} = 0\,.$$

La dérivée (implicite) cherchée est donc :

$$\frac{dy}{dx} = \frac{-2x}{2y} = \frac{-x}{y}\,. \tag{12}$$

Il s'ensuit que la pente de la tangente au cercle au point $(3, 4)$ (la droite T sur le graphique) est :

$$m = \frac{-3}{4}$$

(remplacement de x par 3 et de y par 4 dans l'expression de $\dfrac{dy}{dx}$ que nous venons de trouver). Bien entendu, à partir de l'expression de la dérivée (V. (12)), la pente de la tangente à tout autre point du cercle (sauf aux points où la tangente est verticale) peut être tout aussi facilement trouvée. Ainsi la pente de la tangente au point $(3, -4)$ (V. graphique) est $m = 3/4$.

Remarque

Affirmer qu'une expression comme $x^2 + y^2 = 25$ (le cercle examiné à l'exemple précédent) définit une *fonction implicite* est une manière abusive de s'exprimer, puisque l'équation du cercle en question n'est pas strictement une fonction. Par exemple, à la valeur $x = 3$ correspondent deux valeurs de y, les valeurs $y = 4$ et $y = -4$. Si, à partir de l'équation du cercle, on essaie d'expliciter y en fonction de x, on arrive à :

$$y = \pm \sqrt{25 - x^2}.$$

On aurait une fonction si on ne retenait que la partie supérieure $y = +\sqrt{25 - x^2}$ ou la partie inférieure $y = -\sqrt{25 - x^2}$ du cercle en question. Ci-dessous, nous avons tracé le graphique de la première de ces deux fonctions :

Le beau côté des dérivées implicites est que, même si l'expression dérivée ne représente pas une fonction à proprement parler, la dérivée en question est parfaitement valable en chacun des points de la courbe correspondant à l'équation, à l'exception bien entendu des points où la dérivée n'est pas définie (dénominateur nul). Par exemple, en ce qui concerne le cercle ci-dessus, la dérivée implicite trouvée nous permet de connaître la pente de la tangente en tout point du cercle, sauf aux points $(-5, 0)$ et $(5, 0)$, où la dérivée n'est pas définie.

5.19 Exercices

Pour les questions 1 à 8, calculer $\dfrac{dy}{dx}$:

1. $x^2 + y^2 = 4x$.

2. $xy + x - 2y - 1 = 0$.

3. $x^2 - xy + y^2 = 3$.

4. $x^3 + y^3 = 27$.

5. $x^4 - 5x^2y^2 + xy = 4$.

6. $x = \sqrt{y^2 + 3}$.

7. $x^6 + 2x^3y - xy^7 = 10$.

8. $\sqrt{x^2 + y^2} = x$.

9. Quelle est la pente de la tangente à la courbe $x^2 + 2xy - 3y^2 + 11 = 0$, au point $(2, 3)$ de cette courbe ?

10. Même question pour la courbe $x^3 + 3x^2y + y^3 = 3$, au point $(-1, 1)$.

11. Même question pour la courbe $y^2 - 8x + 6y = -17$, au point $(3, -7)$.

12. Même question pour la courbe $x^2 + 2xy + y^2 - 8x - 6y = 0$, au point $(0, 0)$.

13. Montrer que le cercle $x^2 + y^2 - 12x - 6y + 25 = 0$ est tangent au cercle $x^2 + y^2 + 2x + y = 10$ au point $(2, 1)$. (*Suggestion :* Il s'agit de montrer que, d'une part, le point $(2, 1)$ appartient à chacun des cercles et que, d'autre part, les tangentes à chacun des cercles au point en question sont confondues, c'est-à-dire que ces tangentes ont la même pente.)

5.20 Dérivées successives

Il est souvent utile de dériver une fonction à plusieurs reprises. La dérivée de la *dérivée première* est appelée la *dérivée seconde*. La dérivée de la dérivé seconde est appelée la *dérivée troisième*, etc. Pour une fonction donnée $y = f(x)$, les dérivées première, seconde, troisième, etc. se notent respectivement :

$$y' = f'(x) = \frac{dy}{dx} \; ; \qquad y'' = f''(x) = \frac{d^2y}{dx^2} \; ; \qquad y''' = f'''(x) = \frac{d^3y}{dx^3} \; ;$$

etc.

Exemple 1

Pour la fonction $y = x^5$, on a:

$$y' = 5x^4 \ ;$$

$$y'' = 5\,(4x^3) \ = 20x^3 \ ;$$

$$y''' = 20\,(3x^2) \ = 60x^2 \ ; \qquad \text{etc.}$$

Exemple 2

Soit à trouver la dérivée troisième de la fonction $y = \sqrt{x}$. On a:

$$y = x^{1/2} \ ;$$

$$y' = \frac{1}{2}\,x^{-1/2} \ ;$$

$$y'' = \frac{1}{2}\,(-\frac{1}{2}\,x^{-3/2}) \ = -\frac{1}{4}\,x^{-3/2} \ ;$$

$$y''' = -\frac{1}{4}\,(-\frac{3}{2}\,x^{-5/2}) \ = \frac{3}{8}\,x^{-5/2} \ = \frac{3}{8\sqrt{x^5}} \ .$$

Exemple 3

Soit à trouver la dérivée troisième de la fonction $y = \dfrac{1}{(1-2x)^3}$. On a:

$$y = (1-2x)^{-3} \ ;$$

$$y' = -3\,(1-2x)^{-4}(-2) \ = 6\,(1-2x)^{-4} \ ;$$

$$y'' = -24\,(1-2x)^{-5}(-2) \ = 48\,(1-2x)^{-5} \ ;$$

$$y''' = -240\,(1-2x)^{-6}(-2) \ = 480\,(1-2x)^{-6} \ = \frac{480}{(1-2x)^6} \ .$$

Exemple 4

Soit à trouver la dérivée cinquième de la fonction $y = x^3 + 5x^2 - 10x + 37$. On trouve successivement:

$$y' = 3x^2 + 10x - 10 \ ; \qquad y'' = 6x + 10 \ ; \qquad y''' = 6 \ ;$$

$$y'''' = 0 \ ; \qquad y''''' = 0.$$

5.21 Exercices

Calculer la dérivée demandée :

1. $f''(x)$, si $f(x) = 7x^3 - 6x^5$.

2. $\dfrac{d^2y}{dx^2}$, si $y = x^2 + \dfrac{1}{x^2}$.

3. $\dfrac{d^3y}{dx^3}$, si $y = (1+2x)^3$.

4. y'', si $y = \sqrt{2x+1}$.

5. y'''', si $y = \dfrac{7}{1-x}$.

6. $f'''(x)$, si $f(x) = \dfrac{1}{3x+2}$.

7. $\dfrac{d^3y}{dx^3}$, si $y = x^3 - 4x^2 + \sqrt{x}$.

8. $\dfrac{d^{50}y}{dx^{50}}$, si $y = x^{10} + 9x^7$.

9. y'', si $y = \sqrt{9+x^2}$.

10. $\dfrac{d^4y}{dx^4}$, si $y = \dfrac{1}{\sqrt{x}}$.

5.22 Résumé du chapitre

(a) Dérivée d'une fonction explicite

La dérivée $y' = f'(x)$ d'une fonction explicite $y = f(x)$ est (V. page 73, (4)) la limite :

$$y' = f'(x) = \lim_{\Delta x \to 0} \frac{\Delta y}{\Delta x} = \lim_{\Delta x \to 0} \frac{f(x+\Delta x) - f(x)}{\Delta x} .$$

(b) Procédé de dérivation

Au chapitre 4 (V. page 74, article 4.8), nous avons convenu d'appliquer la définition ci-dessus en procédant en trois temps, comme suit :

(a) on calcule d'abord $\Delta y = f(x+\Delta x) - f(x)$;

(b) on calcule ensuite le quotient $\dfrac{\Delta y}{\Delta x}$;

(c) on calcule finalement la limite $y' = \dfrac{dy}{dx} = \lim\limits_{\Delta x \to 0} \dfrac{\Delta y}{\Delta x}$.

(c) Formules de dérivation

En appliquant le procédé ci-dessus, nous avons, dans ce chapitre, mis au point les formules de dérivation suivantes :

[1] : $\dfrac{d}{dx} c = 0$ (pour dériver une constante c) ;

[2] : $\dfrac{d}{dx} x = 1$ (pour dériver la variable x) ;

[3] : $\dfrac{d}{dx} (cu) = c \dfrac{du}{dx}$ (pour dériver le produit d'une constante c par une fonction u) ;

[4] : $\dfrac{d}{dx} (u + v) = \dfrac{du}{dx} + \dfrac{dv}{dx}$ (pour dériver la somme de deux fonctions u et v) ;

[5] : $\dfrac{d}{dx} (u^n) = n u^{n-1} \dfrac{du}{dx}$ (pour dériver une fonction u à une puissance n quelconque) ;

[6] : $\dfrac{d}{dx} (x^n) = n x^{n-1}$ (pour dériver la variable x à une puissance n quelconque) ;

[7] : $\dfrac{d}{dx} (uv) = u \dfrac{dv}{dx} + v \dfrac{du}{dx}$ (pour dériver le produit de deux fonctions u et v) ;

[8] : $\dfrac{d}{dx} \left(\dfrac{u}{v}\right) = \dfrac{v \dfrac{du}{dx} - u \dfrac{dv}{dx}}{v^2}$ (pour dériver le quotient de deux fonctions u et v) ;

(d) Dérivée d'une fonction de fonction

Si $y = f(u)$ est une fonction de u et $u = g(x)$ une fonction de x, alors la fonction $y = f(u)$ (qui est ultimement une fonction de x) est appelée une *fonction de fonction* (une *fonction composée*). La dérivée d'une fonction de fonction peut se faire suivant la formule :

$$\frac{dy}{dx} = \frac{dy}{du} \cdot \frac{du}{dx},$$

où le choix des variables est parfaitement facultatif, c'est-à-dire qu'on doit prendre des variables adaptées aux besoins du problème (V. page 115, Remarque 1)).

(e) Dérivée d'une fonction définie paramétriquement

Il arrive qu'une fonction $y = f(x)$ soit ***définie paramétriquement***, c'est-à-dire que les variables x et y soient respectivement définies à l'aide d'une troisième variable t, appelée ***paramètre*** (par exemple, $x = g(t)$ et $y = h(t)$). Alors la fonction $y = f(x)$ peut se dériver à l'aide de la formule :

$$\frac{dy}{dx} = \frac{\dfrac{dy}{dt}}{\dfrac{dx}{dt}},$$

où, bien entendu, le choix des variables est parfaitement arbitraire.

(f) Dérivée d'une fonction implicite

Les fonctions qui ne sont pas explicitement définies sous la forme usuelle $y = f(x)$ sont dites ***implicites***. Tel est le cas, par exemple, des fonctions :

$$x^3 - 5x^2y^2 + xy - 4 = 0 \qquad \text{et} \qquad xy^2 - x^2y + 4x - 5y + 2 = 0.$$

Les fonctions implicites peuvent être dérivées sans qu'il soit nécessaire de passer au préalable à la forme explicite (ce qui n'est d'ailleurs pas toujours possible). On peut considérer que l'opération consiste à dériver par rapport à x chacun des membres de l'équation définissant la fonction, ce qui demandera à l'occasion de faire appel aux formules de dérivation [7] et [9] (*produit de fonctions* et *fonction de fonction*).

(g) Dérivées successives

Il est souvent utile de dériver une fonction à plusieurs reprises. La dérivée de la ***dérivée première*** est appelée la ***dérivée seconde***. La dérivée de la dérivée seconde est appelée la ***dérivée troisième***, etc. Pour une fonction donnée $y = f(x)$, les dérivées première, seconde, troisième, etc. se notent respectivement :

$$y' = f'(x) = \frac{dy}{dx} \; ;$$

$$y'' = f''(x) = \frac{d^2y}{dx^2} \; ;$$

$$y''' = f'''(x) = \frac{d^3y}{dx^3} \; ; \qquad \text{etc.}$$

5.23 Exercices de révision

1. Donner, en l'exprimant d'abord à l'aide d'une phrase, puis à l'aide de notations symboliques, la définition de la dérivée d'une fonction.

2. Dans les formules de dérivation proposées dans ce chapitre, que représentent respectivement les symboles c, n, t, u, v, w et y ?

3. Pour établir les formules de dérivation, nous avons toujours utilisé le même procédé. Quel est-il ?

4. Préciser quelle formule doit être utilisée en premier pour dériver la fonction :

   (a) $y = \dfrac{\sqrt{x^2 + 3}}{3}$;   (b) $y = \dfrac{1}{(x + 1)^2}$;   (c) $y = \dfrac{x^2 + 1}{x - 1}$.

5. Calculer $y' = \dfrac{dy}{dx}$ pour les fonctions suivantes :

   (a) $y = \left(\dfrac{x}{1 + x}\right)^7$;   (b) $y = 5x^3\sqrt{4 - x}$;

   (c) $y = \sqrt[4]{x^7 + 3x}$;   (d) $y = \dfrac{x^2 - 3}{4 - x^2}$.

6. Si u et y sont des fonctions de x, calculer :

   (a) $\dfrac{d}{dx}(u^4)$;   (b) $\dfrac{d}{dx}(x^4)$;   (c) $\dfrac{d}{dx}(y^4)$;

   (d) $\dfrac{d}{du}(u^4)$;   (e) $\dfrac{d}{dy}(y^4)$.

7. Expliquer pourquoi $\dfrac{d}{dx}(x^2) = 2x$, alors que $\dfrac{d}{dx}(y^2) = 2y\,\dfrac{dy}{dx}$.

8. Calculer $\dfrac{dy}{dx}$ si:

(a) $y = \dfrac{u^2 - 1}{u^2 + 1}$, avec $u = \sqrt[3]{x^2 + 2}$;

(b) $x^2 + xy + y^5 = 3$;

(c) $y = \dfrac{1 + 4/x}{4 + 1/x}$;

(d) $\sqrt{xy} - x^5 = 5$;

(e) $y = \dfrac{4}{\sqrt{x}} + \sqrt[3]{x^2}$;

(f) $x = t^2 + 2t$ et $y = 2t^3 - 6t$.

9. Calculer $\dfrac{d^3 y}{dx^3}$ pour les fonctions suivantes:

(a) $y = x^{4/3}$;　　　　　　　　　　(b) $y = \dfrac{2}{1 - x}$.

10. Calculer la pente de la tangente à la courbe au point donné:

(a) $y = \dfrac{x - 5}{x - 1}$, au point $(5, 0)$;

(b) $y = \dfrac{x^2 + 1}{x^2 - 1}$, au point $(0, -1)$;

(c) $x^2 + y^2 = 25$, au point $(-4, 3)$;

(d) $x^2 y + x - y = 5$, au point $(2, 1)$.

11. Sachant que le volume d'un cube s'obtient par la formule $V(x) = x^3$, où x désigne la longueur des arêtes du cube, et à supposer que les arêtes d'un cube donné s'allongent graduellement:

(a) quel est le *T.V.M.* du volume par rapport à la longueur du côté sur l'intervalle $[2, 4]$?

(b) quel est le *T.V.I.* pour toute valeur de x?

(c) quel est le *T.V.I.* pour $x = 3$?

(d) quelle est la signification de la réponse trouvée en (c) ?

12. Supposons que la population d'une certaine ville est donnée, en milliers d'habitants, par la fonction $P(t) = 30 + \dfrac{12}{t+2}$, où t désigne le temps en années.

   (a) Trouver une formule fournissant le taux de variation instantané de la population quel que soit t.

   (b) Quel est le *T. V. I.* de la population par rapport au temps à la fin de la deuxième année?

   (c) Donner la signification de la réponse trouvée en (b).

13. Donner le taux de variation instantané en $x = a$ de la fonction proposée:

   (a) $y = \sqrt{2x-1}$, $a = 5$.

   (b) $y = \dfrac{2x}{1-x}$, $a = -1$.

14. Un démographe prédit que la population d'une petite ville variera pour les 10 prochaines années suivant la formule $P(t) = -100t^2 + 800t + 5000$, où $P(t)$ représente le nombre total des citoyens et t le temps en années. Dans ces conditions:

   (a) Quelle sera la population de la ville au bout de 3 ans?

   (b) Quelle sera l'augmentation de la population de la ville d'ici ce temps?

   (c) Quel sera le taux de variation moyen pendant ces trois années?

   (d) Donner une formule générale qui permette de connaître le taux de variation instantané à tout moment t ($0 \le t \le 10$).

   (e) Quel sera le taux de variation instantané au temps $t = 4$?

   (f) Quelle est la signification de la réponse trouvée en (e)?

15. À l'Expo-Science, un élève présente une fusée qui, soutient-il, se déplace verticalement suivant la formule $S(t) = 40t - 4,9t^2$, où $S(t)$ désigne la distance du sol (en mètres) et t le temps (en secondes). Dans ces conditions:

   (a) Quelle sera la vitesse initiale de la fusée?

   (b) Quelle sera sa vitesse après 4 secondes?

   (c) Après combien de temps cessera-t-elle de monter pour commencer à redescendre vers le sol?

   (d) Quelle sera la hauteur maximale atteinte par la fusée?

Défis à relever

16. Déterminer les constantes a, b et c de telle manière que les courbes $y = x^2 + bx + c$ et $y = x^3 + ax$ soient tangentes l'une à l'autre au point $(1, 3)$.

17. Trouver les deux tangentes au cercle $x^2 + y^2 = 25$ qui sont parallèles à la droite $3x + 4y = 0$.

18. En quel(s) point(s) la courbe d'équation $y^2 - 3xy + 3x^2 = 4$ admet-elle une tangente horizontale?

19. En quel(s) point(s) la courbe d'équation $3y^2 - 3xy + 3x^2 = 9$ admet-elle une tangente verticale?

20. Considérons la parabole d'équation $y = 5x^2 - 6x + 5$. Il existe deux points de cette parabole tels que la tangente à la courbe en ces points passe par l'origine des axes. Trouver ces points.

21. Considérons les courbes d'équations respectives $y = f(x) = x^3 + 6x^2 + x + 1$ et $y = g(x) = 3x^2 + 25x + 10$. Trouver une abscisse a telle que les tangentes à ces courbes aux points $(a, f(a))$ et $(a, g(a))$ soient parallèles. (Deux solutions sont possibles.)

6

ÉTUDE DES FONCTIONS ALGÉBRIQUES

Comme nous l'avons signalé au chapitre 1, l'étude des fonctions est l'objet premier du calcul différentiel. Dans les chapitres précédents, nous nous sommes donné d'importants outils pour faire cette étude: nous avons tout d'abord introduit la notion de *limite* (chapitre 2), qui nous a servis à détecter les *asymptotes* éventuelles attachées à la courbe d'une fonction (chapitre 2) et à étudier la *continuité* d'une fonction (chapitre 3); nous avons ensuite mis au point la très importante notion de *dérivée* (chapitre 4), que nous avons par la suite appris à calculer de façon rapide (chapitre 5). Nous pouvons maintenant mettre à profit toutes ces connaissances pour faire l'étude analytique des *fonctions algébriques*.

C'est au grand mathématicien suisse Euler (1707-1783) qu'on doit le premier traité sur l'étude analytique systématique des fonctions, aussi bien algébriques que transcendantes (sous leur forme explicite ou sous une forme implicite). Il s'agit de son ouvrage intitulé *Introductio in analysin infinitorum (Introduction à l'analyse des infiniment petits)*, publié en 1748 et écrit en latin, selon la coutume de l'époque.

6.1 Objectifs du chapitre

À la fin de ce chapitre, l'élève devra savoir:

- définir les notions suivantes: *croissance, décroissance, maximum relatif, minimum relatif* et *valeur critique* d'une fonction; *concavité vers le haut, concavité vers le bas, point d'inflexion* et *asymptote* de la courbe d'une fonction;
- identifier, à l'aide de la dérivée première, les extrémums relatifs ainsi que les intervalles de croissance et les intervalles de décroissance d'une fonction;
- étudier la concavité d'une courbe et identifier ses points d'inflexion à l'aide de la dérivée seconde;
- dresser le «tableau synthèse» d'une fonction et en tirer les conclusions pratiques pour la construction de son graphique;
- utiliser les asymptotes pour tracer le graphique d'une fonction;
- expliquer le lien existant entre la croissance ou la décroissance d'une fonction et le signe de la dérivée première;
- expliquer le lien existant entre la concavité (vers le haut ou vers le bas) de la courbe d'une fonction et le signe de la dérivée seconde;
- faire le lien entre le graphique d'une fonction et le graphique de la dérivée première de la même fonction;
- utiliser toutes les notions apprises dans ce chapitre et les précédents pour faire l'étude complète d'une fonction et en tracer le graphique.

6.2 Croissance et décroissance d'une fonction

Comme premier pas dans notre étude des fonctions algébriques, intéressons-nous aux notions de *croissance* et de *décroissance* d'une fonction.

DÉFINITION

On dit qu'une fonction f est **croissante** sur un intervalle I si, sur cet intervalle, $b > a \Rightarrow f(b) \geq f(a)$ ou, autrement dit, si $\Delta x = b - a > 0 \Rightarrow \Delta y = f(b) - f(a) \geq 0$ (V. figure ci-dessous).

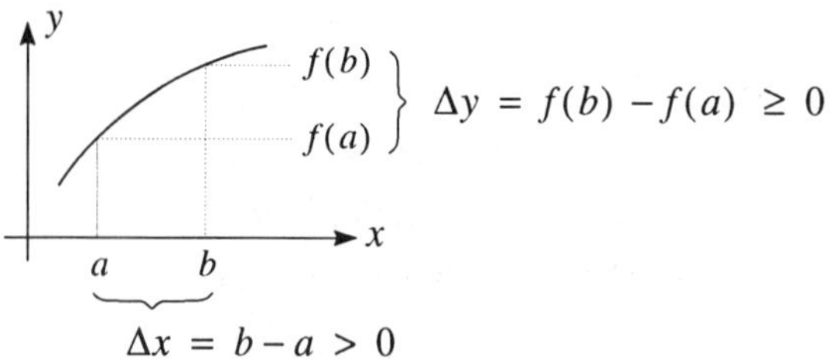

DÉFINITION

On dit qu'une fonction f est ***croissante*** en un point $x = c$ de son domaine de définition, s'il existe un intervalle ouvert I (si petit soit-il), comportant c, tel que, sur I, la fonction est croissante.

Considérons, par exemple, la fonction :

$$y = f(x) = \frac{x^2}{4} - 1 \, ,$$

dont voici le graphique :

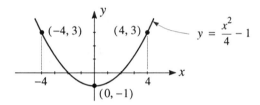

Cette fonction est croissante sur l'intervalle $]0, \infty[$, puisque, clairement, on a $b > a \Rightarrow f(b) \geq f(a)$ sur tout cet intervalle. La fonction est au même titre croissante au point $x = 4$, puisqu'il existe un intervalle ouvert, par exemple $]3, 5[$, comportant 4, où la fonction est croissante.

DÉFINITION

On dit qu'une fonction f est ***décroissante*** sur un intervalle I si, sur cet intervalle, $b > a \Rightarrow f(b) \leq f(a)$ ou, autrement dit, si $\Delta x = b - a > 0 \Rightarrow \Delta y = f(b) - f(a) \leq 0$ (V. figure ci-dessous).

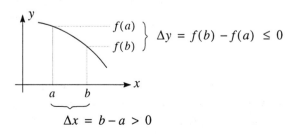

> **═ DÉFINITION ═**
>
> On dit qu'une fonction f est **décroissante** en un point $x = c$ de son domaine de définition, s'il existe un intervalle ouvert I (si petit soit-il), comportant c, tel que, sur I, la fonction est décroissante.

Par exemple, la fonction $f(x)$ examinée plus haut est décroissante sur l'intervalle $]-\infty, 0[$, puisque, clairement, on a $b > a \Rightarrow f(b) \le f(a)$ sur tout cet intervalle. Cette fonction est également décroissante au point $x = -4$, puisqu'il existe un intervalle ouvert, par exemple $]-5, -3[$, comportant -4, où la fonction est décroissante.

Croissance (décroissance) et signe de la dérivée

Revenons à la fonction:

$$y = f(x) = \frac{x^2}{4} - 1$$

(dont le graphique est rappelé ci-contre). Sa dérivée est (V. chapitre 5):

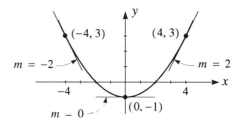

$$f'(x) = \frac{2x}{4} = \frac{x}{2}.$$

Ce simple exemple met en évidence la règle générale suivante:

$$\begin{cases} f \text{ est croissante en } x = a \iff f'(a) \ge 0, \\ f \text{ est décroissante en } x = a \iff f'(a) \le 0. \end{cases}$$

Par exemple, la fonction $f(x)$ ci-dessus est croissante en $x = 4$, puisqu'on a $f'(4) = 4/2 = 2 > 0$, et décroissante en $x = -4$, puisqu'on a $f'(-4) = -4/2 = -2 < 0$. En $x = 0$, notons-le, la fonction est, si l'on peut dire, *décroissante à gauche et croissante à droite*; cela correspond clairement au fait que la pente de la tangente à la courbe en ce point est *nulle* $(m = f'(0) = 0/2 = 0)$.

Croissance (décroissance) stricte

Soit f une fonction et I un intervalle ouvert de son domaine de définition. On dit que f est **strictement croissante** (**strictement décroissante**) sur I, si, sur I, on a $b > a \Rightarrow f(b) > f(a)$ $(b > a \Rightarrow f(b) < f(a))$.

6.3 Maximum et minimum relatifs

DÉFINITION

Soit $f(x)$ une fonction continue en un point $x = a$ de son domaine de définition D_f. On dit que $f(a)$ est un ***maximum relatif*** de la fonction s'il existe un intervalle ouvert $I \subseteq D_f$, comportant a, tel que, pour tout $x \in I$, $f(x) \le f(a)$ (V. les deux graphiques ci-dessous).

En termes plus intuitifs, $f(a)$ est un ***maximum relatif*** de la fonction si, en $x = a$, la fonction passe de croissante à décroissante.

En pratique, retenons que $f(a)$ est un maximum relatif de la fonction f s'il existe un intervalle ouvert $I \subseteq D_f$, comportant a, tel que:

$\begin{cases} \text{(a)} \ \ f'(a) \ = 0 \ \text{ou} \ f'(a) \ \text{n'existe pas ;} \\ \text{(b)} \ \ f'(x) \ \text{est positif à gauche de } a \text{ et négatif à droite.} \end{cases}$

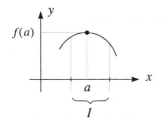 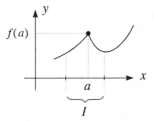

La figure de gauche ci-dessus illustre le cas où $f'(a) = 0$ et la figure de droite le cas où $f'(a)$ n'existe pas.

DÉFINITION

Soit $f(x)$ une fonction continue en un point $x = a$ de son domaine de définition D_f. On dit que $f(a)$ est un ***minimum relatif*** de la fonction s'il existe un intervalle ouvert $I \subseteq D_f$, comportant a, tel que, pour tout $x \in I$, $f(x) \ge f(a)$ (V. les deux figures ci-dessous).

En termes plus intuitifs, $f(a)$ est un ***minimum relatif*** de la fonction si, en $x = a$, la fonction passe de décroissante à croissante.

En pratique, retenons que $f(a)$ est un minimum relatif de la fonction f s'il existe un intervalle ouvert $I \subseteq D_f$, comportant a, tel que:

$\left\{\begin{array}{l} \text{(a) } f'(a) = 0 \text{ ou } f'(a) \text{ n'existe pas ;} \\ \text{(b) } f'(x) \text{ est négatif à gauche de } a \text{ et positif à droite.} \end{array}\right.$

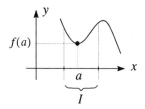
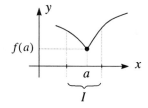

La figure de gauche ci-dessus illustre le cas où $f'(a) = 0$ et la figure de droite le cas où $f'(a)$ n'existe pas.

Extrémums relatifs

DÉFINITION

On utilise l'expression *extrémum relatif* pour désigner indifféremment un *maximum relatif* ou un *minimum relatif* d'une fonction.

Remarque

Dans les appellations *maximum relatif*, *minimum relatif* et *extrémum relatif*, le mot «*relatif*» est utilisé par opposition au mot «*absolu*». Un **extrémum absolu** (minimum ou maximum) d'une fonction *f* est un extrémum valable non seulement pour un intervalle restreint du domaine de définition de la fonction, mais pour tout le domaine de définition. Par exemple, sur le graphique ci-dessous, $f(b)$ est le minimum absolu de la fonction concernée, alors que $f(a)$ est un minimum relatif. (En tant que minimum absolu, notons-le, $f(b)$ est aussi un minimum relatif.) En pratique, ce sont les extrémums relatifs qui retiennent l'intérêt dans l'étude des fonctions.

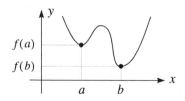

6.4 Valeurs critiques d'une fonction

De ce qui précède il ressort que si l'on est à la recherche des extrémums relatifs d'une fonction, on doit *a priori* exclure de ses préoccupations toutes les valeurs de x où la dérivée existe et diffère de zéro. C'est-à-dire qu'on doit concentrer son attention sur ce qu'on appelle les *valeurs critiques* de la fonction:

DÉFINITION

On dit d'un nombre a qu'il est une ***valeur critique*** d'une fonction f si $f'(a) = 0$ ou si $f'(a)$ n'existe pas, c'est-à-dire si a annule un facteur du numérateur ou un facteur du dénominateur de f' (pour le cas où f' possède un dénominateur). Plus loin, nous considérerons aussi comme valeurs critiques de f les valeurs a telles que $f''(a) = 0$ ou $f''(a)$ n'existe pas.

Exemple 1

Si la dérivée d'une fonction f est:

$$f'(x) = \frac{(x+2)\,(x-1)}{(x+3)}\,,$$

alors les valeurs critiques de f (relatives à la dérivée première) sont $x = -2$, $x = 1$ et $x = -3$.

Exemple 2

Soit à trouver les extrémums relatifs de la fonction:

$$f(x) = 3x - x^3\,.$$

La dérivée de cette fonction est:

$$f'(x) = 3 - 3x^2 = 3\,(1 - x^2) = 3\,(1 - x)\,(1 + x)\,. \tag{1}$$

(On trouvera en appendice, à la page 284, un rappel sur la décomposition en facteurs des polynômes.) Par conséquent la fonction admet comme valeurs critiques:

$$x = 1 \qquad \text{et} \qquad x = -1\,.$$

Disposons en un tableau les principales conclusions que nous pouvons tirer des données ci-dessus, comme suit:

x	$-\infty$		-1		1		∞
$f'(x)$		$-$	0	$+$	0	$-$	
$f(x)$		$\searrow$	min -2	$\nearrow$	max 2	$\searrow$	

On doit comprendre que, par exemple, au début de la deuxième ligne du tableau, le symbole $-$ indique que, pour $-\infty < x < -1$, la dérivée est négative (ce qu'on vérifie facilement sur l'expression de la dérivée; V. (1)). Le chiffre 0 qui suit signifie qu'en $x = -1$ la dérivée a pour valeur 0, etc. Bien entendu, les symboles $\searrow$ et $\nearrow$ signifient respectivement que la fonction est décroissante ou croissante (dans les intervalles ouverts concernés). Quant aux expressions «min» et «max», elles indiquent qu'il y a un minimum relatif de la fonction en $x = -1$ (ce minimum étant de $f(-1) = -2$) et un maximum relatif en $x = 1$ (ce maximum étant de $f(1) = 2$).

Exemple 3

Recommençons la même étude pour la fonction :

$$f(x) = x^3 .$$

Sa dérivée est :

$$f'(x) = 3x^2 .$$

Donc une seule valeur critique :

$$x = 0 .$$

D'où le tableau :

x	$-\infty$		0		∞
$f'(x)$		$+$	0	$+$	
$f(x)$		$\nearrow$	0	$\nearrow$	

Par conséquent, la fonction ne possède pas d'extrémum relatif. Nous verrons plus loin ce qui se passe en $x = 0$.

Exemple 4

Même étude pour la fonction :

$$f(x) = \sqrt[3]{x^2} - 3 = x^{2/3} - 3 .$$

La dérivée ce cette fonction est :

$$f'(x) = \frac{2}{3} x^{-1/3} = \frac{2}{3\sqrt[3]{x}} .$$

Encore ici, une seule valeur critique (annulant le dénominateur) :

$$x = 0 .$$

D'où le tableau :

x	$-\infty$		0		∞
$f'(x)$		$-$	$\nexists$	$+$	
$f(x)$		$\searrow$	min -3	$\nearrow$	

(où, bien entendu, le symbole $\nexists$ signifie *«n'existe pas»*). Donc un minimum de la fonction au point $(0, -3)$.

Exemple 5

Considérons maintenant la fonction :

$$f(x) = x\sqrt{1-x^2} = x(1-x^2)^{1/2} .$$

Ici, à cause du radical d'indice pair, on doit avoir $1 - x^2 \geq 0$, c'est-à-dire $x^2 \leq 1$ ou, ce qui revient au même, $-1 \leq x \leq 1$. C'est donc dire que le domaine de définition de la fonction est $D_f = [-1, 1]$. La dérivée de la fonction est :

$$f'(x) = x\left[\frac{1}{2}(1-x^2)^{-1/2}(-2x)\right] + (1)(1-x^2)^{1/2}$$

$$= \frac{-x^2}{(1-x^2)^{1/2}} + (1-x^2)^{1/2} = \frac{-x^2+(1-x^2)}{(1-x^2)^{1/2}} = \frac{1-2x^2}{\sqrt{1-x^2}}.$$

Les valeurs critiques de f (relatives à la dérivée première) sont les valeurs de x annulant le numérateur de f' de même que celles annulant son dénominateur. Le numérateur de f' s'annule pour $x^2 = \dfrac{1}{2}$, c'est-à-dire pour $x = \pm\dfrac{1}{\sqrt{2}}$. Le dénominateur s'annule pour $x^2 = 1$, c'est-à-dire pour $x = \pm 1$. D'où le tableau :

x	$-\infty$		-1		$\dfrac{-1}{\sqrt{2}}$		$\dfrac{1}{\sqrt{2}}$		1		∞
$f'(x)$		$\nexists$	$\nexists$	$-$	0	$+$	0	$-$	$\nexists$	$\nexists$	
$f(x)$		$\nexists$	0	$\searrow$	$\dfrac{\min}{-1/2}$	$\nearrow$	$\dfrac{\max}{1/2}$	$\searrow$	0	$\nexists$	

6.5 Exercices

En construisant au besoin un tableau comme ci-dessus, identifier les valeurs de la variable x où il y a un extrémum relatif de la fonction :

1. $f(x) = x^3 + 6x^2 + 1$.

2. $f(x) = x^4 - 8x^2 + 8$.

3. $f(x) = \sqrt[3]{x} - 3$.

4. $f(x) = 5x + 2$.

5. $f(x) = 3x^2$.

6. $f(x) = x - 2 + \dfrac{1}{x+1}$.

7. $f(x) = \dfrac{x+2}{3x-1}$.

8. $f(x) = \sqrt{4-x^2}$.

9. $f(x) = x^4$.

10. $f(x) = \dfrac{x^2+3}{x^2-4}$.

11. $f(x) = \dfrac{x^2}{x+2}$.

12. $f(x) = \dfrac{8x}{x^2+1}$.

13. $f(x) = x^3 - 6x^2 + 9x - 2$.

14. $f(x) = 6x - x^2$.

15. $f(x) = \dfrac{18}{x^2 + 6}$.

16. $f(x) = \dfrac{x^3}{x^2 - 12}$.

Pour chacune des autres questions, compléter le tableau associé au graphique en procédant comme dans les tableaux de l'article précédent :

17.

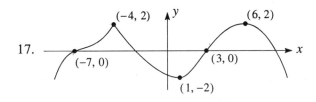

x														
$f'(x)$														

18.

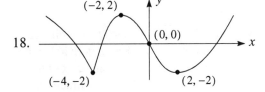

x														
$f'(x)$														

19.

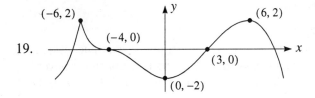

x														
$f'(x)$														

6.6 Concavité

Concavité vers le haut

> **DÉFINITION**
>
> Soient f une fonction, D_f son domaine de définition et $a \in D_f$. On dit que la courbe de f est ***concave vers le haut*** au point $x = a$ si f est dérivable en ce point et s'il existe un intervalle ouvert $I \subseteq D_f$, comportant a, tel que, pour tout $x \in I$, la tangente à la courbe au point $(x, f(x))$ est située «en dessous» de la courbe (V. la figure de gauche ci-dessous). La courbe est dite ***concave vers le haut*** sur un *intervalle* $V \subseteq D_f$ si elle est concave vers le haut pour chaque $a \in V$.

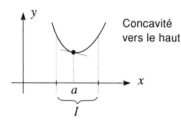

Concavité vers le haut

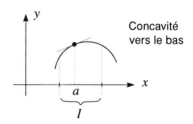

Concavité vers le bas

Concavité vers le bas

> **DÉFINITION**
>
> Soient f une fonction, D_f son domaine de définition et $a \in D_f$. On dit que la courbe de f est ***concave vers le bas*** au point $x = a$ si f est dérivable en ce point et s'il existe un intervalle ouvert $I \subseteq D_f$, comportant a, tel que, pour tout $x \in I$, la tangente à la courbe au point $(x, f(x))$ est située «en dessus» de la courbe (V. la figure de droite ci-dessus). La courbe est dite ***concave vers le bas*** sur un *intervalle* $V \subseteq D_f$ si elle est concave vers le bas pour chaque $a \in V$.

6.7 Point d'inflexion

> **DÉFINITION**
>
> Si, en une certain point de sa courbe, une fonction est continue, et que, en ce même point, la concavité passe du type «vers le haut» au type «vers le bas», ou l'inverse, alors ce point est appelé ***point d'inflexion*** de la courbe.

Par exemple, dans le graphique ci-après, le point P est un point d'inflexion.

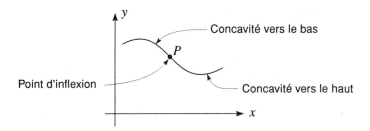

6.8 Concavité, point d'inflexion et dérivée seconde

À supposer qu'une fonction *f* soit *décroissante* sur un intervalle I_1, alors, rappelons-le, on a $f'(a) < 0$ pour tout $a \in I_1$ (V. graphique ci-dessous). Et si la fonction est *croissante* sur un intervalle I_2, alors on a $f'(a) > 0$ pour tout $a \in I_2$ (V. graphique ci-dessous). Par ailleurs on observe que si, sur un intervalle *I* (V. figure), la concavité de la courbe est tournée vers le haut, alors, sur cet intervalle, la valeur de la dérivée première *f'* de la fonction augmente au fur et à mesure qu'on se déplace de la gauche vers la droite, c'est-à-dire que, sur *I*, *f'* (qui est une fonction au même titre que *f*) est *croissante*.

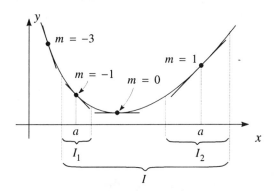

Et puisque, sur l'intervalle *I* en question, *f'* est *croissante*, il s'ensuit que, pour tout $a \in I$, $f''(a) > 0$ (où *f''* désigne la dérivée de *f'*, c'est-à-dire la dérivée seconde de *f*). En somme on peut affirmer que si la courbe de *f* est concave vers le haut en $x = a$, alors $f''(a) > 0$. Il est clair que la réciproque est également vraie, c'est-à-dire que si $f''(a) > 0$, alors la courbe de *f* est concave vers le haut en $x = a$. En somme on a:

$$\boxed{f \text{ concave vers le haut en } x = a \Leftrightarrow f''(a) > 0}\ .$$

On a également, et pour des raisons analogues:

f concave vers le bas en $x = a$ $\Leftrightarrow$ $f''(a) < 0$.

De ce qu'on vient de voir, il découle clairement cette autre règle:

Une fonction f possède un *point d'inflexion* en $x = a$ si:

$\begin{cases} \text{(a) } f \text{ est continue en } x = a\,; \\ \text{(b) } f''(a) = 0 \text{ ou } f''(a) \text{ n'existe pas;} \\ \text{(b) } f''(x) \text{ change de signe en } x = a. \end{cases}$ (2)

La condition « $f''(a)$ n'existe pas », mentionnée ci-dessus, correspond au cas où la tangente à la courbe en $x = a$ est *verticale*, auquel cas la dérivée première en $x = a$ (et par conséquent la dérivé seconde) n'existe pas. Par exemple, pour la fonction $f(x) = \sqrt[3]{x}$, dont le graphique est tracé ci-dessous, il y a inflexion au point $(0, 0)$, où la tangente à la courbe est verticale.

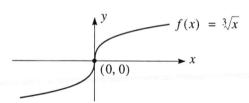

6.9 Dérivée seconde et extrémums relatifs

À la suite de ce qui précède, on peut, en ce qui concerne les extrémums relatifs d'une fonction, affirmer que:

Une fonction f admet un *maximum relatif* en $x = a$ si les deux conditions suivantes sont remplies:

$\begin{cases} \text{(a) } f'(a) = 0\,; \\ \text{(b) } f''(a) < 0 \text{ (concavité vers le bas).} \end{cases}$

Une fonction f admet un *minimum relatif* en $x = a$ si les deux conditions suivantes sont remplies:

$$\begin{cases} \text{(a) } f'(a) = 0; \\ \text{(b) } f''(a) > 0 \text{ (concavité vers le haut).} \end{cases}$$

Exemple 1

Sachant que la fonction:

$$f(x) = x^3 - 12x$$

admet deux extrémums relatifs et un point d'inflexion, identifier ces points à l'aide des dérivées première et seconde de la fonction.

Les dérivées première et seconde de la fonction sont respectivement:

$$f'(x) = 3x^2 - 12 = 3(x^2 - 4) = 3(x+2)(x-2) \qquad \text{et}$$

$$f''(x) = 6x.$$

On constate que les valeurs critiques attachées à la dérivée première, c'est-à-dire les zéros de $f'(x)$, sont -2 et 2. On constate d'autre part que $f''(-2) = -12 < 0$ et $f''(2) = 12 > 0$. Donc, puisqu'on a $f'(-2) = 0$ et $f''(-2) < 0$, il y a un *maximum relatif* en $x = -2$ (c'est-à-dire au point $(-2, f(-2)) = (-2, 16)$); et puisqu'on a $f'(2) = 0$ et $f''(2) > 0$, il y a un *minimum relatif* en $x = 2$ (c'est-à-dire au point $(2, f(2)) = (2, -16)$).

D'autre part, par le fait que la dérivée seconde *s'annule* et *change de signe* en $x = 0$ ($x = 0$ étant l'unique valeur critique attachée à la dérivée seconde), le point $(0, f(0)) = (0, 0)$ est un *point d'inflexion* de f (V. (2)).

La discussion précédente peut avantageusement être résumée à l'aide d'un tableau, comme suit:

x	$-\infty$		-2		0		2		∞
$f'(x)$		$+$	0	$-$	$-$	$-$	0	$+$	
$f''(x)$		$-$	$-$	$-$	0	$+$	$+$	$+$	
$f(x)$			$\frown$ max 16	$\frown$	infl 0	$\smile$	min -16	$\smile$	

Les résultats de la discussion apparaissent dans la dernière ligne du tableau, où les symboles $\frown$ et $\smile$ signifient respectivement *«concavité vers le bas»* et *«concavité vers le haut»*. Quant aux expressions «max», «infl» et «min», leur sens est évident. À partir de ce tableau, il est tout simple de construire le graphique de la fonction:

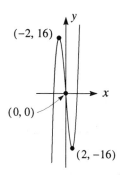

Exemple 2

Soit à étudier la concavité et à identifier le(s) point(s) d'inflexion de la courbe de la fonction:

$$f(x) = x^4 - 24x^2 + 85.$$

Les dérivées première et seconde de f sont respectivement:

$$f'(x) = 4x^3 - 48x \qquad \text{et}$$

$$f''(x) = 12x^2 - 48 = 12(x^2 - 4) = 12(x + 2)(x - 2).$$

Comme la dérivée seconde permet de juger facilement de la concavité de la courbe ainsi que de ses points d'inflexion, retenons comme valeurs critiques les zéros de cette dérivée. Il s'agit des valeurs $x = -2$ et $x = 2$. Ceci dit, comme à l'exemple précédent, la construction d'un tableau est la manière tout indiquée de résumer la situation et de tirer les conclusions:

x	$-\infty$		-2		2		∞
$f''(x)$		$+$	0	$-$	0	$+$	
$f(x)$		$\smile$	infl 5	$\frown$	infl 5	$\smile$	

Exemple 3

Soit à identifier les extrémums relatifs et les points d'inflexion de la fonction ci-après, et à étudier la concavité de sa courbe :

$$f(x) = x^4 - 2x^3.$$

La dérivée première de la fonction est :

$$f'(x) = 4x^3 - 6x^2 = x^2(4x - 6),$$

dont les zéros sont 0 et 3/2 (valeurs critiques). La dérivée seconde est :

$$f''(x) = 12x^2 - 12x = 12x(x - 1),$$

dont les zéros sont 0 et 1 (valeurs critiques également). D'où le tableau :

x	$-\infty$		0		1		3/2		∞
$f'(x)$		$-$	0	$-$	$-$	$-$	0	$+$	
$f''(x)$		$+$	0	$-$	0	$+$	$+$	$+$	
$f(x)$		$\smile$	infl 0	$\frown$	infl -1	$\smile$	min $-27/16$	$\smile$	

dont la dernière ligne nous fournit toutes les réponses à la question.

Exemple 4

Soit à étudier la concavité et à identifier le(s) point(s) d'inflexion de la courbe de la fonction :

$$f(x) = \sqrt[3]{x} = x^{1/3}.$$

Les dérivées première et seconde de la fonction sont respectivement :

$$f'(x) = \frac{1}{3}x^{-2/3} = \frac{1}{3\sqrt[3]{x^2}} \qquad \text{et}$$

$$f''(x) = -\frac{2}{9}x^{-5/3} = \frac{2}{9\sqrt[3]{x^5}}.$$

Une seule valeur critique : $x = 0$. D'où le tableau :

x	$-\infty$		0		∞
$f''(x)$		$+$	$\nexists$	$-$	
$f(x)$		$\smile$	infl 0	$\frown$	

dont la dernière ligne nous fournit les réponses à la question.

Exemple 5

Soit à étudier la concavité et à identifier le(s) point(s) d'inflexion de la courbe de la fonction :

$$f(x) = \frac{x}{1 + x^2} \; .$$

Les dérivées première et seconde de la fonction sont :

$$f'(x) = \frac{(1)\,(1 + x^2) - (x)\,(2x)}{(1 + x^2)^2} = \frac{1 - x^2}{(1 + x^2)^2} \qquad \text{et}$$

$$f''(x) = \frac{(1 + x^2)^2\,(-2x) - (1 - x^2)\,(2)\,(1 + x^2)\,(2x)}{(1 + x^2)^4}$$

$$= \frac{[2x(1 + x^2)]\,(-1 - x^2 - 2 + 2x^2)}{(1 + x^2)^4}$$

$$= \frac{2x\,(1 + x^2)\,(x^2 - 3)}{(1 + x^2)^4} = \frac{2x\,(x^2 - 3)}{(1 + x^2)^3} \; .$$

Les valeurs critiques relatives à la dérivée seconde sont $x = 0$, $x = -\sqrt{3}$ et $x = \sqrt{3}$ (il s'agit des valeurs de x annulant le numérateur de la dérivée; quant au dénominateur, il ne peut en aucune manière égaler 0). D'où le tableau :

x	$-\infty$		$-\sqrt{3}$		0		$\sqrt{3}$		∞
$f''(x)$		$-$	0	$+$	0	$-$	0	$+$	
$f(x)$		$\frown$	infl $-\sqrt{3}/4$	$\smile$	infl 0	$\frown$	infl $\sqrt{3}/4$	$\smile$	

6.10 Exercices

Pour chacune des fonctions 1 à 8, identifier les valeurs de x correspondant à des points d'inflexion :

1. $f(x) = x^3 - 3x - 2$.

2. $f(x) = x^4 - 16$.

3. $f(x) = x^4 - 6x^2 + 1$.

4. $f(x) = \dfrac{3}{2} x^{2/3} - x$.

5. $f(x) = \dfrac{x - 1}{x - 3}$.

6. $f(x) = (x - 1)^{1/3} + 4$.

7. $f(x) = \dfrac{1 - x^2}{1 + x^2}$.

8. $f(x) = \dfrac{1}{x^2 + 1}$.

9. Voici un tableau synthèse pour une certaine fonction $f(x)$:

x	$-\infty$		-2		1		2		∞
$f'(x)$		$+$	$+$	$+$	$+$	$+$	0	$-$	
$f''(x)$		$+$	$+$	$-$	0	$+$	$+$	$+$	

À supposer que les signes de la dérivée première soient exacts, trouver les erreurs dans les signes de la dérivée seconde et donner l'explication.

10. Le graphique proposé étant celui de la dérivée première d'une certaine fonction f, donner le tableau des signes de la dérivée première f' et de la dérivée seconde f'' de cette fonction. Esquisser le graphique d'une fonction f qui corresponde au tableau ainsi obtenu :

(a)

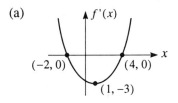

(b)

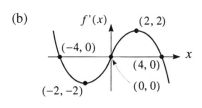

(c)   (d)

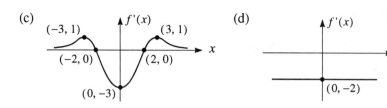

Pour chacune des autres questions, compléter le tableau associé au graphique :

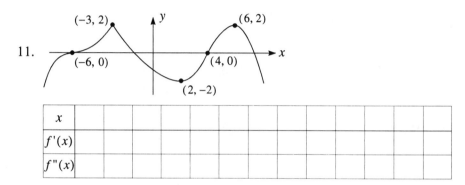

11.

x													
$f'(x)$													
$f''(x)$													

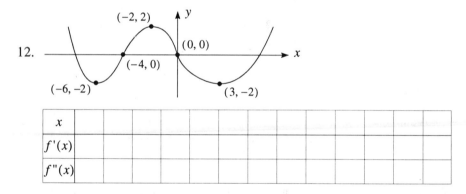

12.

x													
$f'(x)$													
$f''(x)$													

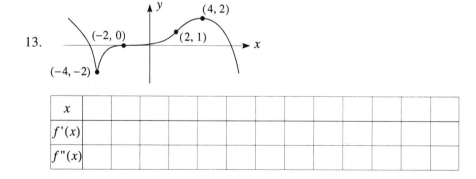

13.

x													
$f'(x)$													
$f''(x)$													

6.11 Asymptotes (rappels; V. Chapitre 2)

> **DÉFINITION**
>
> Soient, dans le plan, une droite D et une courbe C (V. figure ci-dessous). Si, en se déplaçant sur C dans un sens donné et en s'éloignant à l'infini, un point P s'approche de plus en plus de la droite D sans jamais la rencontrer, on dit de cette droite qu'elle est une ***asymptote*** de la courbe C.
>
>

Asymptotes verticales (associées à la forme $\frac{c}{0}$, $c \neq 0$)

À supposer que, pour une fonction donnée $f(x)$ et un nombre donné a, on ait :

$$f(a) = \frac{c}{0} \quad (c \neq 0),$$

alors le graphique de f possède une ***asymptote verticale***, l'équation de cette asymptote étant $x = a$. L'existence de cette asymptote correspond au fait que les limites à gauche et à droite de $f(x)$ lorsque $x \to a$ sont soit $+\infty$, soit $-\infty$ (l'une de ces deux limites pouvant cependant faire défaut dans certains cas).

Asymptotes horizontales (associées aux formes $\frac{c}{\infty}$ ou $\frac{\infty}{\infty}$ donnant un nombre réel)

Le graphique d'une fonction $f(x)$ comporte une ***asymptote horizontale*** si une valeur réelle de la fonction est obtenue lorsque x tend vers $+\infty$ ou vers $-\infty$. Si a est la valeur réelle obtenue, l'asymptote a pour équation $y = a$.

Asymptotes obliques

Comme son nom l'indique, une ***asymptote oblique*** en est une qui n'est ni horizontale ni verticale. Le graphique d'une fonction $f(x)$ comporte une ***asymptote oblique*** si la fonction se présente sous la forme d'un quotient de polynômes et que le polynôme servant de numérateur est d'un degré supérieur au polynôme servant de dénominateur. L'équation de l'asymptote s'obtient alors en divisant le numérateur par le dénominateur (V. page 40, article 2.24).

Exemple

Soit à déterminer les asymptotes attachées au graphique de la fonction:

$$y \;=\; f(x) \;=\; \frac{2x^2 - x - 1}{x - 2}\,.$$

Par le fait que la valeur $x = 2$ annule le dénominateur de $f(x)$ sans annuler son numérateur, la droite $x = 2$ est une *asymptote verticale* de la courbe de la fonction. Comme, d'autre part, le polynôme constituant le numérateur est d'un degré supérieur au polynôme constituant le dénominateur, le graphique comporte aussi une *asymptote oblique*. Dans le but de faire ressortir l'équation de cette asymptote, divisons le numérateur par le dénominateur:

$$
\begin{array}{r|l}
2x^2 - x - 1 & x - 2 \\
\underline{-2x^2 + 4x} & 2x + 3 \\
3x - 1 & \\
\underline{-3x + 6} & \\
5 &
\end{array}
$$

Par conséquent, la fonction $f(x)$ peut s'exprimer comme suit:

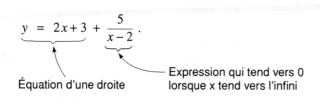

$$y \;=\; 2x + 3 \;+\; \frac{5}{x - 2}\,.$$

Équation d'une droite   Expression qui tend vers 0 lorsque x tend vers l'infini

De là, par le fait que la fraction $\dfrac{5}{x - 2}$ tend vers 0 lorsque x tend vers $\pm\,\infty$, on conclut que la droite:

$$y \;=\; 2x + 3$$

est une asymptote oblique du graphique de $f(x)$. Voici ce graphique:

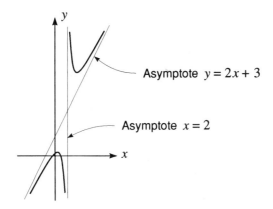

6.12 Étude graphique d'une fonction

Nous avons maintenant en main tous les outils nécessaires pour tracer facilement le graphique d'une fonction algébrique. Voici quelques exemples de telles constructions. Afin de guider l'élève dans ce genre d'exercice, nous diviserons dans chaque cas l'étude en 6 étapes.

Exemple 1

Soit à faire l'étude graphique de la fonction :

$$f(x) = x^5 - 5x .$$

1. *Domaine de définition :* $D_f = R$.

2. *Asymptotes :*   Aucune.

3. *Dérivée première :*

$$f'(x) = 5x^4 - 5 = 5(x^4 - 1) = 5(x^2 + 1)(x + 1)(x - 1) .$$

D'où les valeurs critiques (associées à la dérivée première) : -1 et 1.

4. *Dérivée seconde :*

$$f''(x) = 20x^3 .$$

D'où la valeur critique (associée à la dérivée seconde) : 0.

5. *Tableau synthèse :*

x	$-\infty$		-1		0		1		∞
$f'(x)$		$+$	0	$-$	$-$	$-$	0	$+$	
↗|↘		↗		↘	↘	↘		↗	
$f''(x)$		$-$	$-$	$-$	0	$+$	$+$	$+$	
⌣/⌢		⌢	⌢	⌢		⌣	⌣	⌣	
$f(x)$		↗	max 4	↘	infl 0	↘	min −4	↗	

6. *Graphique de la fonction :*

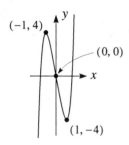

Exemple 2

Soit à faire l'étude graphique de la fonction :

$$f(x) = \frac{1 - x^2}{1 + x^2} \; .$$

1. *Domaine de définition :* $D_f = R$ (le dénominateur de la fonction étant différent de 0 quel que soit x).

2. *Asymptotes :*   Une asymptote horizontale : $y = -1$, car :

$$\lim_{x \to \pm\infty} \frac{1 - x^2}{1 + x^2} = \lim_{x \to \pm\infty} \frac{-x^2}{x^2} = \lim_{x \to \pm\infty} (-1) = -1 \; .$$

Il n'y a pas d'asymptote verticale, puisque le dénominateur ne peut égaler 0. Il n'y a pas non plus d'asymptote oblique, vu qu'il y a une asymptote horizontale (même degré au dénominateur qu'au numérateur).

3. *Dérivée première :*

$$f'(x) = \frac{(1+x^2)(-2x) - (1-x^2)(2x)}{(1+x^2)^2}$$

$$= \frac{-2x - 2x^3 - 2x + 2x^3}{(1+x^2)^2} = \frac{-4x}{(1+x^2)^2}.$$

D'où la valeur critique 0.

4. *Dérivée seconde :*

$$f''(x) = \frac{(1+x^2)^2(-4) - (-4x)(2)(1+x^2)(2x)}{(1+x^2)^4}$$

$$= \frac{4(1+x^2)[-(1+x^2) + 4x^2]}{(1+x^2)^4} = \frac{4(3x^2 - 1)}{(1+x^2)^3}.$$

D'où ces deux autres valeurs critiques : $-\dfrac{1}{\sqrt{3}}$ et $\dfrac{1}{\sqrt{3}}$ (racines de l'équation $3x^2 - 1 = 0$).

5. *Tableau synthèse :*

x	$-\infty$		$-1/\sqrt{3}$		0		$1/\sqrt{3}$		∞
$f'(x)$		$+$	$+$	$+$	0	$-$	$-$	$-$	
↗|↘		↗	↗	↗		↘	↘	↘	
$f''(x)$		$+$	0	$-$	$-$	$-$	0	$+$	
⌣/⌢		⌣		⌢	⌢	⌢		⌣	
$f(x)$		↗	infl 1/2	↗	max 1	↘	infl 1/2	↘	

6. *Graphique:*

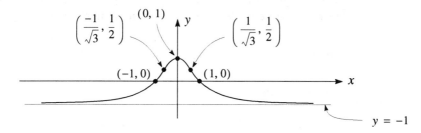

$$\left(\frac{-1}{\sqrt{3}}, \frac{1}{2}\right) \qquad (0, 1) \qquad y \qquad \left(\frac{1}{\sqrt{3}}, \frac{1}{2}\right)$$

$(-1, 0)$ $(1, 0)$ x

$y = -1$

6.13 Exercices

Pour les 10 premières questions, faire l'étude graphique de la fonction:

1. $f(x) = x^3 - 6x^2 + 5$.

2. $f(x) = x^4 - 18x^2 + 81$.

3. $f(x) = \dfrac{3x + 1}{2 - x}$.

4. $f(x) = x - \dfrac{x^3}{3}$.

5. $f(x) = \dfrac{x^2 + 1}{x}$.

6. $f(x) = \dfrac{x^2 - 1}{x}$.

7. $f(x) = \dfrac{4}{x^2 + 1}$.

8. $f(x) = \dfrac{4x^2}{x^2 + 4}$.

9. $f(x) = \dfrac{x}{x^2 - 9}$.

10. $f(x) = \dfrac{x^2 - 2x - 8}{x^2}$.

11. Soit la fonction $f(x) = \dfrac{-3}{1 - x^3}$. Sachant que le graphique de f comporte une asymptote verticale $x = 1$ et une asymptote horizontale $y = 0$, compléter le tableau ci-dessous et tracer schématiquement le graphique de la fonction.

x	$-\infty$		$-0{,}794$		0		1		∞
$f'(x)$		$-$	$-$	$-$	0	$-$	$\nexists$	$-$	
$\nearrow\mid\searrow$									
$f''(x)$		$-$	0	$+$	0	$-$	$\nexists$	$+$	
$\smile/\frown$									
$f(x)$			-2		-3		$\nexists$		

6.14 Résumé du chapitre

(a) Fonction croissante

On dit qu'une fonction $y = f(x)$ est ***croissante*** sur un intervalle I si, sur cet intervalle, $b > a$ entraîne $f(b) \geq f(a)$ (ou, en d'autres termes, $\Delta x > 0 \Rightarrow \Delta y \geq 0$).

(b) Fonction décroissante

On dit qu'une fonction $y = f(x)$ est ***décroissante*** sur un intervalle I si, sur cet intervalle, $b > a$ entraîne $f(b) \leq f(a)$ (ou, en d'autres termes, $\Delta x > 0 \Rightarrow \Delta y \leq 0$).

(c) Maximum relatif

Soient f une fonction, D_f son domaine de définition et $a \in D_f$. On dit que $f(a)$ constitue un ***maximum relatif*** de la fonction si les deux conditions suivantes sont remplies :

$\begin{cases} \text{(a) } f'(a) = 0 \text{ ou } f'(a) \text{ n'existe pas;} \\ \text{(b) } f'(x) \text{ est positif à gauche de } a \text{ et négatif à droite;} \end{cases}$

ou encore si :

$\begin{cases} \text{(a) } f'(a) = 0 \text{;} \\ \text{(b) } f''(a) < 0 \text{ (concavité vers le bas).} \end{cases}$

(d) Minimum relatif

Soient f une fonction, D_f son domaine de définition et $a \in D_f$. On dit que $f(a)$ constitue un ***minimum relatif*** de la fonction si les deux conditions suivantes sont remplies :

$\begin{cases} \text{(a) } f'(a) = 0 \text{ ou } f'(a) \text{ n'existe pas;} \\ \text{(b) } f'(x) \text{ est négatif à gauche de } a \text{ et positif à droite;} \end{cases}$

ou encore si :

$\begin{cases} \text{(a) } f'(a) = 0 \text{;} \\ \text{(b) } f''(a) > 0 \text{ (concavité vers le haut).} \end{cases}$

(e) Concavité vers le haut

Soit f une fonction admettant une dérivée seconde en $x = a$. Alors :

f est ***concave vers le haut*** en $x = a \Leftrightarrow f''(a) > 0$.

(f) Concavité vers le bas

Soit f une fonction admettant une dérivée seconde en $x = a$. Alors :

f est ***concave vers le bas*** en $x = a \Leftrightarrow f''(a) < 0$.

(g) Point d'inflexion

Une fonction f possède un ***point d'inflexion*** en $x = a$ si:

$$\begin{cases} \text{(a)} & \text{sa courbe est continue en } x = a\,; \\ \text{(b)} & f''(a) = 0 \text{ ou } f''(a) \text{ n'existe pas}\,; \\ \text{(c)} & f''(x) \text{ change de signe en } x = a. \end{cases}$$

6.15 Exercices de révision

1. Concernant une fonction $f(x)$, continue sur R, on donne le tableau:

x	$-\infty$		2		∞
$f''(x)$		+	0	−	
$f(x)$			3		

   Compléter ce tableau et esquisser le graphique de la fonction aux environs du point $(2,3)$.

2. Concernant une fonction $f(x)$, continue sur R, on donne le tableau:

x	$-\infty$		4		∞
$f'(x)$		−	$\nexists$	+	
$f(x)$			1		

   Compléter ce tableau et esquisser le graphique de la fonction aux environs du point $(4, 1)$.

3. Tracer le graphique de la fonction $f(x) = x^2$ sur l'intervalle $[-3, 3]$.

   (a) De quel type est la concavité de la courbe sur l'intervalle $[-3, 3]$?

   (b) À l'aide de la dérivée de f, calculer la pente de la tangente à la courbe aux points d'abscisses $x = -2$, $x = -1$, $x = 0$, $x = 1$, et $x = 2$.

   (c) Les réponses obtenues en (a) et (b) illustrent le fait que la concavité de la courbe d'une fonction f est tournée vers le haut sur un intervalle ouvert donné si et seulement si la dérivée de f est une fonction croissante sur cet intervalle. Vrai ou faux?

   (d) Il s'ensuit que si, sur un intervalle ouvert donné, la concavité de la courbe d'une fonction est tournée vers le haut, alors la dérivée seconde de la fonction est positive sur cet intervalle. Expliquer pourquoi.

Pour les questions 4 à 7, identifier les valeurs de la variable x où il y a un extrémum de la fonction :

4. $f(x) = \dfrac{x-2}{x^2}$.

5. $f(x) = (x-3)^{1/3}$.

6. $f(x) = x\sqrt{100-x^2}$.

7. $f(x) = 3x^5 - 25x^3 + 60x$.

8. Le graphique proposé étant celui de la dérivée première $f'(x)$ d'une certaine fonction f, donner le tableau des signes de cette dérivée première, puis esquisser le graphique d'une fonction $f(x)$ qui corresponde au tableau obtenu :

(a)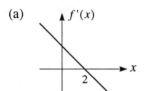

(b)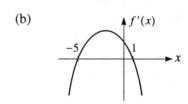

9. Soient a, b et c des nombres réels tels que $a < c < b$. Tracer, sur l'intervalle ouvert $]\,a, b\,[$, le graphique d'une fonction $f(x)$ qui réponde aux conditions suivantes :

(a) $f'(c) = 0$ et $f''(c) < 0$;

(b) $f'(c) > 0$ et $f''(c) > 0$;

(c) $f'(c) = 0$ et $f''(c) = 0$;

(d) $f'(c) < 0$ et $f''(c) < 0$.

10. Compléter le tableau associé au graphique :

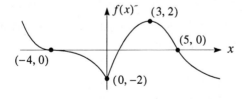

x	$-\infty$		-4		0		3		5		∞
$f'(x)$											
$f''(x)$											

Pour les questions 11 et 12, identifier les valeurs de x correspondant à des points d'inflexion:

11. $f(x) = -6x^6 + 15x^4 - 5$.

12. $f(x) = x^2 + \dfrac{1}{x}$.

13. Soit la fonction $f(x) = \dfrac{x^3}{x^2 - 1}$. Sachant que le graphique de f comporte les deux asymptotes verticales $x = 1$ et $x = -1$ ainsi que l'asymptote oblique $y = x$, compléter le tableau ci-dessous et tracer schématiquement le graphique de la fonction. (Il n'est pas nécessaire de calculer les dérivées première et seconde de la fonction, puisque le tableau fournit toutes les indications requises.)

x	$-\infty$		$-\sqrt{3}$		-1		0		1		$\sqrt{3}$		∞
$f'(x)$		$+$	0	$-$	$\nexists$	$-$	0	$-$	$\nexists$	$-$	0	$+$	
$\nearrow \mid \searrow$													
$f''(x)$		$-$	$-$	$-$	$\nexists$	$+$	0	$-$	$\nexists$	$+$	$+$	$+$	
$\smile / \frown$													
$f(x)$			$-2,6$		$\nexists$		0		$\nexists$		$2,6$		

14. (a) Qu'est-ce qu'une asymptote?
    (b) La courbe d'une fonction peut-elle traverser une asymptote horizontale? une asymptote verticale? une asymptote oblique? Motiver ses réponses.

15. Considérons les fonctions $y = 2x + 1$ et $y = 2x + 1 + \dfrac{1}{x+1}$. Expliquer pourquoi la courbe de la première fonction (qui est une droite) est une asymptote oblique de la courbe de la seconde.

16. Répondre par *Vrai* ou *Faux*:
    (a) Si, pour une fonction donnée $f(x)$, $f'(a) = 0$, alors on est certain que la fonction a un maximum ou un minimum en $x = a$.
    (b) Si $f''(a)$ n'existe pas et si la dérivée seconde change de signe en $x = a$, alors on est certain que la courbe a un point d'inflexion en $x = a$.

(c) Si $f(x)$ est croissante sur l'intervalle $]a, b[$, alors on a $f'(x) > 0$ sur cet intervalle.

(d) Si $f'(a) = 0$ et $f''(a) > 0$, alors on a un maximum en $x = a$.

(e) La fonction $f(x) = 1/x$ est décroissante sur l'intervalle $]0, \infty[$.

(f) Si, sur l'intervalle $]a, b[$, on a $f'(x) < 0$, alors, sur le même intervalle, on a également $f(x) < 0$.

(g) À supposer qu'une fonction $f(x)$ soit continue sur R, que $f'(x)$ soit définie pour toutes les valeurs de x, et que $f(x)$ ait un maximum en $x = a$, alors $f'(a) = 0$.

Pour les questions 17 et 18, faire l'étude graphique de la fonction :

17. $f(x) = x + \dfrac{4}{x^2}$.

18. $f(x) = \dfrac{x^2}{x^2 - 4}$.

19. Dresser un tableau synoptique montrant les liens logiques qu'ont entre elles les notions suivantes (énumérées par ordre alphabétique) : *asymptotes, concavité, continuité, croissance* (d'une fonction), *dérivée première, dérivée seconde, limite, maximum et minimum, pente de la tangente* (à la courbe d'une fonction en un point donné de la courbe), *point d'inflexion, taux de variation instantané, vitesse instantanée*.

20. Quelle est l'utilité de la dérivée première dans l'étude d'une fonction algébrique ?

21. Quelle est l'utilité de la dérivée seconde dans l'étude d'une fonction algébrique ?

22. Quelle est l'utilité des asymptotes dans le tracé de la courbe d'une fonction algébrique ?

Défis à relever

23. (a) Définir ce qu'on entend par fonction croissante.

    (b) Démontrer que si une fonction $y = f(x)$ est dérivable sur un intervalle I, alors, sur cet intervalle : $f'(x) > 0 \Rightarrow f(x)$ croissante.

    (c) Démontrer que si une fonction $y = f(x)$ est dérivable sur un intervalle I, alors, sur cet intervalle : $f(x)$ décroissante $\Rightarrow f'(x) < 0$.

24. (a) Prouver que la courbe d'équation $f(x) = x^3 + ax^2 + bx + c$ a nécessairement un point d'inflexion en $x = -a/3$.

    (b) Trouver la condition que doit remplir l'équation ci-dessus pour que sa courbe ait son point d'inflexion sur l'axe des y.

    (c) Trouver la condition que doit remplir la même équation pour que sa courbe ait son point d'inflexion à l'origine des axes.

25. (a) Pour le graphique de la fonction $f(x) = x^4$, y a-t-il un point d'inflexion en $x = 0$?

    (b) Pour la fonction $f(x) = x^n$ (n entier et $n \geq 3$), quelle condition doit remplir le nombre n pour que son graphique ait un point d'inflexion en $x = 0$?

26. La fonction $f(x) = x^5$ a un extrémum relatif en $x = 0$. Vrai ou faux?

27. Soit la fonction $f(x) = cx^n$ (où c est une constante non nulle et n un nombre naturel).

    (a) Quelles conditions doivent remplir les paramètres c et n pour qu'on ait un maximum relatif en $x = 0$?

    (b) Quelles conditions doivent remplir les mêmes paramètres pour qu'on ait un minimum relatif en $x = 0$?

28. Pour faire l'étude de l'équation $x^3 + x + 1 = 0$ sur l'intervalle $[-1, 0]$, on utilise la fonction $f(x) = x^3 + x + 1$.

    (a) Quelle est la valeur de $f(x)$ aux extrémités de l'intervalle?

    (b) La fonction f est-elle continue sur cet intervalle?

    (c) Quel sorte de variation (croissance ou décroissance) la fonction subit-elle sur le même intervalle?

    (d) En utilisant les résultats des 3 premières parties de la question, montrer que l'équation étudiée n'a qu'une seule solution sur l'intervalle $[-1, 0]$.

Chapitre

7

APPLICATIONS DIVERSES DE LA DÉRIVÉE

Le calcul différentiel trouve des applications importantes dans diverses branches des mathématiques et des sciences. Par exemple, comme nous l'avons vu au chapitre 4, la dérivée s'avère très utile dans l'étude des phénomènes physiques, étant donné qu'elle y facilite le calcul des taux de variation et, comme nous l'avons vu au chapitre 6, elle s'avère aussi très utile pour l'étude graphique des fonctions algébriques. Dans le présent chapitre, nous allons examiner plusieurs autres cas où la dérivée est très utile; nous y aborderons les sujets suivants: problèmes d'*optimisation*, problèmes de *taux de variation liés*, et évaluation du *coût marginal* d'un produit,

7.1 Objectifs du chapitre

À la fin de ce chapitre, l'élève devra savoir:

- résoudre divers problèmes d'optimisation;

- résoudre divers problèmes de taux de variation liés;

- calculer le coût marginal d'un article à l'aide de la dérivée.

7.2 Problèmes d'optimisation

Optimiser, c'est trouver la solution la meilleure possible par rapport au but poursuivi. Par exemple, on peut vouloir qu'un produit coûte le moins cher possible ou que le profit soit le plus grand possible. Nous allons présenter la matière sur les problèmes d'optimisation à l'aide d'exemples. Le premier exemple servira à mettre au point un procédé général approprié pour ce genre de problèmes.

Exemple 1

Trouver deux nombres non négatifs tels que leur somme soit 12 et que le produit de l'un par le carré de l'autre soit maximal.

Solution

(a) *Mise en équations du problème et identification de la quantité à optimiser*

Dans la résolution d'un problème d'optimisation, l'une des premières choses à faire est de mettre le problème en équations, c'est-à-dire d'attribuer une variable à chacune des quantités mentionnées dans le problème et d'établir, à l'aide d'équations, les relations qu'ont entre elles ces diverses variables. Ce faisant, on prendra soin de bien identifier laquelle des variables introduites sera à optimiser (minimiser ou maximiser).

Dans le cas présent, il est question de *deux nombres non négatifs dont la somme est* 12. Soient x et y ces deux nombres; on doit donc avoir $x + y = 12$. D'autre part, la *valeur du produit d'un des nombres par le carré de l'autre doit être maximale*. Soit p le *produit* en question (qui doit être maximisé); on doit donc avoir $p = xy^2$ ou encore $p = x^2y$. Retenons la première de ces relations. En somme il s'agit de maximiser la variable p sous les conditions:

$$\begin{cases} p = xy^2 & (1) \\ x + y = 12 & (2) \end{cases}$$

(b) *Explicitation de la fonction à optimiser*

Afin de pouvoir optimiser la variable p (la variable dépendante), il faut préalablement exprimer cette variable en fonction d'une seule des autres variables du problème (les variables indépendantes). De l'équation (2) on tire: $x = 12 - y$. Par suite, de la relation (1) on obtient:

$$p = xy^2 = (12 - y)\, y^2 = 12y^2 - y^3. \tag{3}$$

(c) *Calcul des dérivées première et seconde*

Afin de pouvoir trouver la (les) valeur(s) maximale(s) que puisse atteindre p, calculons les dérivées première et seconde de la fonction (3) (dérivation par rapport à y):

$$p' = \frac{dp}{dy} = 24y - 3y^2 = 3y\,(8 - y)\,; \qquad\qquad (4)$$

$$p'' = \frac{d^2p}{dy^2} = 24 - 6y = 6\,(4 - y)\,. \qquad\qquad (5)$$

(d) *Discussion à l'aide des dérivées*

Les valeurs critiques de la fonction p relatives à la dérivée première (V. (4)) sont $y = 0$ et $y = 8$. C'est donc en ces valeurs de y, et seulement en ces valeurs, que la fonction p est susceptible d'avoir un maximum. En $y = 0$, la dérivée seconde a une valeur positive (qui est de 24). Donc p est minimale en $y = 0$ (concavité vers le haut). En $y = 8$, la dérivée seconde a une valeur négative (qui est de -24). Donc p est maximale en $y = 8$ (concavité vers le bas). Par conséquent c'est la valeur $y = 8$ et seulement cette valeur qu'on doit retenir. Par suite (V. (2)), $x = 4$.

(e) *Réponse*

Les deux nombres demandés sont 4 et 8.

(*Note:* Nous attirons l'attention sur le fait que la réponse à un problème comme celui-ci doit être formulée correctement. Par exemple, il serait inacceptable que la réponse au problème ci-dessus soit formulée comme suit: $x = 4$ et $y = 8$, vu que les symboles x et y ont été choisis arbitrairement pour résoudre ce problème.)

Procédé général

Pour le bénéfice du lecteur, récapitulons les 5 étapes observées ci-dessus pour la résolution du problème. Elles seront valables pour la plupart des autres problèmes du genre.

(a) *Mise en équations du problème et identification de la quantité à optimiser:*
Cette première étape consiste à traduire les données du problème par une ou plusieurs équations, en attribuant une variable à chacune des quantités dont il est question dans le problème, et ceci, en prenant bien soin d'identifier laquelle des variables introduites sera à optimiser (minimiser ou maximiser). Ci-dessous, cette variable sera désignée par p, tout comme dans l'exemple précédent.

(b) *Explicitation de la fonction à optimiser :* À l'aide de substitutions au besoin, voir à ce que la variable p à optimiser soit exprimée en fonction d'une seule des autres variables choisies.

(c) *Calcul des dérivées première et seconde :* Calculer ensuite les dérivées première et seconde de la variable à optimiser, la dérivation se faisant par rapport à la variable indépendante retenue en (b).

(d) *Discussion à l'aide des dérivées :* À l'aide des dérivées première et seconde calculées en (c), déterminer quelle(s) valeur(s) de la variable indépendante retenue en (b) optimise(nt) la variable p. Puis, à l'aide de l'équation (des équations) du début, fixer la (les) valeur(s) des autres variables qui constitueront la réponse au problème.

(e) *Explicitation de la réponse :* Veiller à ce que la réponse soit formulée correctement, en évitant, entre autres, de placer dans la réponse les variables introduites pour résoudre le problème.

(*Note :* Lorsque le calcul de la dérivée seconde s'avère compliqué, on pourrait avoir avantage à ne calculer que la dérivée première à l'étape (c), quitte, à l'étape suivante, à juger des minimums et maximums de la fonction à l'aide d'un tableau synthèse, plutôt qu'à l'aide de la dérivée seconde.)

Exemple 2

On a observé que lorsque le prix d'entrée d'un cinéma est fixé à 3 $, l'assistance moyenne est de 150 clients et que, pour chaque rabais de 0,10 $ sur le prix d'entrée, l'assistance augmente de 15 personnes. Dans ces conditions, quel est le prix d'entrée qui maximisera les revenus du propriétaire ?

Solution

(a) *Mise en équations du problème et identification de la quantité à optimiser*

Soit r le revenu du propriétaire (que nous devrons maximiser) et x le nombre de rabais de 0,10 $ à effectuer pour arriver à un revenu maximal. On constate que si le prix d'entrée est fixé à 3 $, alors le revenu est de :

$$r = 150 \cdot 3 = 450 \ \$.$$

Si le prix est fixé à 2,90 $ (après un premier rabais de 0,10 $), alors le revenu est de :

$$r = \underbrace{(150 + 15)}_{\text{personnes}} \cdot \underbrace{(3 - 0,10)}_{\$} = 165 \cdot 2,90 = 478,50 \ \$.$$

Si le prix d'entrée est fixé à 2,80$ (après deux rabais de 0,10$), alors le revenu est de :

$$r = \underbrace{(150 + (15 \cdot 2))}_{\text{personnes}} \cdot \underbrace{(3 - (0,10 \cdot 2))}_{\$} = 180 \cdot 2,80 = 504\,\$; \quad \text{etc.}$$

Il s'ensuit clairement que la formule exprimant le revenu r (en fonction du nombre x de rabais consentis) est de :

$$r = (150 + 15x) \cdot (3 - 0,10x)$$
$$= 450 - 15x + 45x - 1,5\,x^2 = 450 + 30x - 1,5\,x^2. \tag{6}$$

(b) *Explicitation de la fonction à optimiser*

L'expression (6), telle qu'elle apparait ci-dessus, constitue la fonction explicite voulue (c'est-à-dire qu'il n'y a aucune substitution à faire pour expliciter la fonction r par rapport à une seule variable indépendante).

(c) *Dérivées première et seconde*

$$r' = 30 - 3x = 3\,(10 - x)\;;$$

$$r'' = -3\,.$$

(d) *Discussion*

Une seule valeur critique relative à la dérivée première : $x = 10$. Cette valeur de x correspond à un maximum de r, puisque la dérivée seconde est négative quelle que soit la valeur de x. Donc on devra effectuer 10 rabais de 0,10$ pour maximiser le revenu.

(e) *Réponse*

Le prix d'entrée devra être fixé à 2$ (10 rabais de 0,10$).

Exemple 3

Un cultivateur veut enclore un champ limité sur un côté par une rivière. Il dispose pour ce faire de 1200 m de clôture. Voulant obtenir une aire maximale (avec la clôture disponible) il décide de donner à son champ la forme d'un carré. A-t-il pris la bonne décision ?

Solution

(a) *Mise en équations du problème et identification de la quantité à optimiser*

Soit a l'aire du champ (qui est la quantité à maximiser). Soient d'autre part x et y les dimensions du champ telles qu'explicitées sur la figure :

Bien entendu, l'aire du champ a pour valeur : $a = xy$. D'autre part, la longueur de la clôture, qui est constante et égale à 1200 m, a pour valeur $2x + y$, ce qui donne donc l'équation : $2x + y = 1200$. En somme il s'agit de maximiser la variable a sous les conditions :

$$\begin{cases} a = xy & (7) \\ 2x + y = 1200 & (8) \end{cases}$$

(b) *Explicitation de la fonction à optimiser*

$(8) \Rightarrow y = 1200 - 2x$. Ce résultat substitué dans (7) donne :

$$a = x(1200 - 2x) = 1200x - 2x^2.$$

(c) *Dérivées*

$$a' = 1200 - 4x = 4(300 - x) ;$$

$$a'' = -4.$$

(d) *Discussion*

Une seule valeur critique : $x = 300$. Cette valeur de x correspond à un maximum de a, puisque la dérivée seconde est négative quelle que soit la valeur de x. Donc on devra avoir $x = 300$ et, par suite (V. (8)), $y = 600$.

(e) *Réponse*

Le cultivateur n'a pas pris la bonne décision. Pour atteindre le but, les dimensions du champ auraient dû être de 600 m sur 300 m (la plus grande dimension dans le sens de la rivière), ce qui aurait donné une superficie de 180 000 m^2 (au lieu des 160 000 m^2 obtenus avec la forme carrée).

7.3 Exercices

1. Trouver deux nombres positifs tels que leur somme soit 20 et leur produit maximal.

2. Trouver deux nombres positifs tels que leur somme soit 20 et la somme de leurs carrés minimale.

3. Trouver deux nombres positifs tels que leur somme soit 20 et le produit de l'un par le cube de l'autre maximal.

4. Trouver deux nombres positifs tels que leur produit soit 16 et leur somme minimale.

5. Un cultivateur prévoit récolter cette semaine 1200 paniers de légumes qu'il vendra 2 $ le panier. De plus il prévoit que, chaque semaine, la récolte augmentera de 100 paniers alors que le prix du panier baissera de 0,10 $. Si ces prévisions se confirment, après combien de semaines le revenu hebdomadaire sera-t-il maximal ?

6. Le nombre des abonnés d'une compagnie de téléphone est de 10 000 et le prix de l'abonnement de 12 $ par mois. Chaque fois que le nombre des abonnés augmentera de 1000, on diminuera l'abonnement de 0,75 $. Dans ces conditions, quel prix donnera à la compagnie un revenu maximal ?

7. On a constaté que 10 000 personnes se présentent à un stade lorsque le prix d'admission est fixé à 10 $ et que ce nombre diminue de 250 chaque fois que le prix d'admission est augmenté de 0,50 $. Dans ces conditions, quel est le prix d'admission qui donnera les meilleures recettes ?

8. Une compagnie estime qu'elle réalise un profit net de 150 $ par abonné si ceux-ci sont au nombre de 1000 ou moins et que ce profit diminue de 10 cents pour chaque abonné qui s'ajoute aux 1000 premiers, à cause de frais supplémentaires. Dans ces conditions, quel est le nombre d'abonnés qui permettrait un profit maximal ?

9. Une compagnie d'autobus offre à un groupe de 100 personnes se rendant à un congrès un prix spécial de 25 $ par personne. De plus elle propose qu'à chaque augmentation d'une unité du nombre des passagers les billets seront réduits de 0,15 $ chacun. Combien de passagers supplémentaires faudra-t-il pour que le montant perçu par la compagnie soit maximal ?

10. Une société ferroviaire est consentante à organiser un voyage aller-retour Montréal-Washington pourvu qu'au moins 200 personnes se présentent et que chacune débourse 300 $. Cependant la compagnie s'engage à ce que, pour chaque augmentation de 5 passagers, le prix du billet sera réduit de 2 $. Dans ces conditions, quel devra être le nombre des passagers pour que le montant perçu par la société soit maximal?

Pour les questions 11 à 18, traitant de *géométrie*, on pourra au besoin recourir aux formules proposées en appendice, à la page 279.

11. Un champ rectangulaire sera entouré d'une clôture et divisé en deux parties par une clôture parallèle à l'un des côtés. Sachant qu'au total la clôture doit être longue de 1200 mètres, calculer le maximum de surface qu'on pourra ainsi couvrir.

12. On dispose de 120 mètres de clôture pour entourer un champ rectangulaire et le diviser en trois parties par 2 clôtures parallèles à l'un des côtés. Quelle devront être les dimensions du champ si on veut que l'aire couverte soit maximale?

13. Quelles doivent être les dimensions d'un rectangle de 36 mètres de périmètre pour que son aire soit maximale?

14. Quelles doivent être les dimensions d'un terrain rectangulaire couvrant 400 m^2 pour que son périmètre soit minimal?

15. (a) On inscrit un rectangle dans un cercle de rayon égal à 5 mètres. Si l'une des dimensions du rectangle est de 6 mètres, quelle est son autre dimension? (*Suggestion:* Mettre à profit le fait que la diagonale du rectangle correspond nécessairement au diamètre du cercle.)
    (b) Trouver les dimensions du rectangle de surface maximale que l'on puisse inscrire dans un cercle de rayon égal à 5 mètres.

16. (a) Une page contient un texte imprimé de 20 cm de largeur sur 24 cm de hauteur. Les marges en haut et en bas mesurent 6 cm chacune et les marges des côtés mesurent 4 cm chacune. Quelle est l'aire totale de la feuille de papier?
    (b) Une page doit contenir 216 cm carrés de texte imprimé. On désire une marge de 2 cm en haut et en bas et de 3 cm de chaque côté. Dans ces

conditions, quelles doivent être les dimensions de la page pour que son aire soit minimale?

17. (a) On veut fabriquer un contenant métallique fermé de base carrée ayant la forme d'un parallélépipède rectangle. Le fond du contenant mesure 16 cm sur 16 cm et sa hauteur 2 cm. Quel est le volume du contenant? Quelle est son aire totale?

    (b) Est-il possible de fabriquer un contenant à base carrée de même volume mais utilisant une moindre surface de métal? (*Suggestion:* Calculer l'aire totale minimale.)

18. On veut fabriquer une boîte de base carrée ayant un volume égal à 256 cm^3. Le matériau servant à faire les côtés coûte deux fois plus cher que celui dont sont faits le dessus et le dessous. Dans ces conditions, trouver les dimensions de la boîte la moins dispendieuse.

7.4 Taux de variation liés

Nous avons vu au chapitre 4 que la dérivée peut être interprétée comme un *taux de variation instantané*, c'est-à-dire que si deux variables sont reliées par une équation, on peut trouver le taux de variation instantané de l'une par rapport à l'autre (en telle ou telle valeur précise de l'une des variables).

Cependant, particulièrement en sciences et en ingénierie, il se présente des cas où on ne peut calculer directement le taux de variation d'une quantité donnée, alors qu'on peut connaître le taux de variation d'une autre quantité reliée à la première par une formule mathématique. C'est à ce genre de problème que nous allons maintenant nous intéresser. Comme pour les problèmes d'optimisation, nous allons procéder à partir d'exemples. Le premier exemple nous servira à mettre au point une manière générale de procéder.

Exemple 1

Un cube de glace (V. figure ci-dessous) fond de telle sorte que son arête (x sur la figure) diminue à la vitesse de 3 cm à l'heure. Dans ces conditions, quel est le taux de variation de son volume par rapport au temps, au moment où son arête mesure 12 cm?

Solution

(a) *Attribution de symboles aux diverses quantités impliquées et identification du taux de variation que l'on doit chercher*

Soient x l'arête du cube (en cm), V son volume (en cm^3) et t le temps (en heures). On veut trouver le taux de variation $\dfrac{dV}{dt}$ du volume par rapport au temps au moment où l'arête mesure 12 cm.

(b) *Relation entre les variables*

$V = x^3$.

(c) *Dérivation (implicite) par rapport à la variable indépendante (ici le temps t)*

$$\frac{dV}{dt} = 3x^2 \frac{dx}{dt} . \tag{9}$$

(d) *Remplacement des variables par les quantités correspondantes connues*

On sait que $\dfrac{dx}{dt} = 3$ cm/h (la vitesse étant, rappelons-le, le taux de variation de la distance par rapport au temps). D'autre part, on s'intéresse à dV/dt quand $x = 12$ cm. Il s'ensuit (V. (9)) que:

$$\frac{dV}{dt} = 3(12)^2 \cdot 3 = 1296 \ cm^3/h .$$

(e) *Réponse*

Quand l'arête mesure 12 cm, le volume du cube de glace diminue au taux de 1296 cm^3/h.

Procédé général

Bien retenir les 5 étapes suivies ci-dessus; elles conviennent à la plupart des problèmes du genre:

(a) Attribuer un symbole à chacune des quantités impliquées et identifier quel taux de variation ou quelle variable il faudra déterminer pour constituer la réponse.

(b) À l'aide d'une équation, établir le lien qu'ont entre elles les diverses variables.

(c) Effectuer la dérivation (généralement implicite) conduisant au taux de variation cherché (ou à la valeur de la variable cherchée).

(d) Substituer les quantités connues à leurs variables associées respectives. (*Attention :* Ces substitutions doivent être faites seulement après que la dérivation mentionnée en (c) aura été effectuée.)

(e) Expliciter la réponse.

Exemple 2

La longueur d'un rectangle augmente à la vitesse de 7 mètres par seconde et sa largeur diminue à la vitesse de 3 mètres par seconde. Au moment où la longueur mesure 12 mètres et la largeur 5 mètres, quel est le taux de variation de l'aire par rapport au temps ?

Solution

(a) *Attribution de symboles et identification de la valeur cherchée*

Soient x la longueur du rectangle, y sa largeur et a son aire (V. figure ci-dessus). On cherche le taux de variation da/dt de l'aire par rapport au temps t quand $x = 12$ et $y = 5$.

(b) *Relation entre les variables*

$a = xy$.

(c) *Dérivation (implicite) par rapport à t*

$$\frac{da}{dt} = x\frac{dy}{dt} + y\frac{dx}{dt}.$$

(d) *Substitution des quantités connues à leurs variables associées*

$$\frac{da}{dt} = 12\,(-3) + 5 \cdot 7 = -1 \text{ m}^2/\text{sec}.$$

(*Note :* Il importe ici de distinguer entre une « vitesse positive » et une « vitesse négative ». C'est ainsi qu'une *diminution* de la largeur a dû se traduire par un taux de variation négatif : $\frac{dy}{dt} = -3$.)

(e) *Réponse*

Lorsque le rectangle mesure 12 mètres de longueur sur 5 mètres de largeur, son aire diminue (signe moins) au taux de 1 m^2/sec.

Exemple 3

Une personne s'approche à la vitesse de 8 km à l'heure d'une tour haute de 60 mètres. À quelle vitesse s'approche-t-elle du sommet de la tour au moment où elle est à 80 mètres de sa base ?

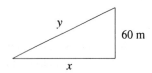

Solution

(a) *Attribution de symboles et identification de la valeur cherchée*

Soient x la distance entre la personne et la base de la tour et y la distance entre la personne et le sommet de la tour (V. figure). On cherche le taux de variation $\dfrac{dy}{dt}$ de la distance y par rapport au temps t (quand $x = 80$ m).

(b) *Relation entre les variables*

$$y^2 = x^2 + (60)^2 \qquad \text{(théorème de Pythagore).} \tag{10}$$

(c) *Dérivation (implicite) par rapport à t*

$$2y\frac{dy}{dt} = 2x\frac{dx}{dt} \;, \quad \text{ce qui donne donc} \quad \frac{dy}{dt} = \frac{x}{y}\frac{dx}{dt} \;. \tag{11}$$

(d) *Substitution des quantités connues aux variables correspondantes*

Puisque la personne s'approche à 8 km/h, on a :

$$\frac{dx}{dt} = 8 \;.$$

D'autre part, vu qu'on est intéressé au résultat lorsque $x = 80$ mètres, on obtient, à partir de (10) :

$$y = \sqrt{x^2 + 60^2} = \sqrt{90^2 + 60^2} = \sqrt{6400 + 3600} = 100 \;.$$

Il s'ensuit (V. (11)) que :

$$\frac{dy}{dt} = \frac{80}{100} \cdot 8 = 6{,}4 \;\text{km/h}.$$

(e) *Réponse*

Au moment où elle est à 80 mètres de la base de la tour, la personne s'approche du sommet de la tour à la vitesse de 6,4 kilomètres à l'heure.

Exemple 4

Un point se déplace sur la parabole $y^2 = 12x$. Son abscisse augmente de 2 cm par seconde (V. figure ci-contre). En quel point de la parabole l'abscisse et l'ordonnée croissent-elles à la même vitesse?

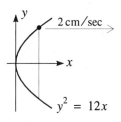

Solution

(a) *Attribution de symboles et identification de la valeur cherchée*

Puisque l'abscisse du point se déplace à une vitesse constante de 2 cm/sec, on a donc $\dfrac{dx}{dt} = 2$. On veut connaître la valeur de y au moment où:

$$\frac{dy}{dt} = \frac{dx}{dt} = 2.$$

(b) *Relation entre les variables*

La relation entre les variables est donnée par l'équation de la parabole:

$$y^2 = 12x. \tag{12}$$

(c) *Dérivation implicite par rapport à t*

$$2y\frac{dy}{dt} = 12\frac{dx}{dt}, \quad \text{ce qui donne donc} \quad y = 6\frac{dx/dt}{dy/dt} \tag{13}$$

(dans le cas présent, rappelons-le, c'est la valeur de l'ordonnée y du point mobile — lorsque les deux coordonnées bougent à la même vitesse — qu'il s'agit de déterminer).

(d) *Substitution des quantités connues*

De (13) on obtient: $y = 6 \cdot \dfrac{2}{2} = 6$. $\tag{14}$

(e) *Réponse*

Le résultat (14) substitué dans (12) donne $x = \dfrac{y^2}{12} = \dfrac{36}{12} = 3$. Par conséquent le point de la parabole où l'abscisse et l'ordonnée se déplacent à la même vitesse est le point $(3, 6)$.

7.5 Exercices

1. La longueur des côtés d'un carré augmente à une vitesse de 2 cm par minute. À quel taux (par rapport au temps) l'aire du carré augmente-t-elle quand ses côtés mesurent 8 cm?

2. Un point se déplace sur la parabole $6y = x^2$. L'abscisse augmente à raison de 2 m par seconde. Quelle est le taux de variation de l'ordonnée (par rapport au temps) quand $x = 6$?

3. Un disque de métal se dilate sous l'effet de la chaleur. Son rayon croît de 0,01 cm par seconde. Quelle est le taux de croissance de sa surface par rapport au temps quand son rayon mesure 2 cm?

4. Un réservoir de base rectangulaire est long de 8 m, large de 2 m et profond de 4 m. On y verse de l'eau au rythme de 2 m^3/minute. Quand l'eau atteint 1 m, à quelle vitesse la surface du liquide s'élève-t-elle?

5. Un réservoir en forme de cylindre circulaire droit a un rayon de 1 m et une hauteur de 3 m. On y verse de l'eau à raison de 2 m^3 par minute. À quelle vitesse le niveau de l'eau s'élève-t-il?

6. Un récipient en forme de cône circulaire a 10 cm de diamètre et 10 cm de hauteur. On y verse 4 cm^3 d'eau par minute. À quelle vitesse le niveau de l'eau s'élève-t-il quand la hauteur de celle-ci atteint 6 cm?

7. Une montgolfière sphérique est gonflée d'air chaud avec un débit de 100 m^3/min. Quel est le taux d'accroissement du rayon du ballon par rapport au temps quand ce rayon égale 3 mètres?

8. Un train roule vers l'est à 80 km/heure. Un autre train part du même point en même temps et roule vers le sud à 50 km/heure. À quelle vitesse les trains s'éloignent-ils l'un de l'autre 30 minutes après le départ? (Par souci de simplification, on supposera que, dès leur départ, les trains roulent déjà à leur vitesse de croisière.)

9. Une échelle de 5 mètres de longueur est appuyée contre un mur. Le bas de l'échelle s'éloigne du mur à la vitesse de 0,5 mètres par seconde. Quelle est la vitesse de déplacement du haut de l'échelle quand le bas est à 3 mètres du mur?

10. On verse du sable qui prend la forme d'un cône dont la hauteur est égale aux 4/3 du rayon de la base. Le volume augmente à la vitesse de 1000 cm^3/s. À quelle vitesse le rayon de la base croît-il quand il est égal à 100 cm?

11. Le pont d'un bateau est à 6 mètres au-dessous du niveau d'un quai. Le câble qui tire le bateau s'enroule à la vitesse de 4 mètres par minute. À quelle vitesse le bateau se rapproche-t-il du quai lorsqu'il n'est plus qu'à 8 mètres de celui-ci?

12. Les côtés d'un triangle équilatéral croissent à la vitesse de $\sqrt{3}$ mètres par minute. À quel taux (par rapport au temps) l'aire du triangle augmente-t-elle quand les côtés mesurent 6 mètres?

7.6 Coût marginal

Lorsque, dans une entreprise, on fabrique un article donné, on peut s'attendre à ce que le coût de production par unité varie en rapport avec le nombre d'unités produites. Par exemple, la première unité (le prototype) pourrait revenir à 8 000 $, la 100e unité à 22 $, et la 1 000e unité à 17 $.

Soit $c = C(x)$ la *«fonction de coût cumulatif»* d'un certain article, c'est-à-dire la fonction exprimant le *coût cumulatif* de production par rapport au nombre x d'unités fabriquées. Supposons, par exemple (V. graphique ci-dessous), que $C(153) = 9120$ et $C(154) = 9140$ (c'est-à-dire que le coût global de revient des 153 premières unités s'élève à 9120 $ et le coût global de revient des 154 premières unités s'élève à 9140 $).

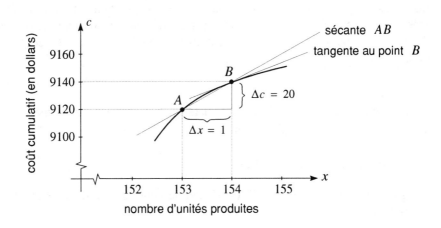

Il s'ensuit évidemment que le coût de revient de la 154e unité (considérée iso-lément) est de $\Delta c = C(154) - C(153) = 9140 - 9120 = 20$ \$ (V. graphi-que). C'est là ce qu'on appelle le ***coût marginal*** de cette unité particulière.

Le point qui nous intéresse ici est l'évaluation rapide du coût marginal de la n-ième unité, quel que soit n. À supposer qu'une *fonction de coût cumulatif* $c = C(x)$ soit établie pour un article donné, on peut, en procédant comme ci-dessus, obtenir le coût de la n-ième unité en calculant $C(n) - C(n-1)$ (le coût cumulatif des n premières unités moins le coût cumulatif des $n-1$ pre-mières unités). Cependant, cette manière de faire devient vite fastidieuse. Il existe un moyen rapide et simple d'obtenir une excellente approximation du coût marginal de la n-ième unité, valable quel que soit n (tout au moins lorsque n est un tant soit peu grand).

Concernant, par exemple, le coût marginal du 154e exemplaire de l'article dont il est question ci-dessus, on constate que, comme l'illustre le graphique, ce coût marginal correspond au quotient :

$$\frac{\Delta c}{\Delta x} = \frac{C(154) - C(153)}{154 - 153} = \frac{9140 - 9120}{1} = 20 \, ,$$

lequel n'est autre que le *taux de variation moyen* de la fonction $C(x)$ sur l'in-tervalle *unitaire* $[153, 154]$ ou, ce qui revient au même, la pente de la sécante AB (A et B étant les points d'abscisses respectives 153 et 154 ; V. graphique ci-dessus).

Coût marginal et dérivée

Mais, par le fait que l'écart entre A et B n'est que d'une unité, il y a en pratique très peu de différence entre la pente de la sécante AB et la pente de la tangente au point B de la courbe, cette pente, on le sait, correspondant au taux de variation instantané en $x = 154$, c'est-à-dire à la dérivée $C'(x)$ de la fonction $C(x)$ éva-luée en $x = 154$. En somme, la chose est claire, une approximation valable du coût marginal de la n-ième unité est obtenue en évaluant la dérivée $C'(x)$ de la fonction $C(x)$ au point $x = n$.

Exemple

Concernant la publication d'un manuel technique, un éditeur estime que la *fonction de coût cumulatif* du produit est :

$$c = C(x) = 11\,000 + 2x + 400\sqrt{x}$$

(V. graphique ci-dessous), où $C(x)$ désigne le coût cumulatif des x premiers exemplaires (en dollars).

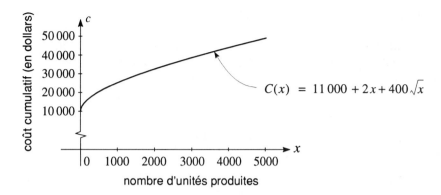

$$C(x) = 11\,000 + 2x + 400\sqrt{x}$$

Dans ces conditions, quels sont les coûts marginaux approximatifs des 400e, 1000e et 5000e exemplaires ?

Solution

À l'aide des méthodes de dérivation présentées au chapitre 5, on trouve que la dérivée de la fonction $C(x)$ est :

$$C'(x) = 2 + \frac{200}{\sqrt{x}}.$$

Il s'ensuit que les coûts marginaux demandés s'élèvent respectivement à environ $C'(400) = 2 + \dfrac{200}{\sqrt{400}} \approx 12,00\,\$$, $C'(1000) = 2 + \dfrac{200}{\sqrt{1000}} \approx 8,32\,\$$ et

$C'(5000) = 2 + \dfrac{200}{\sqrt{5000}} \approx 4,83\,\$$. Ce qui signifie, rappelons-le, que les

coûts de revient des 400e, 1000e et 5000e exemplaires (considérés isolément) sont respectivement d'environ 12,00 \$, 8,32 \$ et 4,83 \$. Autrement dit, à supposer que, par exemple, l'éditeur ait décidé de faire imprimer 5000 unités du manuel et qu'après coup il s'avise de monter ce nombre de quelques unités, il doit considérer que les exemplaires ajoutés lui reviendront approximativement à 4,83 \$ (ou un peu moins) l'unité.

Remarque

Afin de pouvoir juger de l'importance relative de la marge d'erreur dans ce genre de calculs, considérons le cas du 5000e exemplaire dont il est question ci-dessus. Si on se base sur la fonction de coût cumulatif proposée dans le problème, le coût marginal exact du 5000e exemplaire est de :

$$C(5000) - C(4999) = 49\,284{,}271 - 49\,279{,}442 = 4{,}829\ \$$$

(comparativement au montant de 4,83 $ calculé plus haut). Donc une erreur minime parfaitement négligeable (surtout si l'on tient compte de ce que, dans ce genre de calculs, tous les nombres ne sont que des approximations).

7.7 Exercices

1. Supposons que la fonction de coût cumulatif d'un certain produit est :

   $$c = C(x) = 5000 + 300\,\sqrt{x},$$

   x désignant le nombre d'unités considérées et $C(x)$ le coût cumulatif de ces unités (en dollars).

   (a) Quels seront les coûts de revient cumulatifs respectifs des 100, 1000 et 4000 premiers exemplaires ?

   (b) Sans faire appel à la dérivée, calculer les coûts marginaux respectifs des 100e, 1000e et 4000e exemplaires ?

   (c) En faisant appel à la dérivée de la fonction c trouver une valeur approchée des coûts marginaux respectifs des mêmes exemplaires qu'en (b).

   (d) Évaluer pour chaque cas l'écart entre le résultat obtenu en (c) et celui obtenu en (b).

2. Soit $c = C(x) = 15 + \sqrt{x}$ la fonction de coût cumulatif d'un certain produit (où x désigne le nombre d'unités considérées).

   (a) À l'aide de la dérivée, donner une approximativement du coût marginal de la 7e unité.

   (b) Quel est l'écart entre le coût réel de la 7e unité (calculé à l'aide de la fonction de coût cumulatif) et la réponse trouvée en (a) ?

3. Est-il vrai que lorsqu'on calcule le coût marginal de la n^e unité d'un produit à l'aide de la dérivée (par la méthode proposée plus haut), le résultat obtenu peut être vu comme un taux de variation ? Expliquer.

7.8 Résumé du chapitre

(a) Problèmes d'optimisation

Pour résoudre les problèmes d'optimisation, une manière pratique de procéder est d'observer les étapes suivantes :

(a) Traduire les données du problème par une ou plusieurs équations, en attribuant une variable à chacune des quantités qui s'y trouvent, et ceci, en prenant bien soin d'identifier laquelle des variables sera à optimiser (minimiser ou maximiser).

(b) À l'aide de substitutions au besoin, voir à ce que la variable à optimiser soit exprimée en fonction d'une seule des autres variables choisies.

(c) Calculer ensuite les dérivées première et seconde de la variable à optimiser, la dérivation se faisant par rapport à la variable indépendante retenue en (b).

(d) À l'aide des dérivées première et seconde, déterminer quelle(s) valeur(s) de la variable indépendante retenue en (b) optimise(nt) la variable à optimiser (identifiée en (a)). Puis, à l'aide de l'équation (des équations) du début, fixer la (les) valeur(s) des autres variables qui constitueront la réponse au problème.

(e) Veiller à ce que la réponse soit formulée correctement, en évitant, entre autres, de placer dans la réponse les variables introduites pour résoudre le problème.

(*Note :* Lorsque le calcul de la dérivée seconde s'avère compliqué, on pourrait se borner à ne calculer que la dérivée première, quitte, par la suite, à juger des minimums et maximums de la fonction à l'aide d'un tableau synthèse, plutôt qu'à l'aide de la dérivée seconde.)

(b) Taux de variation liés

Dans la résolution des problèmes de taux de variation liés, une bonne manière de procéder est d'observer les étapes suivantes :

(a) Attribuer un symbole à chacune des quantités impliquées et identifier quel taux de variation ou quelle variable il faudra déterminer pour constituer la réponse.

(b) À l'aide d'une équation, établir le lien qu'ont entre elles les diverses variables.

(c) Effectuer la dérivation (généralement implicite) conduisant au taux de variation cherché (ou à la valeur de la variable cherchée).

(d) Substituer les quantités connues à leurs variables associées respectives. (*Attention :* Ces substitutions doivent être faites seulement après que la dérivation mentionnée en (c) aura été effectuée.)

(e) Expliciter la réponse.

(c) Coût marginal

À supposer qu'une *fonction de coût cumulatif* $c = C(x)$ (V. page 177, article 7.6) soit établie pour un produit donné, le **coût marginal** du n-ième exemplaire de ce produit (c'est-à-dire le coût de revient du n-ième exemplaire considéré isolément) a pour valeur $C(n) - C(n-1)$ (le coût cumulatif des n premiers exemplaires moins le coût cumulatif des $n-1$ premiers). Une bonne approximation du coût marginal du n-ième exemplaire est obtenue en prenant la dérivée $C'(n)$ de la fonction $C(x)$ en $x = n$.

7.9 Exercices de révision

1. Trouver deux nombres positifs tels que leur produit soit 16 et la somme de l'un et du carré de l'autre soit minimale.

2. Quelles sont les dimensions du rectangle d'aire maximale inscrit dans un demi-cercle de rayon égal à 4 mètres?

3. Un homme possède 30 logements qu'il loue 200 $ par mois. On estime que chaque fois qu'il augmentera le loyer de 10 $, il perdra un locataire. Dans ces conditions, quel prix de location maximiserait ses revenus?

4. (a) Une feuille d'étain carrée mesure 24 cm de côté. On fabrique une boîte ouverte de la façon suivante (V. figure): on enlève un petit carré de 1 cm de côté dans chaque coin et on redresse les côtés ainsi formés. Quel est alors le volume de la boîte ?

   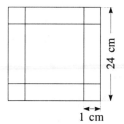

   (b) En utilisant une feuille d'étain carrée de même grandeur (24 cm de côté) on veut obtenir une boîte de volume maximal. Quelles doivent être les dimensions des carrés à enlever?

5. Sachant que le coût cumulatif des q premières unités d'un produit s'élève à $C(q) = 1000 + 200q - 0,1\,q^2$ dollars, quel est le coût marginal approximatif des 100e, 200e et 500e unités ?

6. Trouver deux nombres positifs tels que leur somme soit 150 et le produit de l'un par le carré de l'autre maximal.

7. Un homme possède 30 appartements dont le prix de location est présentement de 200 $ par mois. Il estime que pour chaque 10 $ d'augmentation du prix de ses appartements, le nombre des locataires diminuera d'une unité. Si on tient compte de ce qu'un appartement vide lui coûte 10 $ par mois et un appartement occupé 30 $, à quel prix doit-il fixer ses loyers pour que son revenu soit maximal?

8. Un hôtelier loue ses 100 chambres s'il demande 75 $ par chambre. Pour chaque augmentation de 2 $ du prix de location, le nombre de ses clients diminue de 2. Calculer le tarif qui maximisera ses profits si on tient compte de ce que l'entretien d'une chambre louée lui coûte 7 $.

9. On veut fabriquer une boîte de base carrée ayant un volume égal à 2000 cm^3. Le matériau pour le fond de la boîte coûte 30 cents le cm^2 et le matériau pour les côtés et le dessus coûte 10 cents le cm^2. Dans ces conditions, trouver les dimensions de la boîte la moins dispendieuse.

10. Trouver deux nombres tels que leur quotient soit 10 et la somme du numérateur et du carré du dénominateur minimale.

11. Une sphère métallique de 8 cm de diamètre est recouverte d'une mince couche de glace. Si la glace fond au rythme de 10 cm^3 par minute, à quelle vitesse l'épaisseur de la couche de glace diminue-t-elle quand cette épaisseur n'est plus que de 2 cm?

12. Les côtés d'un triangle équilatéral s'accroissent à un taux constant de 2 cm par minute. Quel est le taux d'accroissement de l'aire du triangle par rapport au temps lorsque ses côtés mesurent 10 cm?

13. Un pêcheur situé à 9 mètres au-dessus du niveau de l'eau et ayant un poisson au bout de sa ligne rembobine celle-ci à la vitesse de 50 cm par seconde. Le poisson se déplace à la surface de l'eau. À quelle vitesse se déplace-t-il lorsqu'il reste 15 mètres de ligne à rembobiner?

14. On estime que le coût cumulatif de production d'un certain jouet répond, en dollars, à la fonction $C(x) = 10\sqrt[3]{x} + 100$.

    (a) À l'aide de la dérivée, calculer le coût marginal de la 25e unité du produit.

    (b) Trouver l'écart entre le coût marginal réel de cette 25e unité (obtenu à l'aide de la fonction de coût cumulatif) et l'approximation calculée en (a).

15. On verse du sable qui prend la forme d'un cône dont la hauteur est égale aux 4/3 de rayon de la base. Le rayon de la base croît à la vitesse de 1/4 de centimètre par seconde. À quel taux par rapport au temps le volume croît-il quand le rayon de la base égale 50 cm ?

16. Un garçon fait planer un cerf-volant à une hauteur constante de 30 mètres. Au moment où 50 mètres de corde sont déroulés, quelle est la vitesse à laquelle la corde sort du dévidoir si le cerf-volant se déplace à une vitesse horizontale constante de 5 m/s ?

Défis à relever

17. Trouver le point de la droite $2x - y = -2$ le plus près du point $(9, 5)$.

18. Un fil de fer long de 10 m est coupé en deux parties. Si la première partie est pliée en forme de carré et la deuxième recourbée en forme de cercle, pour quelles longueurs la somme des aires des deux figures est-elle (a) maximale? (b) minimale?

19. Trouver l'aire maximale d'un rectangle dont la base est située sur l'axe des x et dont les deux sommets supérieurs sont sur la parabole d'équation $y = 6 - 2x^2$.

20. On veut fabriquer des boîtes de conserve de forme cylindrique en fer-blanc ayant un volume égal à 432 cm^3. Quelles dimensions faut-il donner au rayon r et à la hauteur h du cylindre pour que la surface de métal utilisée soit minimale?

21. Dans une église de style «roman» les fenêtres ont la forme d'un rectangle surmonté d'un demi-cercle. Si chaque fenêtre a un périmètre de 10 m, quelles doivent être ses dimensions pour que son aire soit maximale?

22. On veut installer une ligne électrique d'un point A à un point B situés de part et d'autre d'une rivière large d'un kilomètre. Le point B est situé trois kilomètres en aval du point A. Si l'installation coûte 15 $ du mètre sous l'eau et 9 $ sur la terre ferme, quel est le trajet qui occasionnera une dépense minimale?

23. Un lampadaire est suspendu à 12 mètres au-dessus d'une rue droite et horizontale. Une femme mesurant 1,5 m s'éloigne à la vitesse de 49 mètres par minute. À quelle vitesse l'ombre de la femme s'allonge-t-elle ?

24. Un point se déplace sur la parabole d'équation $y = x^2$. Son abscisse augmente de 2 unités par minute. À quel taux sa distance du point $(-1, 1)$ change-t-elle quand le point mobile passe par le point $(2, 4)$?

25. Une boule de neige fond à un taux directement proportionnel à sa surface. Montrer que le taux de diminution du rayon de la boule par rapport au temps est constant.

Chapitre

8

FONCTION LOGARITHME ET FONCTION EXPONENTIELLE

Nous avons terminé notre étude des *fonctions algébriques*. Grâce aux notions de limite (chapitre 2) et de dérivée (chapitre 4), nous connaissons maintenant mieux les fonctions algébriques en général (chapitre 6) ainsi que certaines de leurs applications pratiques (chapitre 7). Nous allons poursuivre avec les fonctions en nous intéressant maintenant à celles qui ne sont pas algébriques, c'est-à-dire aux **fonctions transcendantes** (chapitres 8 et 9). Dans le présent chapitre, ce sont la fonction *logarithme* et la fonction *exponentielle* qui vont retenir notre attention. Au prochain chapitre, ce sera le tour des fonctions trigonométriques.

C'est au mathématicien écossais Néper (1550-1617) qu'on doit l'invention des logarithmes. Il les a introduits pour simplifier les calculs en astronomie. Il arriva à sa découverte en reprenant une idée ancienne consistant à comparer les progressions arithmétiques et les progressions géométriques. Un peu plus tard, avec le concours de Néper, Briggs (Angleterre, 1561-1631) mit au point les logarithmes décimaux, plus adaptés aux calculs numériques. C'est à Euler qu'on doit l'introduction des nombres e (base des logarithmes naturels) et π (rapport entre la circonférence du cercle et son diamètre) comme nombres fondamentaux en analyse. Il donna au nombre e la définition encore utilisée aujourd'hui.

8.1 Objectifs du chapitre

À la fin de ce chapitre, l'élève devra:

- être capable de définir dans ses mots la fonction logarithme et la fonction exponentielle et d'en donner des exemples;
- connaître les propriétés de ces fonctions et être capable de tracer leur graphique;
- savoir dériver ces fonctions;
- savoir appliquer les propriétés générales des dérivées première et seconde (chapitre 6) à ces fonctions particulières.

8.2 Le logarithme d'un nombre (rappels)

Définition du logarithme d'un nombre

Affirmer que $\log_{10} 100 = 2$, c'est affirmer que 2 est l'exposant qu'il faut donner à 10 pour obtenir 100, c'est-à-dire que $10^2 = 100$. D'un point de vue général, pour $a > 0$ et $a \neq 1$, on a par définition:

$$\log_a N = b \iff a^b = N. \tag{1}$$

On dit que b est le *logarithme* du nombre N dans la *base a*.

Propriétés des logarithmes

Rappelons ici les propriétés fondamentales des logarithmes. Pour $a > 0$, $a \neq 1$, et $M, N > 0$ on a:

$$\log_a MN = \log_a M + \log_a N \,; \tag{2}$$

$$\log_a \frac{M}{N} = \log_a M - \log_a N \,; \tag{3}$$

$$\log_a \frac{1}{N} = -\log_a N \,; \tag{4}$$

$$\log_a N^m = m \log_a N \,; \tag{5}$$

$$\log_a a = 1. \tag{6}$$

Ajoutons la formule de *changement de base*:

$$\log_a N = \frac{\log_b N}{\log_b a} \,,$$

de laquelle on tire cette autre formule utile (après avoir remplacé *N* par *b*):

$$\log_a b = \frac{1}{\log_b a} . \tag{7}$$

Exemple 1

On a:

$$\log_5 25 = 2, \quad \text{puisque} \quad 5^2 = 25 ;$$

$$\log_2 \frac{1}{4} = -2, \quad \text{puisque} \quad 2^{-2} = \frac{1}{4} ;$$

$$2^3 = 8 \quad \Rightarrow \quad \log_2 8 = 3 ;$$

$$(10)^{-4} = 0,0001 \quad \Rightarrow \quad \log_{10} 0,0001 = -4 .$$

Exemple 2

On a:

$$\log_a \frac{(x^2+3)^2 (2x-4)^3}{(x+5)^{1/2}} = 2 \log_a (x^2+3) + 3 \log_a (2x-4) - \frac{1}{2} \log_a (x+5) ;$$

$$\log_a \sqrt{\frac{x+1}{x-1}} = \log_a \frac{(x+1)^{1/2}}{(x-1)^{1/2}} = \frac{1}{2} \log_a (x+1) - \frac{1}{2} \log_a (x-1) .$$

8.3 Exercices

Convertir l'expression à la forme exponentielle:

1. $\log_{81} 9 = \frac{1}{2}$;

2. $\log_{10} x = y$.

Convertir l'expression à la forme logarithmique:

3. $6^{-2} = \frac{1}{36}$;

4. $(10)^0 = 1$.

Convertir en sommes (ou différences) de logarithmes:

5. $\log_a \dfrac{x^3 \sqrt{x^2+4}}{(x-4)^5}$;

6. $\log_2 \dfrac{\sqrt{x}\,(x+5)^3}{(x^2-7)^2}$.

8.4 La fonction logarithme

L'équation :

$$y = \log_a x$$

définit ce qu'on appelle la ***fonction logarithme***. Les deux graphiques ci-dessous correspondent à cette fonction ; à gauche le cas où $0 < a < 1$ (le graphique est construit en prenant $a = 1/2$) et à droite le cas où $a > 1$ (le graphique est construit en prenant $a = 2$).

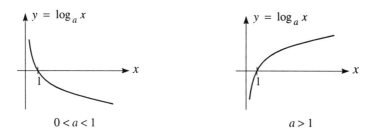

Remarquer que, dans les deux cas, $\log_a 1 = 0$, c'est-à-dire que la courbe passe par le point $(1, 0)$.

8.5 Le nombre *e*

Le nombre *e* (base des logarithmes dits ***naturels*** ou ***népériens***) est un nombre extrêmement important en mathématiques. Sa définition est la suivante :

$$e = \lim_{h \to 0} (1 + h)^{1/h}. \tag{8}$$

Calculons sa valeur. Si, dans le membre de droite de l'égalité (8), on accorde à *h* les valeurs successives 0,1, 0,01, 0,001 et 0,0001 (valeurs tendant vers 0), on obtient :

$$(1 + 0,1)^{\frac{1}{0,1}} = (1,1)^{10} = 2,5937 \ ,$$

$$(1 + 0,01)^{\frac{1}{0,01}} = (1,01)^{100} = 2,7048 \ ,$$

$$(1 + 0,001)^{\frac{1}{0,001}} = (1,001)^{1000} = 2,7169 \ ,$$

$$(1 + 0,0001)^{\frac{1}{0,0001}} = (1,0001)^{10\,000} = 2,7181 \ .$$

Ces calculs nous donnent un aperçu de la *limite à droite*. Calculons aussi la *limite à gauche*. Pour les valeurs successives $-0,1$, $-0,01$, $-0,001$ et $-0,0001$ de h, on obtient:

$$(1 - 0,1)^{-\frac{1}{0,1}} \;=\; (0,9)^{-10} \;=\; (\frac{1}{0,9})^{10} \;=\; 2,8680\,,$$

$$(1 - 0,01)^{-\frac{1}{0,01}} \;=\; (0,99)^{-100} \;=\; (\frac{1}{0,99})^{100} \;=\; 2,7320\,,$$

$$(1 - 0,001)^{-\frac{1}{0,001}} \;=\; (0,999)^{-1000} \;=\; (\frac{1}{0,999})^{1000} \;=\; 2,7196\,,$$

$$(1 - 0,0001)^{-\frac{1}{0,0001}} \;=\; (0,9999)^{-10\,000} \;=\; (\frac{1}{0,9999})^{10\,000} \;=\; 2,7184\,.$$

Des résultats qui précèdent, il ressort que:

$$e \;\approx\; 2,718\,.$$

Remarque

En vue du prochain article, mentionnons la règle:

$$\lim_{x \to a} f(g(x)) \;=\; f(\lim_{x \to a} g(x))\,,$$

valable lorsque les limites concernées existent. Par exemple, si $f(x) = x^2 + 1$ et $g(x) = 3x$, alors:

$$\lim_{x \to 2} f(g(x)) \;=\; f(\lim_{x \to 2} g(x)) \;=\; f(6) \;=\; 37\,.$$

8.6 Dérivée de la fonction logarithme

En procédant en trois temps, tel que convenu à l'article 4.8, calculons la dérivée de la fonction $y = f(x) = \log_a x$ (définie pour $x > 0$):

(a) $\quad \Delta y \;=\; f(x + \Delta x) - f(x)$

$\qquad\qquad =\; \log_a (x + \Delta x) - \log_a x \qquad$ (puisque $f(x) = \log_a x$)

$\qquad\qquad =\; \log_a (\dfrac{x + \Delta x}{x}) \qquad\qquad$ (règle: $\log_a \dfrac{M}{N} = \log_a M - \log_a N$)

$\qquad\qquad =\; \log_a (1 + \dfrac{\Delta x}{x})\,.$

(b) $\dfrac{\Delta y}{\Delta x} = \dfrac{1}{\Delta x} \log_a (1 + \dfrac{\Delta x}{x})$

$\qquad = \dfrac{1}{x} \dfrac{x}{\Delta x} \log_a (1 + \dfrac{\Delta x}{x})$ (multiplication du numérateur et du dénominateur par x; $x > 0$)

$\qquad = \dfrac{1}{x} \log_a (1 + \dfrac{\Delta x}{x})^{x/\Delta x}$ (règle: $\log_a N^m = m \log_a N$).

(c) $\dfrac{dy}{dx} = \lim\limits_{\Delta x \to 0} \dfrac{\Delta y}{\Delta x} = \lim\limits_{\Delta x \to 0} \left(\dfrac{1}{x} \log_a (1 + \dfrac{\Delta x}{x})^{x/\Delta x} \right)$

$\qquad = \dfrac{1}{x} \left[\lim\limits_{\Delta x \to 0} \left(\log_a (1 + \dfrac{\Delta x}{x})^{x/\Delta x} \right) \right]$

$\qquad\qquad$ ($1/x$ n'étant pas affecté par les variations de Δx)

$\qquad = \dfrac{1}{x} \left[\log_a \left(\lim\limits_{\Delta x \to 0} (1 + \dfrac{\Delta x}{x})^{x/\Delta x} \right) \right]$

$\qquad\qquad$ (suivant la règle $\lim\limits_{x \to a} f(g(x)) = f(\lim\limits_{x \to a} g(x))$; V. remarque précédente)

$\qquad = \dfrac{1}{x} \left[\log_a (\lim\limits_{h \to 0} (1 + h)^{1/h}) \right]$

$\qquad\qquad$ (ayant posé $\dfrac{\Delta x}{x} = h$, ce qui entraîne donc que $h \to 0$ au même titre que Δx)

$\qquad = \dfrac{1}{x} \log_a e$ (de par la définition même de e; V. page 190, (8)).

D'où la formule:

$$\boxed{\dfrac{d}{dx} (\log_a x) = \dfrac{1}{x} \log_a e}$$.

Pour le cas général de la fonction $y = \log_a u$, où u est une fonction de x, on a, en vertu de la formule de dérivation des fonctions de fonction (V. page 114, [9]):

$$\dfrac{d}{dx} (\log_a u) = \dfrac{d}{du} (\log_a u) \dfrac{du}{dx} = \dfrac{1}{u} (\log_a e) \dfrac{du}{dx} .$$

Retenons donc la formule générale:

$$\frac{d}{dx}(\log_a u) = \frac{1}{u}(\log_a e)\frac{du}{dx}$$ [11]

Exemple

Soit à dériver la fonction $y = \log_a(3x^2 - 5)$. D'après la formule ci-dessus, on a:

$$\frac{dy}{dx} = \frac{1}{3x^2 - 5}(\log_a e)\frac{d}{dx}(3x^2 - 5) = \frac{1}{3x^2 - 5}(\log_a e)\,6x$$

$$= \frac{(\log_a e)\,6x}{3x^2 - 5}.$$

8.7 Le logarithme naturel (népérien)

En calcul différentiel il est très avantageux d'utiliser le nombre *e* comme base des logarithmes. Le logarithme $\log_e N$, appelé le ***logarithme naturel*** ou ***logarithme népérien*** du nombre *N* est généralement noté **ln** *N*.

Tout comme on a $\log_a a = 1$ (au même titre d'ailleurs que $a^1 = a$), on a en particulier $\log_e e = 1$. Il s'ensuit que, pour le logarithme naturel, la formule [11] ci-dessus se simplifie comme suit:

$$\frac{d}{dx}(\ln u) = \frac{1}{u}\frac{du}{dx}$$,   [12]

laquelle, pour le cas où $u = x$, se simplifie encore davantage somme suit:

$$\frac{d}{dx}(\ln x) = \frac{1}{x}.$$ [13]

Exemple 1

Pour la fonction $y = \ln(x + 3)^2$, on a:

$$\frac{dy}{dx} = \frac{d}{dx}(2\ln(x + 3)) \qquad \text{(formule: } \log_a N^m = m\log_a N)$$

$$= 2\frac{d}{dx}(\ln(x + 3)) \qquad \text{(formule: } \frac{d}{dx}(cu) = c\frac{du}{dx})$$

$$= 2 \, \frac{1}{x+3} \, \frac{d}{dx} \, (x+3) \qquad\qquad \text{(formule: } \frac{d}{dx}(\ln u) = \frac{1}{u} \, \frac{du}{dx})$$

$$= \frac{2}{x+3} \, (1) \;\; = \;\; \frac{2}{x+3} \; .$$

Exemple 2

Pour la fonction $y = (\ln (x+3))^2$, on a:

$$\frac{dy}{dx} = 2 \, (\ln (x+3))^1 \, \frac{d}{dx} \, (\ln (x+3)) \quad \text{(formule: } \frac{d}{dx} \, (u^n) = n u^{n-1} \frac{du}{dx})$$

$$= 2 \, \ln (x+3) \, \frac{1}{x+3} \, (1) \qquad\qquad \text{(formule: } \frac{d}{dx}(\ln u) = \frac{1}{u} \, \frac{du}{dx})$$

$$= \frac{2 \, \ln (x+3)}{x+3} \; .$$

Exemple 3

Pour la fonction $y = \ln [(x^2 + 2) (x^3 + 1)]$, on a:

$$\frac{dy}{dx} = \frac{d}{dx} \, [\ln (x^2 + 2) + \ln (x^3 + 1)] \qquad (\log_a MN = \log_a M + \log_a N)$$

$$= \frac{d}{dx} \, (\ln (x^2 + 2)) + \frac{d}{dx} \, (\ln (x^3 + 1)) \qquad (\frac{d}{dx} \, (u+v) = \frac{du}{dx} + \frac{dv}{dx})$$

$$= \frac{1}{x^2 + 2} \, (x^2 + 2)' + \frac{1}{x^3 + 1} \, (x^3 + 1)' \qquad (\frac{d}{dx}(\ln u) = \frac{1}{u} \, \frac{du}{dx})$$

$$= \frac{2x}{x^2 + 2} + \frac{3x^2}{x^3 + 1} \; .$$

Exemple 4

Soit à dériver la fonction $y = \log_{10} \dfrac{x^4}{3x - 4}$. Observons au préalable que:

$$y = \log_{10} x^4 - \log_{10} (3x - 4) \qquad\qquad (\log_a \frac{M}{N} = \log_a M - \log_a N)$$

$$= 4 \log_{10} x - \log_{10} (3x - 4) \qquad\qquad (\log_a N^m = m \log_a N).$$

Il s'ensuit que:

$$\frac{dy}{dx} = \frac{d}{dx} \left(4 \log_{10} x - \log_{10} (3x-4) \right)$$

$$= 4 \frac{1}{x} \log_{10} e \ (x)' - \frac{1}{3x-4} \log_{10} e \ (3x-4)' \quad \text{(formule [11])}.$$

$$= 4 \frac{1}{x} \log_{10} e \ - \ \frac{1}{3x-4} \log_{10} e \ (3)$$

$$= \left(\frac{4}{x} - \frac{3}{3x-4} \right) \log_{10} e \qquad \qquad \text{(mise en évidence)}.$$

Exemple 5

Faire l'étude complète de la fonction:

$$f(x) = x \ln x^2,$$

sachant que $\lim\limits_{x \to 0} x \ln x^2 = 0$.

1. *Domaine de définition*

$$D_f = R \setminus \{0\}$$

(vu que la fonction logarithme ne peut porter que sur des valeurs strictement positives).

2. *Asymptotes:* Aucune.

3. *Dérivée première*

$$f'(x) = x (\ln x^2)' + \ln x^2 \ x' \ = \ x \left[\frac{1}{x^2} (2x) \right] + (1) \ln x^2$$

$$= 2 + \ln x^2.$$

Comme on a:

$$2 + \ln x^2 = 0 \quad \Leftrightarrow \quad \ln x^2 = -2$$

$$\Leftrightarrow \quad e^{-2} = x^2 \qquad \qquad \text{(V. page 188, (1))}$$

$$\Leftrightarrow \quad x = \pm \sqrt{e^{-2}} = \pm \sqrt{\frac{1}{e^2}} = \pm \frac{1}{e} \ ,$$

les valeurs critiques associées à la dérivée première sont donc $-\dfrac{1}{e}$ et $\dfrac{1}{e}$.

4. *Dérivée seconde :*

$$f''(x) \;=\; 0 + \frac{1}{x^2}\,(x^2)'$$

$$\;=\; \frac{2x}{x^2} \;=\; \frac{2}{x}\,.$$

D'où la valeur critique 0 (associée à la dérivée seconde).

5. *Tableau synthèse :*

x	$-\infty$		$-1/e$		0		$1/e$		∞
$f'(x)$		$+$	0	$-$	$\not\exists$	$-$	0	$+$	
↗|↘		↗		↘		↘		↗	
$f''(x)$		$-$	$-$	$-$	$\not\exists$	$+$	$+$	$+$	
⌣/⌢		⌢	⌢	⌢		⌣	⌣	⌣	
$f(x)$		↗	max $2/e$	↘		↘	min $-2/e$	↗	

6. *Graphique de la fonction :*

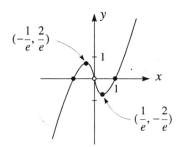

(Remarquer que le point $(0,0)$, qui normalement constituerait un point d'inflexion du graphique, ne fait pas partie dudit graphique, étant donné que la valeur $x = 0$ ne fait pas partie du domaine de définition de la fonction.)

8.8 Exercices

Dériver la fonction par rapport à x:

1. $y = 4 \ln x^2$.

2. $y = x^2 \ln x$.

3. $y = \log_2 (x^2 + 6)$.

4. $y = \ln (\ln x)$.

5. $y = \dfrac{x^2}{\ln x}$.

6. $y = \ln \sqrt{1 - 4x^2}$.

Pour les exercices 7 à 14, transformer les expressions à l'aide des lois des logarithmes avant de dériver:

7. $y = \ln (x\sqrt{x^2 - 4})$.

8. $y = \ln \left(\dfrac{x^2}{x^2 + 1} \right)$.

9. $y = \ln [x^3 (3x^2 + 4)^{2/3}]$.

10. $y = \ln [(x^2 + 1)^3 (x^5 + 1)^4]$.

11. $y = \ln \dfrac{(1 - x^2)^2}{\sqrt{1 - 2x}}$.

12. $y = \ln \sqrt{\dfrac{(x + 1)(2x + 3)}{x}}$.

13. $y = \ln \dfrac{\sqrt[3]{x}(1 + x^2)^{3/2}}{x^{4/5}}$.

14. $y = \ln \dfrac{(x^2 + 1)^3}{(1 - x)^4 \sqrt{x^3}}$.

8.9 Exposants (rappels)

Définition de l'exposant

Si n est un entier positif et a un nombre réel et différent de 0, alors l'expression a^n signifie que a est multiplié par lui-même n fois:

$$a^n = \underbrace{a \cdot a \cdot a \cdot \ldots \cdot a}_{n \text{ fois}}.$$

Propriétés des exposants

Rappelons les propriétés fondamentales des exposants (valables pour $a, b > 0$ et $m, n \in R$):

$$a^m \cdot a^n = a^{m+n} \qquad \frac{a^m}{a^n} = a^{m-n} \qquad (a^m)^n = a^{mn}$$

$$(ab)^n = a^n \cdot b^n \qquad a^0 = 1 \qquad a^{-n} = \frac{1}{a^n}$$

$$a^{m/n} = \sqrt[n]{a^m} \qquad (n \text{ entier strictement positif})$$

Exemple 1

En vertu des règles rappelées ci-dessus, on a:

(a) $x^2 x^5 = x^7$;

(b) $2^3 2^4 = 2^7$;

(c) $(2x)^3 = 8x^3$;

(d) $\dfrac{x^5}{x^2} = x^3$;

(e) $\dfrac{3^5}{3^2} = 3^3$;

(f) $\dfrac{5^{2n+3}}{5^{2n}} = 5^3$.

Exemple 2

On a:

$$\sqrt[3]{x^2} + \frac{2}{(x-2)^2} = x^{2/3} + 2(x-2)^{-2};$$

$$\frac{3}{\sqrt[3]{x^4}} - \frac{9}{x-6} = 3x^{-4/3} - 9(x-6)^{-1}.$$

8.10 Exercices

Effectuer:

1. $x^3 x^4$.

2. $3^4 3^2$.

3. $(x^4)^2$.

4. $\dfrac{2^{2n+1}}{2^{2n-1}}$.

5. $\dfrac{4}{2^{2n}}$.

6. $\dfrac{9^n}{3^5}$.

Exprimer les fonctions sous la forme exponentielle en faisant disparaître les dénominateurs et les radicaux :

7. $f(x) \;=\; \sqrt{x^3} \;-\; \dfrac{3}{(x+2)^3} \;+\; \dfrac{5}{2\,(x-1)} \;-\; \dfrac{2}{\sqrt[3]{x^5}}\,.$

8. $f(x) \;=\; \dfrac{1}{2\,x^3} \;-\; \dfrac{1}{(2\,x)^3} \;+\; \dfrac{1}{x+\sqrt{x}} \;+\; \sqrt{x^5}\,.$

8.11 La fonction exponentielle

L'équation

$$y \;=\; a^x \qquad (a > 0)$$

définit ce qu'on appelle la ***fonction exponentielle***. Les deux graphiques ci-dessous correspondent à cette fonction ; à gauche le cas où $0 < a < 1$ (le graphique est construit en prenant $a = 1/2$) et à droite le cas où $a > 1$ (le graphique est construit en prenant $a = 2$).

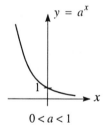

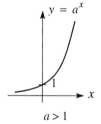

Remarquer que, dans les deux cas, $a^0 = 1$.

Remarque 1

La fonction exponentielle est utilisée dans divers domaines des connaissances. Par exemple, on s'en sert pour calculer la désagrégation d'un isotope radioactif (en physique), pour décrire l'expansion d'une culture de bactéries (en biologie), pour calculer l'intérêt composé (en économique), pour construire la courbe décrivant l'apprentissage (en psychologie), pour étudier l'évolution d'une population (en démographie), etc.

Remarque 2

En vertu de la correspondance $\log_a N = b \Leftrightarrow a^b = N$, les fonctions $y = a^x$ (fonction exponentielle) et $y = \log_a x$ (fonction logarithme) sont *réciproques* l'une de l'autre. Cela correspond au fait que, dans une base donnée a ($a > 0$, $a \ne 1$) les graphiques de ces fonctions sont symétriques par rapport à la droite $y = x$. La figure ci-dessous, illustrant ce fait, a été construite en prenant $a = 2$.

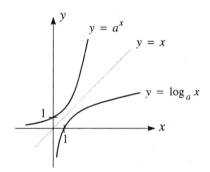

8.12 Dérivée de la fonction exponentielle

Considérons la fonction :

$$y = a^u, \tag{9}$$

où a désigne un nombre réel strictement positif et différent de 1, et où u désigne une fonction quelconque de la variable x. Nous allons mettre au point une formule pour la dérivation de cette fonction. En nous basant sur la définition :

$$\log_a N = b \Leftrightarrow a^b = N,$$

passons à l'équivalent logarithmique de la fonction (9) :

$$u = \log_a y.$$

La dérivée (implicite) par rapport à x de cette fonction est (V. page 193, [11]) :

$$\frac{du}{dx} = \frac{1}{y} (\log_a e) \frac{dy}{dx},$$

de laquelle on tire :

$$\frac{dy}{dx} = y \frac{1}{\log_a e} \frac{du}{dx} .$$

Mais par le fait que $y = a^u$ (par hypothèse) et que $\dfrac{1}{\log_a e} = \log_e a$ (V. page 189, (7)), il s'ensuit que :

$$\frac{dy}{dx} = a^u \log_e a \frac{du}{dx} .$$

D'où la formule :

$$\boxed{\frac{d}{dx}(a^u) = a^u \ln a \frac{du}{dx}} . \qquad\qquad [14]$$

8.13 Dérivée de la fonction exponentielle de base *e*

Dans le cas particulier de la fonction exponentielle $y = e^u$, la formule précédente se simplifie en celle-ci (puisque $\ln e = \log_e e = 1$; V. page 188, (6)) :

$$\boxed{\frac{d}{dx}(e^u) = e^u \frac{du}{dx}} , \qquad\qquad [15]$$

laquelle, pour le cas où $u = x$, se simplifie encore davantage comme suit :

$$\boxed{\frac{d}{dx}(e^x) = e^x} . \qquad\qquad [16]$$

Fait notable, la fonction e^x est la seule fonction en mathématiques qui est égale à sa dérivée.

Exemple 1

Pour la fonction $y = 4^{x^2}$, on a :

$$\frac{dy}{dx} = 4^{x^2} \ln 4 \ (x^2)' \qquad\qquad \text{(formule [14])}$$

$$= 4^{x^2} \ln 4 \ (2x) .$$

Exemple 2

Pour la fonction $y = \dfrac{7^x}{x^2}$, on a:

$$\frac{dy}{dx} = \frac{x^2 (7^x)' - 7^x (x^2)'}{x^4} \qquad \text{(formule [8], page 112)}$$

$$= \frac{x^2 (7^x) \ln 7 - 7^x (2x)}{x^4} \qquad \text{(formules [14] et [6])}$$

$$= \frac{x\, 7^x (x \ln 7 - 2)}{x^4} \qquad \text{(mise en évidence)}$$

$$= \frac{7^x (x \ln 7 - 2)}{x^3} \qquad \text{(simplification par } x\text{)}.$$

Exemple 3

Pour la fonction $y = e^x + x^e + x^2 + 2^x + 2^e$, la dérivée est:

$$\frac{dy}{dx} = e^x + e x^{e-1} + 2x + 2^x \ln 2 + 0.$$

Exemple 4

Soit à trouver les extrémums relatifs de la fonction:

$$f(x) = (x^2 - 2x)\, e^x.$$

La dérivée première de cette fonction est:

$$f'(x) = (x^2 - 2x)\, e^x + (2x - 2)\, e^x$$

$$= (x^2 - 2)\, e^x.$$

Comme le facteur e^x ne peut égaler 0, les valeurs critiques attachées à la dérivée première sont donc uniquement les valeurs de x annulant la facteur $(x^2 - 2)$, c'est-à-dire:

$$-\sqrt{2} \qquad \text{et} \qquad \sqrt{2}.$$

D'où le tableau:

x	$-\infty$		$-\sqrt{2}$		$\sqrt{2}$		∞
$f'(x)$		$+$	0	$-$	0	$+$	
$f(x)$		$\nearrow$	max 1,17	$\searrow$	min $-3{,}41$	$\nearrow$	

Il y a donc un maximum au point $(-\sqrt{2},\ 1{,}17)$ et un minimum au point $(\sqrt{2},\ -3{,}41)$.

Exemple 5

Soit à étudier la concavité et à identifier le(s) point(s) d'inflexion de la courbe de la fonction:

$$f(x) = x\,e^{-x}.$$

Les dérivées première et seconde de f sont:

$$f'(x) = x\,(e^{-x})' + e^{-x}x' = xe^{-x}(-x)' + e^{-x} = -xe^{-x} + e^{-x}$$
$$= e^{-x}(1-x);$$

$$f''(x) = e^{-x}(1-x)' + (1-x)(e^{-x})'$$
$$= -e^{-x} + (1-x)\,e^{-x}(-1)$$
$$= -e^{-x} - e^{-x}(1-x)$$
$$= e^{-x}(x-2).$$

Comme la dérivée seconde permet de juger facilement de la concavité de la courbe ainsi que de ses points d'inflexion, retenons comme valeurs critiques les zéros de cette dérivée. En fait, il n'y en a qu'un: $x = 2$. D'où le tableau:

x	$-\infty$		2		∞
$f''(x)$		$-$	0	$+$	
$f(x)$		$\frown$	infl $2/e^2$	$\smile$	

Par conséquent, il y a inflexion au point $(2,\ 2/e^2)$. Les concavités sont comme l'indique le tableau.

Exemple 6

Soit à faire l'étude complète de la fonction :

$$f(x) = \frac{1}{\sqrt{2\pi}} e^{-x^2/2}$$

(qui est, signalons-le, une fonction importante en théorie des probabilités et dont la courbe est appelée la *«courbe de Gauss»*).

1. *Domaine de définition :* $D_f = R$.

2. *Asymptotes :*

   On remarque que :

   $$\lim_{x \to \pm\infty} \left(\frac{1}{\sqrt{2\pi}} e^{-x^2/2}\right) = \frac{1}{\sqrt{2\pi}} \lim_{x \to \pm\infty} e^{-x^2/2} = \frac{1}{\sqrt{2\pi}} \lim_{x \to \pm\infty} \frac{1}{e^{x^2/2}}$$

   $$= \frac{1}{\sqrt{2\pi}} \cdot 0 = 0.$$

   Donc une asymptote horizontale : $y = 0$.

3. *Dérivée première :*

   $$f'(x) = \frac{1}{\sqrt{2\pi}} e^{-x^2/2} (-x^2/2)' = \frac{1}{\sqrt{2\pi}} e^{-x^2/2} \left(-\frac{2x}{2}\right)$$

   $$= -\frac{1}{\sqrt{2\pi}} x e^{-x^2/2}.$$

   D'où la valeur critique (associée à la dérivée première) : 0.

4. *Dérivée seconde :*

   $$f''(x) = \frac{-1}{\sqrt{2\pi}} (x e^{-x^2/2})' = \frac{-1}{\sqrt{2\pi}} [x (e^{-x^2/2}) (-x^2/2)' + e^{-x^2/2} (x)']$$

   $$= \frac{-1}{\sqrt{2\pi}} [x (e^{-x^2/2}) (-x) + e^{-x^2/2}] = \frac{-1}{\sqrt{2\pi}} [e^{-x^2/2} (-x^2 + 1)]$$

   $$= \frac{(x^2 - 1)}{\sqrt{2\pi}} e^{-x^2/2}.$$

D'où les valeurs critiques (associées à la dérivée seconde): −1 et 1.

5. *Tableau synthèse* :

x	$-\infty$		-1		0		1		∞
$f'(x)$		$+$	$+$	$+$	0	$-$	$-$	$-$	
↗|↘		↗	↗	↗		↘	↘	↘	
$f''(x)$		$+$	0	$-$	$-$	$-$	0	$+$	
⌣/⌢		⌣		⌢	⌢	⌢		⌣	
$f(x)$		↗	infl 0,24	↗	max 0,40	↘	infl 0,24	↘	

6. *Graphique de la fonction* :

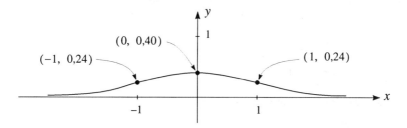

(0, 0,40)

(−1, 0,24)

(1, 0,24)

8.14 Dérivée logarithmique

Il est souvent avantageux de passer par la forme logarithmique pour dériver certaines fonctions. La manière de procéder est simple. On l'appelle la *dérivée logarithmique*. Nous la présentons à l'aide d'exemples.

Exemple 1

Soit à dériver la fonction $y = \dfrac{x\sqrt{4x+3}}{(3x+1)^2}$. Prenons d'abord le logarithme naturel de la fonction y :

$$\ln y = \ln\left(\frac{x(4x+3)^{1/2}}{(3x+1)^2}\right)$$

$$= \ln\left(x(4x+3)^{1/2}\right) - \ln(3x+1)^2 \qquad \text{(formule (3), page 188)}$$

$$= \ln x + \ln (4x + 3)^{1/2} - \ln (3x + 1)^2 \qquad \text{(formule (2))}.$$

$$= \ln x + \frac{1}{2} \ln (4x + 3) - 2 \ln (3x + 1) \qquad \text{(formule (5))}.$$

Effectuons maintenant la dérivée implicite de la fonction (à partir de sa dernière expression) :

$$\frac{1}{y} \frac{dy}{dx} = \frac{1}{x} + \frac{1}{2} \frac{4}{4x + 3} - 2 \left(\frac{3}{3x + 1} \right).$$

D'où il s'ensuit que :

$$\frac{dy}{dx} = y \left[\frac{1}{x} + \frac{2}{4x + 3} - \frac{6}{3x + 1} \right].$$

Exemple 2

Soit à dériver la fonction $y = (x + 1)^x$. Comme dans l'exemple précédent, prenons d'abord le logarithme naturel de la fonction :

$$\ln y = \ln (x + 1)^x$$

$$= x \ln (x + 1).$$

Effectuons maintenant la dérivée implicite :

$$\frac{1}{y} \frac{dy}{dx} = x (\ln (x + 1))' + \ln (x + 1) (x')$$

$$= x \left(\frac{1}{x + 1} \right) + \ln (x + 1).$$

D'où on conclut que :

$$\frac{dy}{dx} = y \left[\frac{x}{x + 1} + \ln (x + 1) \right].$$

Remarque

Pour se convaincre de l'avantage qu'on peut tirer de la dérivée logarithmique, nous invitons le lecteur à refaire le premier exemple ci-dessus sans utiliser ce procédé, c'est-à-dire en faisant appel aux formules présentées antérieurement. Dans le cas du deuxième exemple, signalons-le, il aurait été impossible d'effectuer la dérivée sans passer par le procédé logarithmique, car les formules vues antérieurement ne permettent pas de dériver les fonctions de la forme $y = u^v$.

8.15 Exercices

Dériver par rapport à x:

1. $y = 2^{x^2 - x - 1}$.

2. $y = e^{x^3}$.

3. $y = 3^{-x} + x^{-3}$.

4. $y = x^2 e^{-x^2}$.

5. $y = \dfrac{e^x}{e^x + 3}$.

6. $y = e^{-x} \ln x$.

7. $e^x \ln y = 3$.

8. $y = (x^3 - x^2) e^{-x}$.

Pour les questions 9 à 14, dériver en procédant par dérivation logarithmique (V. article 8.14):

9. $y = \dfrac{(x+1)^2}{(x+3)^4 (x+2)^3}$.

10. $y = \dfrac{(x+1)^3 (x-2)^{3/2}}{(x-3)^{2/3}}$.

11. $y = \dfrac{x(1 - x^2)^2}{\sqrt{1 + x^2}}$.

12. $y = x^x$.

13. $y = x^{\ln x}$.

14. $y = (\ln x)^x$.

Calculer la pente de la tangente à la courbe de la fonction en la valeur de x proposée: $(\triangleright$ dérivée

15. $f(x) = \dfrac{e^x}{e^x + 7}$; $x = 0$.

16. $f(x) = \dfrac{x}{\ln x}$; $x = e$.

17. $f(x) = \dfrac{e^{-x}}{x^2}$; $x = -2$.

18. $f(x) = \ln x^2$; $x = -3$.

Trouver les maximums et minimums relatifs de la fonction:

19. $y = x e^{-x^2}$.

20. $y = e^x - ex$.

21. $y = x^2 e^{-x}$.

22. $y = x^2 e^{-x^2}$.

Trouver les points d'inflexion de la courbe de la fonction :

23. $y = 2x\,e^x$.

24. $y = e^{-x^2/4}$.

25. $y = x\,\ln x$.

26. $y = \dfrac{\ln x}{x}$.

À l'aide des dérivées première et seconde, faire l'étude complète de la fonction et tracer son graphique :

27. $y = e^{2x} - 2x$.

28. $y = 5 - e^{x^2}$.

29. $y = \ln(x^2 + 4)$.

30. $y = x - \ln(x^2 + 1)$.

8.16 Résumé du chapitre

(a) Définition du logarithme d'un nombre

Affirmer que $\log_{10} 100 = 2$, c'est affirmer que 2 est l'exposant qu'il faut donner à 10 pour obtenir 100, c'est-à-dire que $10^2 = 100$. D'un point de vue général, pour $a > 0$ et $a \neq 1$, on a par définition :

$$\log_a N = b \quad \Leftrightarrow \quad a^b = N.$$

On dit que b est le *logarithme* du nombre N dans la *base* a.

(b) Propriétés fondamentales des logarithmes

$$\log_a MN = \log_a M + \log_a N \qquad \log_a \frac{M}{N} = \log_a M - \log_a N$$

$$\log_a \frac{1}{N} = -\log_a N \qquad \log_a N^m = m \log_a N$$

$$\log_a a = 1$$

(c) Propriétés fondamentales des exposants

$$a^m \cdot a^n = a^{m+n} \qquad \frac{a^m}{a^n} = a^{m-n} \qquad (a^m)^n = a^{mn}$$

$$(ab)^n = a^n \cdot b^n \qquad a^0 = 1 \qquad a^{-n} = \frac{1}{a^n}$$

$$a^{m/n} = \sqrt[n]{a^m} \qquad (n \text{ entier strictement positif})$$

(d) Le nombre *e*

Le nombre *e* est la base des logarithmes dits naturels ou népériens. Il a pour valeur:

$$e \;=\; \lim_{h \to 0} \, (1 + h)^{1/h} \;=\; 2{,}71828\ldots$$

(e) Formules de dérivation

[11] : $\quad \dfrac{d}{dx}(\log_a u) \;=\; \dfrac{1}{u}\,(\log_a e)\,\dfrac{du}{dx}$

[12] : $\quad \dfrac{d}{dx}(\ln u) \;=\; \dfrac{1}{u}\,\dfrac{du}{dx} \; ;$

[13] : $\quad \dfrac{d}{dx}(\ln x) \;=\; \dfrac{1}{x} \; ;$

[14] : $\quad \dfrac{d}{dx}(a^u) \;=\; a^u \ln a \, \dfrac{du}{dx} \; ;$

[15] : $\quad \dfrac{d}{dx}(e^u) \;=\; e^u \, \dfrac{du}{dx} \; ;$

[16] : $\quad \dfrac{d}{dx}(e^x) \;=\; e^x .$

(f) Dérivée logarithmique

Il est parfois avantageux de passer par la *forme logarithmique* pour dériver certaines fonctions. Pour ce faire:

(a) on prend le logarithme naturel des deux membres de l'équation définissant la fonction;

(b) on dérive implicitement (V. page 117).

8.17 Exercices de révision

1. Définir le logarithme d'un nombre à l'aide de notations symboliques.

2. Définir le logarithme d'un nombre à l'aide de mots, c'est-à-dire en expliquant le sens des notations utilisées à la question précédente.

3. Convertir les expressions logarithmiques suivantes à la forme exponentielle:

   (a) $y = \log_4 (x^2 + 1)$;

   (b) $y = \ln 3x$;

   (c) $y = 3 \ln x$;

   (d) $y = \log_7 \sqrt{1 - x}$.

4. Convertir les expressions exponentielles suivantes à une forme logarithmique:

   (a) $8^y = 5x$;

   (b) $x = \dfrac{e^y}{5}$;

   (c) $x^3 = e^{3y}$;

   (d) $x = 4e^y$.

5. Considérons la fonction $C(t) = 1000\, e^{0,1\,t}$, donnant la valeur cumulative au temps t (en années) d'un capital de 1000 $ placé à intérêt composé continuellement (c'est-à-dire au fur et à mesure que le temps avance) au taux annuel de 10 %.

   (a) Tracer le graphique de cette fonction sur l'intervalle $[0, 10]$.

   (b) Quel est le taux de variation moyen sur l'intervalle $[0, 10]$?

   (c) Quel est le taux de variation instantané au temps t ? (Trouver une formule.)

   (d) Quel est le taux de variation instantané à la fin de la cinquième année (c'est-à-dire au temps $t = 5$) ?

   (e) Expliquer le sens de la réponse trouvée en (d).

6. Un isotope radioactif est utilisé pour détecter les troubles de la glande thyroïde. La quantité d'isotope présente dans le sang (en milligrammes) au bout d'un temps t (en jours) est donnée par la formule $Q(t) = 6\, e^{-0,15\,t}$.

   (a) Tracer le graphique de cette fonction sur l'intervalle $[0, 10]$.

   (b) Quel est le taux de variation moyen sur l'intervalle $[4, 8]$?

   (c) Quel est le taux de variation instantané au temps t ?

   (d) Quel est le taux de variation instantané au temps $t = 6$?

   (e) Expliquer le sens de la réponse trouvée en (d).

7. Trouver les extrémums relatifs de la fonction:

   (a) $y = \dfrac{e^x}{2x}$;

   (b) $y = x^2 \ln x$.

8. Prouver que la concavité de la courbe de la fonction $y = \ln x$ est tournée vers le bas pour tout le domaine de définition de cette fonction.

9. Une compagnie lance un nouveau «Super Cola» à l'aide d'une importante campagne publicitaire. On estime que la vente des bouteilles d'eau gazeuse correspondra grosso modo à la fonction $N(t) = 25\, t^2 e^{-t/3}$, $0 \le t \le 10$, où $N(t)$ indique le nombre de milliers de bouteilles vendues par jour, et t le temps en jours. Dans ces conditions, quel sera le jour où on vendra le plus de boisson?

10. Calculer la dérivée seconde de la fonction y :

    (a) $y = x^2 \ln x$;

    (b) $y = x^2 e^{-x}$;

    (c) $y = 3x\, e^{-x^2}$;

    (d) $y = \dfrac{\ln x}{x}$.

11. Les ventes mensuelles d'un produit varient par rapport au prix demandé suivant la formule $V(x) = 2000 x\, e^{-0,04x}$, où $V(x)$ représente le nombre total d'unités vendues durant le mois et x le prix (en dollars) demandé pour une unité du produit. Dans ces conditions, quel est le prix unitaire qui donnera un revenu maximal?

Défis à relever

12. Faire l'étude complète de la fonction $f(x) = \dfrac{x}{\ln x}$, sachant que $\lim\limits_{x \to 0^+} f(x) = 0$ et $\lim\limits_{x \to \infty} f(x) = \infty$.

13. Soit la fonction $f(x) = x\, e^x$.

    (a) Trouver une formule permettant de connaître la pente de la tangente à la courbe de la fonction en chacun de ses points.

    (b) En quel point de la courbe cette pente est-elle minimale?

    (c) Quelle est le lien entre la réponse à la question (b) et la concavité de la courbe?

14. Faire l'étude complète de la fonction $f(x) = x^3 e^{-x}$, sachant que $\lim\limits_{x \to \infty} f(x) = 0$.

15. Comme on peut facilement le vérifier, le point $P(1, e)$ appartient à la courbe de la fonction exponentielle $y = e^x$. D'autre part la tangente à la courbe au point P coupe l'axe des x en un certain point Q.

    (a) Quelles sont les coordonnées du point Q?

    (b) Trouver la longueur du segment PQ.

16. Soit la fonction $f(x) = e^{-2x}$.

    (a) Tracer la courbe de cette fonction sur l'intervalle $[-3, 0]$.

    (b) On construit un rectangle dont l'un des côté repose sur la droite $x = -3$ et un autre sur l'axe des x. De plus, l'un des sommets du rectangle est situé sur la courbe. Quelle est l'aire du rectangle si celle-ci est maximale?

17. Faire l'étude complète de la fonction $f(x) = (x - x^2) e^{-x}$, sachant que $\lim_{x \to \infty} f(x) = 0$.

18. Soit la fonction $f(x) = e^{-x^2}$.

    (a) Tracer la courbe de cette fonction sur l'intervalle $[0, 2]$.

    (b) On construit un rectangle dont l'un des côtés repose sur l'axe des x et un autre sur l'axe des y. De plus, un sommet du rectangle est situé sur la courbe de la fonction f. Dans ces conditions, quelles sont les dimensions du rectangle si son aire est maximale?

    (c) Montrer que le sommet du rectangle situé sur la courbe de f est un point d'inflexion de la courbe.

Chapitre

9

FONCTIONS TRIGONOMÉTRIQUES

Au chapitre précédent nous avons commencé notre étude des fonctions transcendantes en nous penchant d'abord sur la fonction logarithme et sur la fonction exponentielle. Nous poursuivons ici avec les fonctions trigonométriques, qui, notons-le, jouent un rôle particulièrement important dans les disciplines scientifiques. Quoique déjà utilisée dans l'antiquité, la trigonométrie fut particulièrement développée par Regiomontanus (Allemagne, 1436-1476) pour faciliter ses calculs en astronomie. C'est à Euler qu'on doit d'avoir défini les fonctions trigonométriques à partir du cercle trigonométrique et, du même coup, d'avoir intégré la trigonométrie à la théorie générale des fonctions et du calcul différentiel et intégral (au même titre qu'il le fit pour les fonctions logarithme et exponentielle par l'introduction du nombre e).

9.1 Objectifs du chapitre

À la fin de ce chapitre, l'élève devra:

- connaître les définitions des fonctions trigonométriques et de leurs fonctions réciproques;
- avoir en mémoire les principales formules reliant ces fonctions;
- savoir dériver ces fonctions;
- savoir appliquer à ces fonctions les propriétés générales de la dérivée.

9.2 Éléments de trigonométrie (rappels)

(a) Le radian

Même si le *degré* est l'unité de mesure d'angle la plus employée dans la pratique courante, le *radian* est si l'on peut dire la plus «naturelle». C'est la seule utilisée en calcul différentiel. Le **radian** est l'unité de mesure d'angle correspondant à un arc de cercle de longueur égale au rayon du cercle. L'angle θ de la figure ci-dessous est d'environ 1 radian.

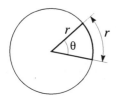

Si θ représente la mesure d'un angle en radians et d la mesure du même angle en degrés, alors la correspondance entre les deux mesures est donnée par la formule $\dfrac{d}{360} = \dfrac{\theta}{2\pi}$, c'est-à-dire:

$$\boxed{\dfrac{d}{180} = \dfrac{\theta}{\pi}} \; . \tag{1}$$

Ainsi, par exemple, pour convertir 120° en radians, on remplace d par 120 dans la formule ci-dessus, ce qui donne:

$$\frac{120}{180} = \frac{\theta}{\pi} \quad \Rightarrow \quad \theta = \frac{120\pi}{180} = \frac{2\pi}{3} \text{ radians.}$$

Et pour convertir 1 radian en degrés, on remplace θ par 1 dans la même formule, ce qui donne:

$$\frac{d}{180} = \frac{1}{\pi} \quad \Rightarrow \quad d = \frac{180}{\pi} \approx \frac{180}{3,1416} \approx 57,3 \text{ degrés.}$$

Entre autres, par exemple, on a les correspondances suivantes:

$$360° = 2\pi \text{ radians}; \qquad\qquad 180° = \pi \text{ radians};$$

$$90° = \frac{\pi}{2} \text{ radian}; \qquad\qquad 30° = \frac{\pi}{6} \text{ radian.}$$

(b) Définitions des fonctions trigonométriques à partir du cercle trigonométrique

Le *cercle trigonométrique* est un cercle centré à l'origine du plan cartésien et dont le rayon égale 1 (V. figure ci-dessous).

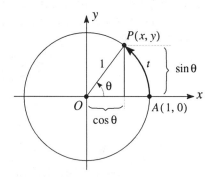

À tout point situé sur ce cercle, appelé *point trigonométrique* (par exemple le point *P* sur la figure), est associé un *arc orienté* (l'arc *t* sur la figure) allant du point $A(1, 0)$ au point *P*. L'arc est considéré comme négatif s'il est orienté suivant le sens de rotation des aiguilles d'une montre et comme positif dans le cas contraire (sur la figure l'arc *t* est d'orientation positive). L'angle au centre correspondant à l'arc *t* (l'angle orienté θ sur la figure), mesuré en radians, a pour mesure la longueur exacte de cet arc (la parfaite correspondance résultant du fait que le rayon du cercle est égal à 1). Si donc *t* est de longueur 1 (la longueur du rayon du cercle), alors l'angle au centre correspondant est de 1 radian (approximativement 57,3°, rappelons-le).

Si θ désigne l'angle au centre correspondant au point trigonométrique $P(x, y)$ (V. figure ci-dessus), alors, par définition :

$$\sin\theta = y\,;\qquad\qquad \csc\theta = \frac{1}{y} = \frac{1}{\sin\theta}\,;$$

$$\cos\theta = x\,;\qquad\qquad \sec\theta = \frac{1}{x} = \frac{1}{\cos\theta}\,;$$

$$\tan\theta = \frac{y}{x} = \frac{\sin\theta}{\cos\theta}\,;\qquad\qquad \cot\theta = \frac{x}{y} = \frac{1}{\tan\theta}\,;$$

où, bien entendu, les symboles sin, cos, tan, cot, sec et csc désignent respectivement les fonctions *sinus, cosinus, tangente, cotangente, sécante* et *cosécante*.

(c) Définitions des fonctions trigonométriques à partir d'un triangle rectangle

Il est souvent utile de considérer les définitions des fonctions trigonométriques, non pas à partir du cercle trigonométrique comme ci-dessus, mais à partir d'un triangle rectangle quelconque. À noter qu'une des différences essentielles entre les deux manières de procéder est que l'hypoténuse du triangle rectangle en question n'est pas tenue d'être unitaire. Donc, si on procède à partir d'un triangle rectangle quelconque, on a (V. figure ci-dessous):

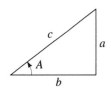

$$\sin A = \frac{\text{côté opposé}}{\text{hypoténuse}} = \frac{a}{c} \; ; \qquad \csc A = \frac{c}{a} = \frac{1}{\sin A} \; ;$$

$$\cos A = \frac{\text{côté adjacent}}{\text{hypoténuse}} = \frac{b}{c} \; ; \qquad \sec A = \frac{c}{b} = \frac{1}{\cos A} \; ;$$

$$\tan A = \frac{\sin A}{\cos A} = \frac{\text{côté opposé}}{\text{côté adjacent}} = \frac{a}{b} \; ; \qquad \cot A = \frac{b}{a} = \frac{1}{\tan A} \; .$$

(d) Résolution des équations trigonométriques

Pour ce qui est de la manière de résoudre les équations trigonométriques, voir l'appendice C à la page 293. (Le même appendice comporte aussi quelques autres précisions utiles concernant la trigonométrie.)

(e) Quelques identités trigonométriques pratiques

Aux correspondances fondamentales mentionnées ci-dessus, à savoir:

$$\tan A = \frac{\sin A}{\cos A} \; ; \qquad \cot A = \frac{1}{\tan A} \; ;$$

$$\csc A = \frac{1}{\sin A} \; ; \qquad \sec A = \frac{1}{\cos A} \; ;$$

ajoutons ces autres identités:

$$\sin^2 A + \cos^2 A = 1 \; ;$$

$$\tan^2 A + 1 \ = \ \sec^2 A \ ;$$

$$\cot^2 A + 1 \ = \ \csc^2 A \ ;$$

$$\sin(A+B) \ = \ \sin A \cos B \ + \ \cos A \sin B \ ;$$

$$\cos(A+B) \ = \ \cos A \cos B \ - \ \sin A \sin B \ ;$$

$$\sin 2A \ = \ 2 \sin A \cos A \ ;$$

$$\cos 2A \ = \ \cos^2 A - \sin^2 A \ ;$$

$$\boxed{\sin A - \sin B \ = \ 2 \cos \frac{A+B}{2} \ \sin \frac{A-B}{2}}.$$

(f) Une limite importante

La limite $\lim\limits_{x \to 0} \dfrac{\sin x}{x}$ est fondamentale en calcul différentiel. Calculons sa valeur. Pour les valeurs successives $x = 1$, $x = 0{,}1$, $x = 0{,}01$ et $x = 0{,}001$ (en radians), on obtient successivement, à l'aide de la calculatrice :

$$\frac{\sin x}{x} \ = \ \frac{0{,}841\,471}{1} \ = \ 0{,}841\,471 \,,$$

$$\frac{\sin x}{x} \ = \ \frac{0{,}099\,833\,4}{0{,}1} \ = \ 0{,}998\,334 \,,$$

$$\frac{\sin x}{x} \ = \ \frac{0{,}009\,999\,83}{0{,}01} \ = \ 0{,}999\,983 \,,$$

$$\frac{\sin x}{x} \ = \ \frac{0{,}000\,999\,999}{0{,}001} \ = \ 0{,}999\,999 \,.$$

Il s'ensuit clairement que $\lim\limits_{x \to 0^+} \dfrac{\sin x}{x} = 1$. D'autre part, en vertu de la règle $\sin(-\theta) = -\sin\theta$, la limite à gauche (c'est-à-dire si on prend des valeurs de x négatives s'approchant de plus en plus de 0) est exactement la même. Retenons donc le résultat suivant (valable uniquement si l'angle x est mesuré en radians) :

$$\boxed{\lim\limits_{x \to 0} \frac{\sin x}{x} \ = \ 1} \,. \tag{2}$$

9.3 Dérivée de la fonction sinus

Soit à dériver la fonction $y = \sin x$. En procédant en trois étapes, comme nous le faisions au chapitre 4 (V. page 74, article 4.8), on obtient successivement:

(a) $\Delta y = \sin(x + \Delta x) - \sin x$

$$= 2 \cos \frac{x + \Delta x + x}{2} \; \sin \frac{x + \Delta x - x}{2}$$

$$\text{(formule: } \sin A - \sin B = 2 \cos \frac{A+B}{2} \sin \frac{A-B}{2})$$

$$= 2 \cos \frac{2x + \Delta x}{2} \; \sin \frac{\Delta x}{2}$$

$$= 2 \cos\left(x + \frac{\Delta x}{2}\right) \; \sin \frac{\Delta x}{2} \;.$$

(b) $\dfrac{\Delta y}{\Delta x} = 2 \cos\left(x + \dfrac{\Delta x}{2}\right) \dfrac{\sin \dfrac{\Delta x}{2}}{\Delta x} = \cos\left(x + \dfrac{\Delta x}{2}\right) \dfrac{\sin \dfrac{\Delta x}{2}}{\dfrac{\Delta x}{2}} \;.$

(c) $\dfrac{dy}{dx} = \lim\limits_{\Delta x \to 0} \dfrac{\Delta y}{\Delta x} = \left[\lim\limits_{\Delta x \to 0} \left(\cos\left(x + \dfrac{\Delta x}{2}\right)\right) \right] \left[\lim\limits_{\Delta x \to 0} \left(\dfrac{\sin \dfrac{\Delta x}{2}}{\dfrac{\Delta x}{2}} \right) \right]$

$$\text{(produit de limites; V. page 21)}$$

$$= [\cos x] \left[\lim\limits_{\frac{\Delta x}{2} \to 0} \left(\dfrac{\sin \dfrac{\Delta x}{2}}{\dfrac{\Delta x}{2}} \right) \right] \qquad \text{(si } \Delta x \to 0 \text{, il en va ainsi de } \Delta x/2 \text{)}$$

$$= [\cos x]\,[1] \qquad \text{(V. page 217, formule (2))}$$

$$= \cos x \;.$$

D'où la formule:

$$\boxed{\dfrac{d}{dx}(\sin x) = \cos x} \;.$$

D'autre part, si u représente une fonction quelconque de la variable x, alors, en vertu de la formule générale pour la dérivation des fonctions de fonction (V. page 114, formule [9]), on a cette formule plus générale :

$$\frac{d}{dx}(\sin u) = \cos u \frac{du}{dx}.$$ [17]

Exemple 1
Pour la fonction $y = \sin 4x$, on a :

$$\frac{dy}{dx} = \cos 4x \, (4x)'$$ (application de la formule [17], après avoir posé $u = 4x$)

$$= 4\cos 4x.$$

Exemple 2
Pour la fonction $y = \sin^5 x$, on a :

$$\frac{dy}{dx} = 5\sin^4 x \, (\sin x)'$$ (formule $\frac{d}{dx}(u^n) = n u^{n-1}\frac{du}{dx}$)

$$= 5\sin^4 x \cos x.$$

Exemple 3
Pour la fonction $y = x^6 \sin x$, on a :

$$\frac{dy}{dx} = x^6 (\sin x)' + \sin x \, (x^6)'$$ (formule $\frac{d}{dx}(uv) = u\frac{dv}{dx} + v\frac{du}{dx}$)

$$= x^6 \cos x + 6x^5 \sin x.$$

Exemple 4
Pour la fonction $y = \dfrac{\sin 3x}{2x}$, on a :

$$\frac{dy}{dx} = \frac{2x(\sin 3x)' - \sin 3x \, (2x)'}{(2x)^2}$$ (formule $\left(\dfrac{u}{v}\right)' = \dfrac{vu' - uv'}{v^2}$)

$$= \frac{2x(\cos 3x)\,(3x)' - \sin 3x\,(2)}{(2x)^2} = \frac{6x(\cos 3x) - 2\sin 3x}{4x^2}.$$

9.4 Formules de dérivation pour les autres fonctions trigonométriques

Maintenant que nous savons dériver la fonction sinus, il est tout simple, en mettant à profit les identités trigonométriques de base (supposées déjà connues du lecteur), de mettre au point des formules de dérivation pour chacune des autres fonctions trigonométriques.

Dérivée de la fonction cosinus

$$\frac{d}{dx}(\cos u) = \frac{d}{dx}(\sin(\frac{\pi}{2} - u)) \qquad \text{(formule } \cos A = \sin(\frac{\pi}{2} - A))$$

$$= \cos(\frac{\pi}{2} - u)\frac{d}{dx}(\frac{\pi}{2} - u) \quad \text{(formule } \frac{d}{dx}(\sin u) = \cos u\frac{du}{dx})$$

$$= \sin u(-\frac{du}{dx}) \qquad \text{(formule } \sin A = \cos(\frac{\pi}{2} - A)).$$

Retenons donc la formule:

$$\frac{d}{dx}(\cos u) = -\sin u\frac{du}{dx}. \qquad\qquad [18]$$

Dérivée de la fonction tangente

$$\frac{d}{dx}(\tan u) = \frac{d}{dx}(\frac{\sin u}{\cos u}) \qquad\qquad \text{(formule } \tan A = \frac{\sin A}{\cos A})$$

$$= \frac{\cos u(\sin u)' - \sin u(\cos u)'}{\cos^2 u} \qquad \text{(formule } (\frac{u}{v})' = \frac{vu' - uv'}{v^2})$$

$$= \frac{\cos u(\cos u)u' - \sin u(-\sin u)u'}{\cos^2 u}$$

$$= \frac{(\cos^2 u + \sin^2 u)u'}{\cos^2 u} = \frac{u'}{\cos^2 u} \quad \text{(formule } \sin^2 A + \cos^2 A = 1)$$

$$= \sec^2 u(u') \qquad\qquad \text{(formule } \sec A = \frac{1}{\cos A}).$$

Retenons donc la formule:

$$\frac{d}{dx}(\tan u) = \sec^2 u\,\frac{du}{dx} .$$

[19]

Dérivée de la fonction cotangente

$$\frac{d}{dx}(\cot u) = \frac{d}{dx}\left(\frac{\cos u}{\sin u}\right) \qquad \left(\text{formule } \cot A = \frac{\cos A}{\sin A}\right)$$

$$= \frac{\sin u\,(\cos u)' - \cos u\,(\sin u)'}{\sin^2 u} \qquad \left(\text{formule } \left(\frac{u}{v}\right)' = \frac{vu' - uv'}{v^2}\right)$$

$$= \frac{\sin u\,(-\sin u)\,u' - \cos u\,(\cos u)\,u'}{\sin^2 u}$$

$$= \frac{-(\sin^2 u + \cos^2 u)\,u'}{\sin^2 u} = \frac{-u'}{\sin^2 u} \qquad (\text{formule } \sin^2 A + \cos^2 A = 1)$$

$$= -\csc^2 u\,(u') \qquad \left(\text{formule } \csc A = \frac{1}{\sin A}\right).$$

Retenons donc la formule:

$$\frac{d}{dx}(\cot u) = -\csc^2 u\,\frac{du}{dx} .$$

[20]

Dérivée de la fonction sécante

$$\frac{d}{dx}(\sec u) = \frac{d}{dx}\left(\frac{1}{\cos u}\right) = \frac{d}{dx}(\cos u)^{-1} \qquad \left(\sec A = \frac{1}{\cos A}\right)$$

$$= -(\cos u)^{-2}\,(\cos u)' \qquad \left(\frac{d}{dx}(u^n) = n u^{n-1}\frac{du}{dx}\right)$$

$$= \frac{-1}{\cos^2 u}\,(-\sin u)\,u' \qquad \left(\frac{d}{dx}(\cos u) = -\sin u\,\frac{du}{dx}\right)$$

$$= \frac{\sin u}{\cos^2 u}\,u' = \frac{1}{\cos u}\,\frac{\sin u}{\cos u}\,u' = \sec u\,\tan u\,u'.$$

Retenons donc la formule:

$$\frac{d}{dx}\,(\sec u)\ =\ \sec u \tan u\,\frac{du}{dx}\ .$$

[21]

Dérivée de la fonction cosécante

$$\frac{d}{dx}\,(\csc u)\ =\ \frac{d}{dx}\,(\frac{1}{\sin u})\ =\ \frac{d}{dx}\,(\sin u)^{-1}\ =\ -\,(\sin u)^{-2}\,(\sin u)'$$

$$=\ \frac{-1}{\sin^2 u}\,(\cos u)\,u'\ =\ -\,\frac{\cos u}{\sin^2 u}\,u'\ =\ -\,\frac{1}{\sin u}\,\frac{\cos u}{\sin u}\,u'$$

$$=\ -\,\csc u \cot u\ u'\ .$$

Retenons donc la formule:

$$\frac{d}{dx}\,(\csc u)\ =\ -\,\csc u \cot u\,\frac{du}{dx}\ .$$

[22]

Exemple 1
Pour la fonction $y = \tan^3 (3x^3)$, on a:

$$\frac{dy}{dx}\ =\ 3 \tan^2 (3x^3)\,(\tan (3x^3))'\qquad\qquad (\frac{d}{dx}\,(u^n)\ =\ n u^{n-1}\frac{du}{dx})$$

$$=\ 3 \tan^2 (3x^3)\,\sec^2 (3x^3)\,(3x^3)'\qquad (\frac{d}{dx}\,(\tan u)\ =\ \sec^2 u\,\frac{du}{dx})$$

$$=\ 3 \tan^2 (3x^3)\,\sec^2 (3x^3)\,(9x^2)\qquad\ \ (\frac{d}{dx}\,(x^n)\ =\ n x^{n-1})$$

$$=\ 27x^2 \tan^2 (3x^3)\,\sec^2 (3x^3)\ .$$

Exemple 2
Soit à dériver par rapport à x la fonction implicite $x + y = \cos 2y$. On a:

$$x + y = \cos 2y\ \Rightarrow\ 1 + y' = -\sin 2y\,(2y)'$$

$$\Rightarrow\ 1 + y' = -2 \sin 2y\ y'\qquad\qquad (\text{puisque } (2y)' = 2\,y')$$

$$\Rightarrow \quad y'(1 + 2\sin 2y) = -1$$

$$\Rightarrow \quad y' = \frac{-1}{1 + 2\sin 2y} \ .$$

9.5 Exercices

Dériver par rapport à x:

1. $f(x) = \sin 3x.$

2. $f(x) = \sin 2x - 2\sin x.$

3. $f(x) = \sin^3 x.$

4. $f(x) = \dfrac{1 - \sin x}{1 + \sin x} \ .$

5. $f(x) = \sin(x^2 - 3x - 6).$

6. $f(x) = \tan(2x^2 - 1).$

7. $f(x) = \dfrac{1}{2}\cot^2 2x.$

8. $f(x) = 4\sqrt{\tan 2x} \ .$

9. $f(x) = \cos \dfrac{x}{2} \ .$

10. $f(x) = \csc x \cot^2 x.$

11. $f(x) = \sec(x^2 - 1).$

12. $f(x) = x^2 \cot(x^2 + 5).$

13. $f(x) = \tan^2(3x - 2).$

14. $f(x) = \cot\sqrt{x - 1} \ .$

15. $f(x) = \sin^5 2x.$

16. $f(x) = \sec^2 x.$

17. $f(x) = 4x\cos^2 x.$

18. $f(x) = \dfrac{\tan x}{1 - \tan^2 x} \ .$

19. $f(x) = \tan^3 3x.$

20. $f(x) = \cos^4 2x.$

21. $f(x) = \sin x \cos x.$

22. $f(x) = \dfrac{\sec x}{\csc x} \ .$

23. $f(x) = x\sec 2x.$

24. $f(x) = \dfrac{x^2}{\tan x} \ .$

25. $f(x) = \dfrac{\tan x}{\cot x} \ .$

26. $x\sin x + y\cos y = 3 \ .$

27. $\sin y + 2x \cos x = 1$.   28. $\tan x = \sin y + x$.

29. $xy = \cot (x^2 + x - 4)$.   30. $x + y = \sin x + \cos y$.

9.6 Diverses applications des formules précédentes

Exemple 1

Soit à trouver la pente de la tangente à la courbe :

$$y = f(x) = \sin 2x - 2 \sin x$$

aux points $x = 0$, $x = \pi/2$ et $x = -\pi$. Puisque la pente de la tangente en un point d'une courbe est égale à la dérivée de la fonction en ce point, calculons donc d'abord la dérivée de f :

$$f'(x) = 2 \cos 2x - 2 \cos x = 2 (\cos 2x - \cos x).$$

Par conséquent les pentes cherchées sont respectivement :

$$m_1 = f'(0) = 2 (\cos 0 - \cos 0) = 0,$$

$$m_2 = f'(\pi/2) = 2 (\cos (\frac{2\pi}{2}) - \cos (\frac{\pi}{2})) = 2 ((-1) - 0) = -2,$$

$$m_3 = f'(-\pi) = 2 (\cos (-2\pi) - \cos (-\pi)) = 2 (1 - (-1)) = 4.$$

Exemple 2

Soit à trouver l'équation de la normale à la courbe :

$$y = f(x) = \cos x$$

au point P d'abscisse $x = \pi/6$. (Rappelons que, dans le plan, la **normale** à une courbe en un point P de cette courbe est la droite passant par P et tracée perpendiculairement à la tangente à la courbe au point P (V. figure ci-dessous).)

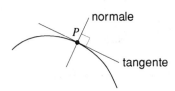

Pour résoudre le problème, nous allons: (a) calculer la dérivée de la fonction f, (b) calculer la pente m_1 de la tangente à la courbe au point P, (c) calculer la pente de la normale au point P (qui est $m_2 = -1/m_1$, rappelons-le), et (d) produire l'équation de la normale en question. La dérivée de f est:

$$f'(x) \ = \ -\sin x .$$

La pente de la tangente au point $P(\frac{\pi}{6}, f(\frac{\pi}{6}))$ est:

$$m_1 \ = \ f'(\frac{\pi}{6}) \ = \ -\sin (\frac{\pi}{6}) \ = \ -\frac{1}{2} \ .$$

La pente de la normale au point P est par conséquent:

$$m_2 \ = \ \frac{-1}{m_1} \ = \ 2 .$$

Avant de produire l'équation de la normale au point P, observons que:

$$P \ = \ (\frac{\pi}{6}, f(\frac{\pi}{6})) \ = \ (\frac{\pi}{6}, \cos (\frac{\pi}{6})) \ = \ (\frac{\pi}{6}, \frac{\sqrt{3}}{2}) .$$

Par suite, l'équation de la normale est $\dfrac{y - y_1}{x - x_1} = m_2$, c'est-à-dire $\dfrac{y - \frac{\sqrt{3}}{2}}{x - \frac{\pi}{6}} = 2$, ce qui donne donc finalement:

$$y \ = \ 2\,(x - \frac{\pi}{6}) + \frac{\sqrt{3}}{2} \ .$$

Exemple 3

Soit à identifier les extrémums relatifs de la fonction:

$$f(x) \ = \ \cos^2 x$$

sur l'intervalle $[0, 2\pi]$. La dérivée première est:

$$f'(x) \ = \ 2 \cos^1 x \, (\cos x)' \ = \ 2 \cos x \,(-\sin x) \ = \ -2 \sin x \cos x$$

$$= \ -\sin 2x \qquad\qquad \text{(formule } \sin 2A = 2 \sin A \cos A).$$

Mais, pour x situé dans l'intervalle $[0, 2\pi]$ (et donc pour $2x$ situé dans l'intervalle $[0, 4\pi]$), on a $\sin 2x = 0$ pour $2x = 0$, $2x = \pi$, $2x = 2\pi$, $2x = 3\pi$ et $2x = 4\pi$, c'est-à-dire pour $x = 0$, $x = \dfrac{\pi}{2}$, $x = \pi$, $x = \dfrac{3\pi}{2}$ et $x = 2\pi$. Ce sont donc là les valeurs critiques attachées à la dérivée première. D'où le tableau ci-après, qui répond à la question :

x		0		$\pi/2$		π		$3\pi/2$		2π	
$f'(x)$	+	0	–	0	+	0	–	0	+	0	–
$f(x)$	↗	max	↘	min	↗	max	↘	min	↗	max	↘

Exemple 4

Soit à étudier la concavité et à identifier le(s) point(s) d'inflexion de la courbe de la fonction :

$$f(x) = \cos 3x$$

sur l'intervalle $[0, \pi]$. Les dérivées première et seconde de f sont :

$$f'(x) = -\sin 3x\,(3x)' = -3\sin 3x \qquad \text{et}$$

$$f''(x) = -3\cos 3x\,(3x)' = -9\cos 3x.$$

Les valeurs critiques relatives à la dérivée seconde vont suffire ici pour répondre à la question. Or, pour x situé dans l'intervalle $[0, \pi]$ (et donc pour $3x$ situé dans l'intervalle $[0, 3\pi]$), on a $\cos 3x = 0$ pour $3x = \dfrac{\pi}{2}$, $\dfrac{3\pi}{2}$ et $\dfrac{5\pi}{2}$, c'est-à-dire pour $x = \dfrac{\pi}{6}$, $\dfrac{\pi}{2}$ et $\dfrac{5\pi}{6}$. Ce sont donc là les valeurs critiques cherchées. D'où le tableau ci-après, qui répond à la question :

x	0		$\pi/6$		$\pi/2$		$5\pi/6$		π
$f''(x)$		–	0	+	0	–	0	+	
$f(x)$		⌢	infl	⌣	infl	⌢	infl	⌣	

Exemple 5

Soit à faire l'étude complète de la fonction:

$$f(x) = x - 2\sin x$$

sur l'intervalle $[0, 2\pi]$.

1. *Domaine de définition:* $D_f = [0, 2\pi]$ (par hypothèse).

2. *Asymptotes:*   Aucune.

3. *Dérivée première*

$$f'(x) = 1 - 2\cos x .$$

Comme (sur l'intervalle $[0, 2\pi]$):

$$1 - 2\cos x = 0 \quad \Rightarrow \quad \cos x = \frac{1}{2} \quad \Rightarrow \quad x = \frac{\pi}{3} \text{ et } x = \frac{5\pi}{3} ,$$

les valeurs critiques attachées à la dérivée première sont donc: $\dfrac{\pi}{3}$ et $\dfrac{5\pi}{3}$.

4. *Dérivée seconde*

$$f''(x) = 2\sin x .$$

Comme, sur l'intervalle $[0, 2\pi]$, on a: $\sin x = 0 \Rightarrow x = 0$, $x = \pi$ et $x = 2\pi$, les valeurs critiques attachées à la dérivée seconde sont donc: 0, π et 2π.

5. *Tableau synthèse*

x		0		$\pi/3$		π		$5\pi/3$		2π	
$f'(x)$	–	–	–	0	+	+	+	0	–	–	–
↗|↘	↘	↘	↘		↗	↗	↗		↘	↘	↘
$f''(x)$	–	0	+	+	+	0	–	–	–	0	+
⌣/⌢	⌢		⌣	⌣	⌣		⌢	⌢	⌢		⌣
$f(x)$	↘	infl 0	↘	min −0,68	↗	infl π	↗	max 6,97	↘	infl 2π	↘

6. *Graphique de la fonction :*

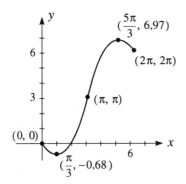

9.7 Exercices

1. Calculer la pente de la tangente à la courbe de la fonction $f(x) = \sin 3x$ aux points $x = 0$, $x = \pi/2$ et $x = -\pi$.

2. Même question si la fonction est changée pour $f(x) = \cos 3x - \sin 3x$.

3. Quelle est l'équation de la tangente à la courbe $y = \sin x$ au point $x = \pi/2$?

4. Trouver les extrémums relatifs de la fonction $f(x) = \sin x$ sur l'intervalle $[0, 2\pi]$.

5. Trouver les extrémums relatifs de la fonction $f(x) = 2x - \tan x$ sur l'intervalle $]-\pi/2, \pi/2[$.

6. Identifier les points d'inflexion de la fonction $f(x) = \cos x$ sur l'intervalle $]0, 2\pi[$.

7. Identifier les points d'inflexion de la fonction $f(x) = \sin x - x$ sur l'intervalle $[-\pi/2, \pi/2]$,

8. Faire l'étude complète de la fonction $f(x) = \dfrac{x}{2} - \sin x$ sur l'intervalle $]-\pi, \pi[$.

9.8 Fonctions réciproques

Considérons la fonction:

$$y = 2x + 3 , \tag{3}$$

en accordant, comme à l'accoutumée, le rôle de variable dépendante à y et celui de variable indépendante à x. À partir de la fonction (3), constituons une nouvelle fonction en interchangeant les rôles des variables, c'est-à-dire en remplaçant y par x et x par y:

$$x = 2y + 3 .$$

À partir de cette dernière expression, explicitons y en fonction de x:

$$y = \frac{x - 3}{2} . \tag{4}$$

Si, dans l'expression (4), nous attribuons à y le rôle de variable dépendante et à x celui de variable indépendante (de la même manière que nous le faisions en (3)), nous pouvons affirmer que les fonctions (3) et (4) sont ***réciproques*** l'une de l'autre. À noter que, en vertu même de la concordance qui les relie, deux fonctions réciproques sont telles que si un point (a, b) appartient à la courbe de l'une, alors le point (b, a) appartient automatiquement à la courbe de l'autre, ce qui entraîne donc que les deux courbes sont symétriques par rapport à la droite $y = x$ (V. figure ci-dessous).

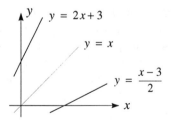

Remarque 1

Un bel exemple de fonctions réciproques est celui des fonctions $y = \log_a x$ (fonction logarithme de base a) et $y = a^x$ (fonction exponentielle de base a) dont il a été question au chapitre 8 (V. page 200, Remarque 2). Le graphique ci-après, emprunté au chapitre 8, illustre cet exemple.

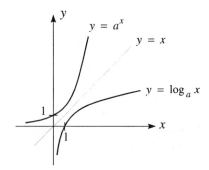

Remarque 2

Il arrive souvent que la relation réciproque d'une fonction ne soit pas une fonction à proprement parler. Par exemple, la fonction $y = x^2$ (V. figure de gauche ci-dessous) a pour relation réciproque $y = \pm\sqrt{x}$ (V. figure de droite) qui n'est pas une fonction, puisque, par exemple, la valeur $x = 4$ a deux images : $y = 2$ et $y = -2$.

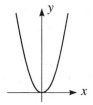 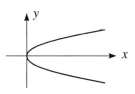

Cependant, si on réduit adéquatement le domaine de définition de la fonction $y = x^2$, par exemple si on réduit son domaine de définition à l'intervalle $[0, \infty[$ (V. graphique de gauche ci-après), alors sa relation réciproque est aussi une fonction (V. graphique de droite ci-après). Lorsque la relation réciproque d'une fonction f est elle-même une fonction, on dit que la fonction f est ***inversible***. C'est le cas, par exemple, de la fonction $y = x^2$, $x \in [0, \infty[$, dont on vient de parler.

 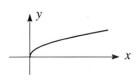

9.9 Fonctions trigonométriques inverses

De par leur nature, les fonctions trigonométriques (sinus, cosinus, etc.) ne sont pas inversibles, c'est-à-dire que leurs relations réciproques ne sont pas des fonctions. Cependant, si on réduit adéquatement leur domaine de définition, elles deviennent inversibles. On obtient alors ce qu'on appelle les *fonctions trigonométriques inverses*. C'est de la catégorie des fonctions trigonométriques inverses dont il sera maintenant question.

Sauf les fonctions «Arc sinus» et «Arc tangente» (V. plus loin), qui sont souvent utilisées en calcul intégral, les fonctions trigonométriques inverses sont relativement peu employées. Ci-après nous étudierons en premier lieu et en détail les fonctions Arc sinus et Arc tangente. Par la suite, nous nous bornerons à produire les graphiques et les formules de dérivation des fonctions Arc cosinus et Arc cotangente. Quant aux fonctions Arc sécante et Arc cosécante, qui se prêtent moins bien à l'inversion et sont le plus rarement utilisées, nous les ignorerons.

9.10 La fonction Arc sinus

À la question «Quel est l'angle (les angles) dont le sinus est $1/2$?», il y a bien entendu une infinité de réponses, celles-ci étant :

$$\frac{\pi}{6}, \quad \frac{5\pi}{6}, \text{ etc.} \qquad \text{ainsi que} \qquad -\frac{7\pi}{6}, \quad -\frac{11\pi}{6}, \text{ etc.}$$

D'une façon raccourcie, la question précédente se pose sous la forme d'une équation, comme suit :

$$y = \text{arc sin } \frac{1}{2} , \tag{5}$$

qui pourrait se lire comme suit : «y représente l'arc (les arcs), mesuré(s) en radians, dont le sinus est $1/2$». Ceci dit, rappelons le graphique de la fonction sinus (en nous limitant à l'intervalle $[-2\pi, 2\pi]$) :

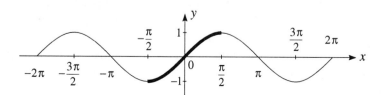

Comme cette fonction n'est pas inversible, nous allons la rendre telle en limitant son domaine de définition à l'intervalle $[-\pi/2, \pi/2]$ (courbe tracée en trait gras ci-dessus). Ainsi confinée à l'intervalle $[-\pi/2, \pi/2]$, la fonction sinus est appelée la fonction **Sinus** (avec une majuscule). On dit que c'est la fonction **sinus principale**. La fonction Sinus est illustrée par le graphique de gauche ci-après. Son inverse, appelée la fonction **Arc sinus** (avec un *A* majuscule) est illustrée à droite :

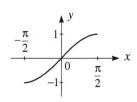
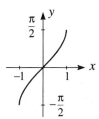

fonction Sinus   fonction Arc sinus

Bien retenir que, par définition :

$$a = \text{Arc sin } b \quad \Leftrightarrow \quad b = \text{Sin } a \, . \tag{6}$$

Par exemple, on a :

$$\text{Arc sin } 0{,}5 \; = \; \frac{\pi}{6} \, ,$$

$$\text{Arc sin } (-0{,}5) \; = \; -\frac{\pi}{6} \, ,$$

$$\text{Arc sin } 1 \; = \; \frac{\pi}{2} \, ,$$

$$\text{Arc sin } (-1) \; = \; -\frac{\pi}{2} \, .$$

Remarque

Signalons que les calculatrices sont en général programmées de telle manière que l'on n'obtienne par la fonction Arc sin que des valeurs appartenant au domaine de définition de la fonction *sinus principale* telle que définie ci-dessus (l'intervalle $[-\pi/2, \pi/2]$). Nous invitons le lecteur à vérifier ce fait sur sa propre calculatrice. Il en ira ainsi pour les fonctions Arc tan et Arc cos dont il sera question plus loin.

Dérivée de la fonction Arc sinus

Soit à dériver la fonction :

$$y = \text{Arc sin } x.$$

En nous basant sur la définition (6), passons à la forme équivalente :

$$x = \text{Sin } y. \tag{7}$$

Par dérivation implicite (par rapport à x) on obtient :

$$1 = \text{Cos } y \; \frac{dy}{dx}. \tag{8}$$

De la formule $\sin^2 A + \cos^2 A = 1$, on tire cette autre : $\cos A = \sqrt{1 - \sin^2 A}$ (où on n'a retenu que le signe positif devant le radical, vu que $\cos A$ est positif pour toute valeur de A prise dans l'intervalle $[-\pi/2, \pi/2]$). Par suite (8) devient :

$$1 = \sqrt{1 - \sin^2 y} \; \frac{dy}{dx}. \tag{9}$$

Comme, par définition (V. (7)), $\text{Sin } y = x$, il découle de (9) que :

$$1 = \sqrt{1 - x^2} \; \frac{dy}{dx},$$

ce qui donne finalement :

$$\frac{dy}{dx} = \frac{1}{\sqrt{1 - x^2}}.$$

Retenons donc la formule :

$$\boxed{\frac{d}{dx} (\text{Arc sin } x) = \frac{1}{\sqrt{1 - x^2}}}.$$

D'une façon plus générale, en vertu de la formule [9] pour la dérivation d'une fonction de fonction (V. page 114) on a:

$$\frac{d}{dx}(\text{Arc sin } u) = \frac{1}{\sqrt{1-u^2}} \frac{du}{dx} \qquad . \qquad\qquad [23]$$

Exemple 1

Soit à dériver la fonction $f(x) = \text{Arc sin } x^4$.

En posant $u = x^4$, on a (en vertu de la formule [23]):

$$f'(x) = \frac{1}{\sqrt{1-(x^4)^2}}(x^4)' = \frac{4x^3}{\sqrt{1-x^8}} .$$

Exemple 2

Pour la fonction $f(x) = x^2 \text{ Arc sin } 3x$, on a:

$$f'(x) = x^2(\text{Arc sin } 3x)' + (\text{Arc sin } 3x)(x^2)' \qquad (\frac{d}{dx}(uv) = u\frac{dv}{dx} + v\frac{du}{dx})$$

$$= x^2\frac{1}{\sqrt{1-(3x)^2}}(3x)' + (\text{Arc sin } 3x)(2x)$$

$$= \frac{3x^2}{\sqrt{1-9x^2}} + 2x \text{ Arc sin } 3x.$$

Exemple 3

Pour la fonction $f(x) = (\text{Arc sin } 2x)^5$, on a:

$$f'(x) = 5(\text{Arc sin } 2x)^4(\text{Arc sin } 2x)' \qquad (\frac{d}{dx}(u^n) = nu^{n-1}\frac{du}{dx})$$

$$= 5(\text{Arc sin } 2x)^4\frac{1}{\sqrt{1-(2x)^2}}(2x)'$$

$$= \frac{10(\text{Arc sin } 2x)^4}{\sqrt{1-4x^2}} .$$

9.11   La fonction Arc tangente

Rappelons d'abord quel est le graphique de la fonction tangente (en nous limitant à l'intervalle $[-2\pi, 2\pi]$) :

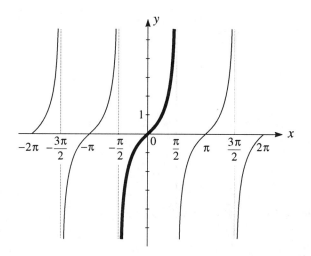

Afin d'obtenir une fonction inversible, on constitue la *fonction tangente principale*, appelée la *fonction Tangente* (avec une majuscule), en limitant le domaine de définition de la fonction tangente à l'intervalle $]-\pi/2, \pi/2[$. La courbe de la fonction Tangente n'est donc constituée que par la branche en trait gras dans le graphique ci-dessus. L'inverse de la fonction Tangente est la fonction *Arc tangente* (avec un *A* majuscule), dont voici le graphique :

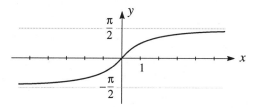

Retenir que, par définition :

$$a = \text{Arc tan } b \quad \Leftrightarrow \quad b = \text{Tan } a \ . \tag{10}$$

Dérivée de la fonction Arc tangente

Soit à dériver la fonction :

$$y = \text{Arc tan } x \ .$$

Pour y arriver, passons à la forme équivalente (V. (10)) :

$$x = \operatorname{Tan} y .$$ (11)

Par dérivation implicite on obtient :

$$1 = \sec^2 y \, \frac{dy}{dx} .$$

En vertu de la formule $\tan^2 A + 1 = \sec^2 A$ (V. page 217), il s'ensuit que :

$$1 = (1 + \tan^2 y) \, \frac{dy}{dx} .$$

Comme, par définition (V. (11)), $\tan y = x$, il s'ensuit que :

$$1 = (1 + x^2) \, \frac{dy}{dx} ,$$

ce qui donne finalement :

$$\frac{dy}{dx} = \frac{1}{1 + x^2} .$$

Retenons donc la formule :

$$\boxed{\frac{d}{dx} \left(\operatorname{Arc} \tan x \right) = \frac{1}{1 + x^2}} .$$

D'une façon plus générale, en vertu de la formule [9] pour la dérivation d'une fonction de fonction (V. page 114) on a :

$$\boxed{\frac{d}{dx} \left(\operatorname{Arc} \tan u \right) = \frac{1}{1 + u^2} \frac{du}{dx}} .$$ [24]

Exemple

Pour la fonction $y = x^2 \operatorname{Arc\,tan} 3x$, on a:

$$\frac{dy}{dx} = x^2 (\operatorname{Arc\,tan} 3x)' + (\operatorname{Arc\,tan} 3x)(x^2)' \qquad (\frac{d}{dx}(uv) = u\frac{dv}{dx} + v\frac{du}{dx})$$

$$= x^2 \frac{1}{1 + (3x)^2} (3x)' + (\operatorname{Arc\,tan} 3x)(2x)$$

$$= \frac{3x^2}{1 + 9x^2} + 2x \operatorname{Arc\,tan} 3x.$$

9.12 La fonction Arc cosinus

Rappelons d'abord quel est le graphique de la fonction cosinus (en nous limitant à l'intervalle $[-3\pi/2,\ 3\pi/2]$):

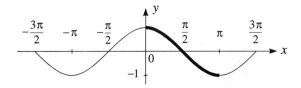

Afin d'obtenir une fonction inversible, on constitue la ***fonction cosinus principale***, appelée la ***fonction Cosinus*** (avec une majuscule), en limitant le domaine de la fonction cosinus à l'intervalle $[0, \pi]$, comme le suggère la figure. La fonction Cosinus est illustrée par le graphique de gauche ci-après. Son inverse, appelée la fonction ***Arc cosinus*** (avec un *A* majuscule) est illustrée à droite:

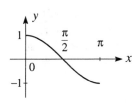

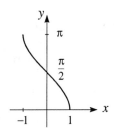

fonction Cosinus   fonction Arc cosinus

Donc, par définition, on a:

$$a = \operatorname{Arc\,cos} b \quad \Leftrightarrow \quad b = \operatorname{Cos} a . \tag{12}$$

En procédant de la même manière que pour la fonction Arc sinus, on trouve pour la dérivation de la fonction Arc cosinus la formule générale suivante :

$$\frac{d}{dx}\left(\text{Arc cos } u\right) = \frac{-1}{\sqrt{1-u^2}}\,\frac{du}{dx}\quad.$$

[25]

9.13 La fonction Arc cotangente

Rappelons tout d'abord quel est le graphique de la fonction cotangente (en nous limitant à l'intervalle $]-2\pi, 2\pi[$) :

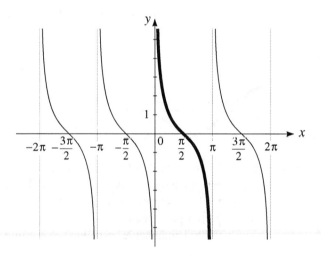

Afin d'obtenir une fonction inversible, il est convenu de limiter le domaine de définition à l'intervalle $]0, \pi[$, constituant ainsi la *fonction Cotangente* (avec une majuscule), dont la courbe ne comporte que la branche en trait gras dans le graphique ci-dessus. L'inverse de la fonction Cotangente est la fonction *Arc cotangente* (avec un *A* majuscule), dont voici le graphique :

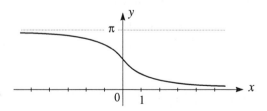

Retenir que, par définition:

$$a = \text{Arc cot } b \quad \Leftrightarrow \quad b = \text{Cot } a \ .$$ (13)

En procédant de la même manière que pour la fonction Arc tangente, on trouve pour la dérivation de la fonction Arc cotangente la formule générale suivante:

$$\frac{d}{dx}\left(\text{Arc cot } u\right) = \frac{-1}{1+u^2}\frac{du}{dx} \ .$$ [26]

9.14 Exercices

Dériver par rapport à x:

1. $y = \text{Arc sin } x^2$.

2. $y = \text{Arc sin } \sqrt{x}$.

3. $y = x \text{ Arc sin } 2x$.

4. $y = \left(\text{Arc sin } x\right)^3$.

5. $y = x \text{ Arc sin } x^3$.

6. $y = \text{Arc sin } \dfrac{x}{3}$.

7. $y = \text{Arc sin } (x-1)$.

8. $y = \left(\text{Arc tan } x\right)^4$.

9. $y = \text{Arc cos } x^3$.

10. $y = x^2 \text{ Arc cos } x$.

11. $y = 2 \text{ Arc tan } \dfrac{x}{2}$.

12. $y = \dfrac{1}{\text{Arc cot } x}$.

13. $y = \text{Arc tan } \dfrac{3}{x}$.

14. $y = x^2 \text{ Arc cos } 2x$.

15. $y = \text{Arc cot } \dfrac{x}{4}$.

16. $y = \text{Arc tan } \dfrac{1+x}{1-x}$.

17. $y = \left(\text{Arc sin } 2x\right)^2$.

18. $y^2 \cos 2x + x^2 \sin 2y = 4$.

19. $x \text{ Arc cos } y = x + y$.

20. $x \text{ Arc tan } y = x + 6$.

9.15 Résumé du chapitre

(a) Le radian

Le *radian* est l'unité de mesure d'angle correspondant à un arc de cercle de longueur égale au rayon du
cercle. L'angle θ de la figure ci-contre est d'environ
1 radian. Si θ représente la mesure d'un angle en radians et d la mesure du même angle en degrés, alors
la correspondance entre les deux mesures est donnée
par la formule :

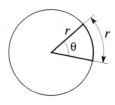

$$\frac{d}{180} = \frac{\theta}{\pi}.$$

(b) Définition des fonctions trigonométriques

À partir de la situation illustrée par la figure de gauche ci-dessous, les 6 fonctions trigonométriques se définissent comme suit :

$$\sin\theta = y\,;$$

$$\csc\theta = \frac{1}{y} = \frac{1}{\sin\theta}\,;$$

$$\cos\theta = x\,;$$

$$\sec\theta = \frac{1}{x} = \frac{1}{\cos\theta}\,;$$

$$\tan\theta = \frac{y}{x} = \frac{\sin\theta}{\cos\theta}\,;$$

$$\cot\theta = \frac{x}{y} = \frac{1}{\tan\theta}.$$

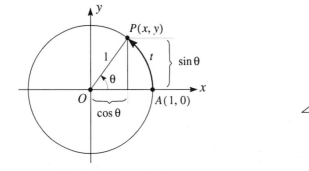

Et si on procède à partir d'un triangle rectangle (V. figure de droite ci-dessus),
les mêmes définitions s'expriment comme suit :

$$\sin A = \frac{\text{côté opposé}}{\text{hypothénuse}} = \frac{a}{c} \; ; \qquad\qquad \csc A = \frac{c}{a} = \frac{1}{\sin A} \; ;$$

$$\cos A = \frac{\text{côté adjacent}}{\text{hypothénuse}} = \frac{b}{c} \; ; \qquad\qquad \sec A = \frac{c}{b} = \frac{1}{\cos A} \; ;$$

$$\tan A = \frac{\sin A}{\cos A} = \frac{\text{côté opposé}}{\text{côté adjacent}} = \frac{a}{b} \; ; \qquad\qquad \cot A = \frac{b}{a} = \frac{1}{\tan A} \; .$$

(c) Quelques identités pratiques

$$\tan A = \frac{\sin A}{\cos A} \; ; \qquad\qquad \cot A = \frac{\cos A}{\sin A} = \frac{1}{\tan A} \; ;$$

$$\csc A = \frac{1}{\sin A} \; ; \qquad\qquad \sec A = \frac{1}{\cos A} \; ;$$

$$\sin^2 A + \cos^2 A = 1 \; ; \qquad\qquad \tan^2 A + 1 = \sec^2 A \; ;$$

$$\cot^2 A + 1 = \csc^2 A \; ; \qquad\qquad \sin 2A = 2 \sin A \cos A \; ;$$

$$\cos 2A = \cos^2 A - \sin^2 A \; .$$

(d) Une limite importante

Toutes les formules de dérivation concernant les fonctions trigonométriques sont basées sur la limite :

$$\lim_{x \to 0} \frac{\sin x}{x} = 1 ,$$

où (en ce qui concerne la fonction sinus) x doit obligatoirement représenter des radians.

(e) Formules de dérivation pour les fonctions trigonométriques

$$[17]: \quad \frac{d}{dx} (\sin u) = \cos u \, \frac{du}{dx} \; ;$$

$$[18]: \quad \frac{d}{dx} (\cos u) = - \sin u \, \frac{du}{dx} \; ;$$

$[19]: \quad \dfrac{d}{dx}(\tan u) = \sec^2 u \, \dfrac{du}{dx} \; ;$

$[20]: \quad \dfrac{d}{dx}(\cot u) = -\csc^2 u \, \dfrac{du}{dx} \; ;$

$[21]: \quad \dfrac{d}{dx}(\sec u) = \sec u \, \tan u \, \dfrac{du}{dx} \; ;$

$[22]: \quad \dfrac{d}{dx}(\csc u) = -\csc u \, \cot u \, \dfrac{du}{dx} \; ;$

$[23]: \quad \dfrac{d}{dx}(\text{Arc sin } u) = \dfrac{1}{\sqrt{1-u^2}} \, \dfrac{du}{dx} \; ;$

$[24]: \quad \dfrac{d}{dx}(\text{Arc tan } u) = \dfrac{1}{1+u^2} \, \dfrac{du}{dx} \; ;$

$[25]: \quad \dfrac{d}{dx}(\text{Arc cos } u) = \dfrac{-1}{\sqrt{1-u^2}} \, \dfrac{du}{dx} \; ;$

$[26]: \quad \dfrac{d}{dx}(\text{Arc cot } u) = \dfrac{-1}{1+u^2} \, \dfrac{du}{dx} \; .$

(f) Fonctions trigonométriques inverses

Fonction	Domaine de définition	Ensemble des images	Dérivée
Arc sin u	$[-1, 1]$	$[-\pi/2, \pi/2]$	$\dfrac{1}{\sqrt{1-u^2}} \, \dfrac{du}{dx}$
Arc cos u	$[-1, 1]$	$[0, \pi]$	$\dfrac{-1}{\sqrt{1-u^2}} \, \dfrac{du}{dx}$
Arc tan u	R	$]-\pi/2, \pi/2[$	$\dfrac{1}{1+u^2} \, \dfrac{du}{dx}$
Arc cot u	R	$]0, \pi[$	$\dfrac{-1}{1+u^2} \, \dfrac{du}{dx}$

9.16 Exercices de révision

Pour les questions 1 à 22, dériver par rapport à x:

1. $y = x^2 \sec^3 x$.

2. $y = \sin(e^{\sin x})$.

3. $y = x^{\tan 3x}$.

4. $y = (\text{Arc} \sin x) \log_2 x$.

5. $x \operatorname{Arc} \sin y = y$.

6. $y = e^{xy} - \cos y$.

7. $y = (\operatorname{Arc} \tan x)^2$.

8. $y = x^2 \sin^5 2x$.

9. $y = e^x \cos 3x$.

10. $y = \dfrac{\operatorname{Arc} \cot x}{\ln x}$.

11. $y = \ln(\sec 2x)$.

12. $y = \cos^4 5x$.

13. $y = \sqrt{\operatorname{Arc} \tan \dfrac{1}{x}}$.

14. $y = e^{\operatorname{Arc} \sin x} + \sin e^{2x}$.

15. $y = \tan x \ln x^2$.

16. $y = \dfrac{\operatorname{Arc} \sin x}{x^2}$.

17. $e^y = \sin 2x + xy$.

18. $\tan y - 2x \sin x = 4y$.

19. $y = x(\operatorname{Arc} \tan 3x)^4$.

20. $y = \operatorname{Arc} \sin e^{2x}$.

21. $y = \sin(\ln 3x)$.

22. $y = \sec e^x + e^{\sec x}$.

23. Trouver les extrémums relatifs de la fonction $y = \sin 3x$ sur l'intervalle $[0, \pi]$.

24. Trouver le(s) point(s) d'inflexion de la fonction $y = x + \cos x$ sur l'intervalle $[0, 2\pi]$.

25. Trouver le(s) point(s) d'inflexion de la fonction $y = x - 2\sin x$ sur l'intervalle $[0, \pi]$.

26. Calculer la pente de la tangente à la courbe de la fonction $f(x) = \sin^3 x$ aux points $x = 0$, $x = \pi/2$ et $x = -\pi$.

27. Même question si la fonction est changée pour $f(x) = \cos \dfrac{x}{2}$.

28. Quelle est l'équation de la tangente à la courbe $y = \tan x$ au point $x = 0$?

29. Trouver les extrémums relatifs de la fonction $f(x) = \sin^2 x$ sur l'intervalle $[0, 2\pi]$.

30. Trouver les extrémums relatifs de la fonction $f(x) = x + \cos 2x$ sur l'intervalle $[0, \pi]$.

31. Identifier les points d'inflexion de la fonction $f(x) = \tan x - 4x$ sur l'intervalle $[-\pi/2, \pi/2]$.

32. Faire l'étude complète de la fonction $f(x) = \tan x$ sur l'intervalle $]0, 2\pi[$.

33. Faire l'étude complète de la fonction $f(x) = \sin 2x$ sur l'intervalle $]0, 2\pi[$.

Défis à relever

34. Un observateur regarde un avion venant de passer au-dessus de sa tête et s'éloignant en ligne directe à une vitesse constante de 1000 km/h à une altitude constante de 4 km. Quel est le taux de variation par rapport au temps de l'angle θ formé par la ligne de vision et la ligne d'horizon de l'observateur lorsque la distance horizontale entre l'observateur et l'avion est de 3 km (V. figure ci-contre)?

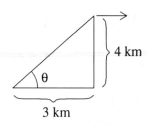

35. Prouver que, de tous les triangles isocèles dont les côtés égaux égalent un mètre, le triangle rectangle est celui dont l'aire est maximale.

36. Alors que la base d'un triangle isocèle est maintenue égale à 0,96 m, on augmente sa hauteur de 3 cm par minute. Quel est le taux de variation de l'angle au sommet par rapport au temps (en radians par minute) quand la hauteur égale 0,48 m?

37. Une force F tire un container de poids P sur un plan horizontal. La ligne d'action de la force fait un angle x avec le plan. La grandeur de la force est :

$$F = \frac{kP}{k \sin x + \cos x} \text{ ,}$$

où k représente le coefficient de frottement. Montrer que l'effort de traction est minimal quand $k = \tan x$.

38. Montrer que $\operatorname{Arc\,sin} x$ (x en radians) s'accroit au même taux que x lorsque $x = 0$ et s'accroit plus rapidement que x pour toute autre valeur de x choisie dans l'intervalle $[-1, 1]$. (*Suggestion:* Comparer les taux de variation des fonctions $y = \operatorname{Arc\,sin} x$ et $y = x$.)

39. Un panneau publicitaire haut de 10 m est fixé de telle sorte que sa base est située à 8 m au-dessus de la ligne d'horizon des observateurs. À quelle distance doit-on se placer pour que l'angle de vision θ soit maximal (V. figure) ?

    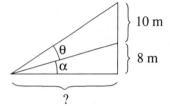

    (*Suggestion:* Faire appel à la formule :

    $$\tan(\alpha + \theta) = \frac{\tan \alpha + \tan \theta}{1 - \tan \alpha \tan \theta} \text{ .)}$$

Chapitre 10

ÉLÉMENTS DE CALCUL INTÉGRAL

Il arrive que, connaissant la dérivée d'une fonction sans connaître cette fonction elle-même, on ait besoin de remonter à celle-ci. Passer de la dérivée d'une fonction à la fonction d'origine s'appelle *intégrer*. La branche correspondante des mathématiques s'appelle *calcul intégral*. Alors que le calcul différentiel s'intéresse surtout au mouvement des corps et aux taux de variation, le calcul intégral s'occupe plutôt du calcul des longueurs, des aires et des volumes. Nous allons voir les premiers rudiments de ce calcul dans le présent chapitre, quitte à ce que ceux et celles qui le préfèrent, abordent le calcul intégral d'une manière plus élaborée à l'intérieur d'un autre cours de mathématiques (à l'aide, par exemple, du tome 2 de cet ouvrage). Quoi qu'il en soit, ce qui est proposé dans le présent chapitre devrait fournir les connaissances élémentaires de calcul intégral indispensables à un premier cours de *probabilités* et *statistiques*.

L'idée des *différentielles dx* et *dy* (voir plus loin) fut émise par Leibniz dans sa définition de la dérivée. La notion d'intégrale est tellement liée à celle de dérivée que Newton et Leibniz, les inventeurs du calcul différentiel, l'ont découverte à peu près en même temps. C'est au mathématicien Riemann (Allemagne, 1826-1866) qu'on est principalement redevable de la notion d'*intégrale définie*. Voilà pourquoi cette intégrale est aussi appelée *intégrale de Riemann*.

10.1 Objectifs du chapitre

À la fin de ce chapitre, l'élève devra savoir:

- définir l'*intégrale indéfinie* d'une fonction en faisant le lien avec la notion de dérivée;
- calculer diverses intégrales indéfinies;
- utiliser la technique du *changement de variable* pour intégrer;
- définir l'*intégrale définie* en faisant le lien avec l'intégrale indéfinie;
- calculer les intégrales définies;
- évaluer l'*aire* délimitée par la courbe d'une fonction, l'axe des x et deux droites parallèles à l'axe des y.

10.2 Les différentielles

Comme nous l'avons vu précédemment, on utilise, entre autres, la notation:

$$\frac{dy}{dx}$$

pour désigner la dérivée d'une fonction $y = f(x)$. D'après le sens qu'on lui a donné jusqu'ici, cette notation ne représente pas un quotient, mais plutôt une fonction, la fonction $y' = f'(x)$, qui est la limite du quotient:

$$\frac{\Delta y}{\Delta x}$$

lorsque Δx tend vers zéro. Il se présente cependant des problèmes où il est utile de donner des significations séparées à dx et à dy, particulièrement dans les applications du calcul intégral.

La différentielle *dx*

L'expression dx est appelée ***différentielle*** lorsqu'on lui attribue une valeur réelle non nulle en posant $dx = \Delta x$ (Δx désignant un petit accroissement non nul de la variable x).

La différentielle *dy*

La ***différentielle*** dy est une variable au même titre que la différentielle dx, sauf qu'elle est reliée à cette dernière par la formule:

$$dy = f'(x)\,dx \quad , \tag{1}$$

où, comme à l'accoutumée, $f'(x)$ désigne la dérivée de la fonction $f(x)$ concernée, c'est-à-dire la pente de la tangente T à la courbe de $f(x)$ au point $(x, f(x))$ (V. figure ci-après). À un autre point de vue, si θ désigne l'angle que fait la tangente T avec l'axe des x, alors:

$$dy = \tan \theta \, dx.$$

En somme, en tant que différentielle, dy a la valeur relative illustrée sur la figure ci-dessous. Elle diffère donc de la valeur habituellement attribuée à Δy, comme il apparait bien sur la même figure.

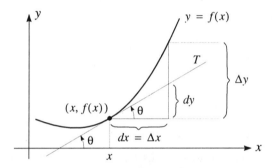

On aurait $dy = \Delta y$ si la courbe de $y = f(x)$ était une droite (laquelle serait alors confondue avec la tangente T).

Exemple 1

Pour la fonction $y = f(x) = x^3$, donner une formule exprimant la différentielle dy par rapport à la différentielle dx.

Puisque la dérivée de $f(x)$ est $f'(x) = 3x^2$, alors, en vertu de la définition (1) ci-dessus, la formule demandée est:

$$dy = 3x^2 \, dx \, .$$

Exemple 2

Même question pour la fonction $y = f(x) = \sin 2x$. Dans ce cas-ci on a:

$$dy = 2 \cos 2x \, dx,$$

puisque la dérivée de $\sin 2x$ est $2 \cos 2x$.

10.3 Exercices

Donner une formule exprimant la différentielle dy en fonction de la différentielle dx, si:

1. $y = x^6 + 2x^3 - 5x$.

2. $y = (x^2 - 4)^{1/3}$.

3. $y = \dfrac{\sin x}{x}$.

4. $y = \ln(\sin x^2)$.

5. $y = \tan x^3$.

6. $y = e^{\tan x} + 4^x$.

7. $y = \text{Arc}\cos(3x^2)$.

8. $y = \dfrac{5 - 3x}{2x + 7}$.

9. $y = x$.

10. $y = x \sin x$.

10.4 Primitive – Intégrale indéfinie

Dans les chapitres précédents, nous nous sommes longuement penchés sur la manière de calculer la dérivée $f'(x)$ d'une fonction donnée $f(x)$. Nous allons maintenant nous intéresser à la démarche inverse, c'est-à-dire que, étant donnée une fonction $f(x)$, nous allons chercher quelle(s) fonction(s) pourrai(en)t avoir $f(x)$ comme dérivée. Si $F(x)$ est une telle fonction, on dit que $F(x)$ est une *primitive* de $f(x)$.

Par exemple, par le fait que la fonction $2x$ est la dérivée de la fonction x^2, on peut affirmer que x^2 est une primitive de $2x$. Mais la fonction $2x$ admet aussi d'autres primitives, par exemple les fonctions $x^2 + 1$, $x^2 + 2$ et $x^2 + 3$, ainsi que toute fonction de la forme $x^2 + C$, où C est une constante quelconque. En fait, la fonction $x^2 + C$ récapitule toutes les primitives de la fonction $2x$. On dit qu'elle est l'*intégrale indéfinie* de la fonction $2x$, ce qu'on signifie en écrivant:

$$\int 2x \, dx = x^2 + C.$$

La différentielle dx apparaissant dans le membre de gauche de l'égalité ci-dessus est là pour souligner le fait que l'intégration est faite par rapport à la variable x. D'autre part, la fonction à intégrer (la fonction $2x$ dans l'exemple ci-dessus) est appelée l'*intégrande*.

DÉFINITION

On dit que $F(x) + C$ est l'***intégrale indéfinie*** de la fonction $f(x)$ si et seulement si $\dfrac{d}{dx} F(x) = f(x)$. On signifie cela en écrivant:

$$\int f(x)\, dx = F(x) + C,$$

où C représente une constante quelconque appelée la ***constante d'intégration***. La fonction à intégrer $f(x)$ est appelée l'***intégrande***. (La dérivation de la primitive $F(x)$ doit donner l'intégrande $f(x)$.)

Remarque

Signalons que, mise à part la valeur de la constante d'intégration C (qui peut être quelconque), l'intégrale indéfinie d'une fonction est *uniquement déterminée*. Nous admettrons ce fait important sans démonstration, n'ayant pas ici en main les outils appropriés pour faire cette démonstration.

10.5 Formules d'intégration

Intégration de la *n*-ième puissance d'une fonction *u*

À partir de la formule générale de dérivation $\dfrac{d}{dx}(u^n) = nu^{n-1}\dfrac{du}{dx}$, on observe que:

$$\int 3x^2\, dx = x^3 + C \qquad \left(\text{puisque } \frac{d}{dx}(x^3) = 3x^2\right);$$

$$\int 4x^3\, dx = x^4 + C \qquad \left(\text{puisque } \frac{d}{dx}(x^4) = 4x^3\right);$$

$$\int 5x^4\, dx = x^5 + C \qquad \left(\text{puisque } \frac{d}{dx}(x^5) = 5x^4\right).$$

On observe également que:

$$\int x^2\, dx = \frac{x^3}{3} + C \qquad \left(\text{puisque } \frac{d}{dx}\left(\frac{x^3}{3}\right) = \frac{3x^2}{3} = x^2\right);$$

$$\int x^3\, dx = \frac{x^4}{4} + C \qquad \left(\text{puisque } \frac{d}{dx}\left(\frac{x^4}{4}\right) = \frac{4x^3}{4} = x^3\right);$$

$$\int x^4\, dx = \frac{x^5}{5} + C \qquad \left(\text{puisque } \frac{d}{dx}\left(\frac{x^5}{5}\right) = \frac{5x^4}{5} = x^4\right).$$

D'une manière générale, pour $n \neq -1$, on a:

$$\int u^n \, du = \frac{u^{n+1}}{n+1} + C \quad , \tag{28}$$

vu que:

$$\frac{d}{du}\left(\frac{u^{n+1}}{n+1}\right) = \frac{1}{n+1}(n+1)u^{(n+1)-1} = u^n.$$

Tout ceci pour souligner le fait qu'à partir des formules de *dérivation* déjà établies il est tout simple de construire les formules d'*intégration* correspondantes, et ceci, compte tenu du fait que, si elle existe, l'intégrale indéfinie d'une fonction est uniquement déterminée, abstraction faite de la valeur de la constante d'intégration (V. remarque précédente). Plus loin, nous allons dresser une liste de formules élémentaires d'intégration en confrontant chacune avec la formule de dérivation correspondante ou en renvoyant à une formule d'intégration déjà établie. Au préalable, poursuivons avec nos considérations d'ordre général en nous aidant d'exemples.

Exemple 1

$$\int x^{15} \, dx = \frac{x^{16}}{16} + C.$$

Exemple 2

$$\int \frac{1}{\sqrt{x^3}} \, dx = \int x^{-3/2} \, dx \qquad \text{(de manière à donner à la fonction à intégrer la forme } u^n)$$

$$= \frac{x^{-3/2+1}}{-\frac{3}{2}+1} + C \qquad \text{(formule: } \int u^n \, du = \frac{u^{n+1}}{n+1} + C)$$

$$= \frac{x^{-1/2}}{-\frac{1}{2}} + C = \frac{-2}{\sqrt{x}} + C.$$

Intégration de la différentielle *du*

On observe que :

$$\int du = \int u^0 \, du \qquad \text{(vu que } u^0 = 1\text{)}$$

$$= \frac{u^1}{1} + C \qquad \text{(formule : } \int u^n \, du = \frac{u^{n+1}}{n+1} + C\text{)}$$

$$= u + C.$$

Retenons donc la formule :

$$\int du = u + C \qquad . \tag{29}$$

Intégration du produit d'une fonction par une constante

Soient k une constante et $F(x)$ une fonction telle que $\frac{d}{dx} F(x) = f(x)$. Alors on a :

$$k \int f(x) \, dx = k \, (F(x) + C) \qquad \text{(vu que } \frac{d}{dx} F(x) = f(x) \text{ par hypothèse)}$$

$$= k \, F(x) + k \, C$$

$$= \int k \, f(x) \, dx \qquad \text{(vu que } \frac{d}{dx} (k \, F(x)) = k \frac{d}{dx} F(x) = k \, f(x)\text{)}.$$

D'où la règle :

$$\int k \, f(x) \, dx = k \int f(x) \, dx \qquad .$$

Si maintenant on pose $F(x) = u$, alors on a :

$$du = F'(x) \, dx = f(x) \, dx \, ,$$

ce qui nous amène à donner au résultat précédent la forme générale suivante :

$$\int k \, du = k \int du \qquad . \tag{30}$$

Intégration d'une somme de fonctions

Soient $F(x)$ et $G(x)$ des fonctions telles que $\dfrac{d}{dx} F(x) = f(x)$ et $\dfrac{d}{dx} G(x) = g(x)$. Alors on a:

$$\int f(x)\, dx + \int g(x)\, dx = F(x) + C_1 + G(x) + C_2$$

$$= (F(x) + G(x)) + (C_1 + C_2)$$

$$= \int (f(x) + g(x))\, dx,$$

en vertu du fait que:

$$\frac{d}{dx}(F(x) + G(x)) = \frac{d}{dx} F(x) + \frac{d}{dx} G(x) = f(x) + g(x).$$

D'où la règle:

$$\int (f(x) + g(x))\, dx = \int f(x)\, dx + \int g(x)\, dx \qquad (2)$$

Et si on pose:

$$u = F(x) \qquad \text{et} \qquad v = G(x),$$

les différentielles du et dv ont respectivement pour valeur:

$$du = F'(x)\, dx = f(x)\, dx \qquad \text{et} \qquad dv = G'(x)\, dx = g(x)\, dx,$$

ce qui entraîne donc que:

$$du + dv = f(x)\, dx + g(x)\, dx = (f(x) + g(x))\, dx.$$

Par conséquent, le résultat (2) peut revêtir le forme suivante:

$$\int (du + dv) = \int du + \int dv \qquad [31]$$

Exemple 3

À l'aide des formules précédemment établies (formules [28] à [31]), on trouve que :

$$\int (3 + 2x - x^4)\ dx = \int 3\ dx + \int 2x\ dx - \int x^4\ dx$$

$$= 3 \int dx + 2 \int x\ dx - \int x^4\ dx$$

$$= (3x + C_1) + 2\left(\frac{x^2}{2} + C_2\right) - \left(\frac{x^5}{5} + C_3\right)$$

$$= 3x + x^2 - \frac{x^5}{5} + C.$$

Exemple 4

$$\int (4 - x^2)\ x^2\ dx = \int (4x^2 - x^4)\ dx$$

$$= 4\frac{x^3}{3} - \frac{x^5}{5} + C.$$

Exemple 5

$$\int \frac{(x^2 + x + 1)}{\sqrt{x}}\ dx = \int x^{-1/2}(x^2 + x + 1)\ dx$$

$$= \int (x^{3/2} + x^{1/2} + x^{-1/2})\ dx$$

$$= \frac{x^{5/2}}{5/2} + \frac{x^{3/2}}{3/2} + \frac{x^{1/2}}{1/2} + C$$

$$= 2\left(\frac{\sqrt{x^5}}{5} + \frac{\sqrt{x^3}}{3} + \sqrt{x}\right) + C.$$

Liste de formules d'intégration

Voici maintenant une liste de formules d'intégration. Dans la plupart des cas nous avons mis en regard la formule de dérivation associée. C'est-à-dire que si, à l'aide de ladite formule associée, on dérive le membre de droite de la formule d'intégration, on doit revenir à la fonction intégrée (l'intégrande).

[28] : $\displaystyle\int u^n \, du \;=\; \frac{u^{n+1}}{n+1} \;+\; C \;\;(n \neq -1)$ $\qquad (\frac{d}{dx}\,(u^n) = n\,u^{n-1}\,\frac{du}{dx})$;

[29] : $\displaystyle\int du \;=\; u + C$ $\qquad$ (V. page 253) ;

[30] : $\displaystyle\int k \, du \;=\; k \int du$ $\qquad$ (V. page 253) ;

[31] : $\displaystyle\int (du + dv) \;=\; \int du \;+\; \int dv$ $\qquad$ (V. page 254) ;

[32] : $\displaystyle\int \frac{du}{u} \;=\; \ln |u| \;+\; C$ $\qquad (\frac{d}{dx}(\ln u) = \frac{1}{u}\,\frac{du}{dx})$;

[33] : $\displaystyle\int e^u \, du \;=\; e^u + C$ $\qquad (\frac{d}{dx}(e^u) = e^u\,\frac{du}{dx})$;

[34] : $\displaystyle\int \sin u \, du \;=\; -\cos u + C$ $\qquad (\frac{d}{dx}\,(\cos u) = -\sin u\,\frac{du}{dx})$;

[35] : $\displaystyle\int \cos u \, du \;=\; \sin u + C$ $\qquad (\frac{d}{dx}\,(\sin u) = \cos u\,\frac{du}{dx})$;

[36] : $\displaystyle\int \sec^2 u \, du \;=\; \tan u + C$ $\qquad (\frac{d}{dx}\,(\tan u) = \sec^2 u\,\frac{du}{dx})$;

[37] : $\displaystyle\int \csc^2 u \, du \;=\; -\cot u + C$ $\qquad (\frac{d}{dx}\,(\cot u) = -\csc^2 u\,\frac{du}{dx})$;

[38] : $\displaystyle\int \sec u \tan u \, du \;=\; \sec u + C$ $\qquad (\frac{d}{dx}\,(\sec u) = \sec u \tan u\,\frac{du}{dx})$;

[39] : $\displaystyle\int \csc u \cot u \, du \;=\; -\csc u + C$ $\qquad (\frac{d}{dx}\,(\csc u) = -\csc u \cot u\,\frac{du}{dx})$.

Remarque

La fonction *valeur absolue* apparaissant dans l'expression ln |u| de la formule [32] est là pour tenir compte du fait que, dans la fonction $1/u$ (constituant l'intégrande), la variable u pourrait bien admettre des valeurs négatives (non nulles), contrairement donc à la fonction logarithme, qui ne peut admettre que des valeurs strictement positives.

10.6 Changement de variable

Lorsqu'on calcule l'intégrale d'une fonction, il est souvent utile d'effectuer ce qu'on appelle *un changement de variable*. Afin de bien comprendre en quoi cela consiste, considérons la fonction :

$$f(x) = (x^2 + 1)^4.$$

Elle a pour dérivée :

$$f'(x) = 4 (x^2 + 1)^3 (x^2 + 2)'$$
$$= 4 (x^2 + 1)^3 (2x).$$

Supposons maintenant que nous ayons à intégrer la dernière expression. Comme $2x$ est la dérivée de $x^2 + 1$, effectuons un *changement de variable* en posant :

$$u = x^2 + 1.$$

Alors, par le fait que :

$$\frac{du}{dx} = \frac{d}{dx}(x^2 + 1) = 2x,$$

la différentielle du a donc pour valeur :

$$du = 2x\, dx.$$

Par suite on a :

$$\int 4 (x^2 + 1)^3 (2x)\, dx = \int 4u^3\, du \quad (\text{vu que } u = x^2 + 1 \text{ et } du = 2x\, dx)$$
$$= 4\frac{u^4}{4} + C = u^4 + C = (x^2 + 1)^4 + C,$$

ce qui est bien le résultat escompté.

Exemple 1

Soit à calculer l'intégrale indéfinie:

$$\int (3x^2 + x - 4)^4 (6x + 1) \ dx .$$

Par le fait que la seconde expression entre parenthèses est la dérivée de la première, il n'y a ici qu'à poser:

$$u = 3x^2 + x - 4,$$

ce qui entraîne donc que:

$$\frac{du}{dx} = 6x + 1$$

et, par suite, que:

$$du = (6x + 1) \ dx.$$

Il s'ensuit que:

$$\int (3x^2 + x - 4)^4 (6x + 1) \ dx = \int u^4 \ du = \frac{u^5}{5} + C$$

$$= \frac{(3x^2 + x - 4)^5}{5} + C.$$

Exemple 2

Soit à calculer:

$$\int (3x + 2)^5 \ dx .$$

On pourrait commencer par mettre l'expression $3x + 2$ à la puissance 5 et ensuite procéder comme à l'exemple 3 de la page 255, ce qui serait bien inutilement long. À la place, nous allons effectuer un changement de variable en posant:

$$u = 3x + 2,$$

ce qui donne donc:

$$du = 3 \ dx , \qquad \text{c'est-à-dire} \qquad dx = \frac{1}{3} \ du.$$

Il s'ensuit que:

$$\int (3x + 2)^5 \ dx = \int \frac{1}{3} u^5 \ du = \frac{1}{3} \frac{u^6}{6} + C = \frac{(3x + 2)^6}{18} + C.$$

Exemple 3

Soit à calculer:

$$\int (x^4 + 1)^3 \, 2x^3 \, dx.$$

Posons:

$$u = x^4 + 1.$$

Par suite, on a:

$$du = 4x^3 \, dx$$

ou, ce qui revient au même (en ayant à l'oeil l'expression à intégrer):

$$\frac{1}{2} \, du = 2x^3 \, dx.$$

Il s'ensuit que:

$$\int (x^4 + 1)^3 \, 2x^3 \, dx = \int \frac{1}{2} \, u^3 \, du = \frac{1}{2} \frac{u^4}{4} + C = \frac{(x^4 + 1)^4}{8} + C.$$

Exemple 4

Soit à calculer:

$$\int e^{\sin x} \cos x \, dx.$$

Posons:

$$u = \sin x,$$

ce qui entraîne donc que:

$$du = \cos x \, dx.$$

Il s'ensuit que:

$$\int e^{\sin x} \cos x \, dx = \int e^u \, du$$

$$= e^u + C \qquad \text{(formule } \frac{d}{dx}(e^u) = e^u \frac{du}{dx})$$

$$= e^{\sin x} + C.$$

Exemple 5

Soit à calculer:

$$\int e^{x^2+3x} \, (2x+3) \; dx \, .$$

Posons:

$$u \;=\; x^2 + 3x \, ,$$

ce qui donne donc:

$$du \;=\; (2x+3) \; dx \, .$$

Il s'ensuit que:

$$\int e^{x^2+3x} \, (2x+3) \; dx \;=\; \int e^u \, du \;=\; e^u + C \;=\; e^{x^2+3x} + C \, .$$

Exemple 6

Soit à calculer:

$$\int \frac{dx}{x+2} \, .$$

Posons:

$$u \;=\; x+2 \, ,$$

ce qui entraîne donc que:

$$du \;=\; dx \, .$$

Il s'ensuit que:

$$\int \frac{dx}{x+2} \;=\; \int \frac{du}{u} \;=\; \ln|u| + C \;=\; \ln|x+2| + C \, .$$

Exemple 7

Soit à calculer l'intégrale :

$$\int \frac{dx}{(x+2)^2} \ .$$

Comme à l'exercice précédent, posons :

$$u \ = \ x+2 \ ,$$

ce qui donne donc :

$$du \ = \ dx \ .$$

Il s'ensuit que :

$$\int \frac{dx}{(x+2)^2} \ = \ \int \frac{du}{u^2} \ = \ \int u^{-2} \, du \ = \ \frac{u^{-1}}{-1} + C \ = \ \frac{(x+2)^{-1}}{-1} + C$$

$$= \ \frac{-1}{x+2} + C .$$

Exemple 8

Soit à calculer :

$$\int \frac{\sec^2 x}{1 + 2\tan x} \, dx \ .$$

Posons :

$$u \ = \ 1 + 2\tan x \ .$$

Par conséquent on a :

$$du \ = \ 2 \sec^2 x \, dx \ ,$$

ce qui donne (en regard de l'expression à intégrer) :

$$\sec^2 x \, dx \ = \ \frac{1}{2} \, du \ .$$

Il s'ensuit que :

$$\int \frac{\sec^2 x}{1 + 2\tan x} \, dx \ = \ \int \frac{1}{2} \frac{du}{u} \ = \ \frac{1}{2} \ln |u| \ + \ C \ = \ \frac{1}{2} \ln |1 + 2\tan x| + C .$$

Exemple 9

Soit à calculer :

$$\int \sec \frac{x}{2} \tan \frac{x}{2} \, dx \, .$$

Posons :

$$u = \frac{x}{2} \, ,$$

ce qui donne donc :

$$du = \frac{dx}{2} \, ,$$

c'est-à-dire (en regard de l'expression à intégrer) :

$$dx = 2 \, du \, .$$

Il s'ensuit que :

$$\int \sec \frac{x}{2} \tan \frac{x}{2} \, dx \;=\; \int 2 \sec u \tan u \, du \;=\; 2 \int \sec u \tan u \, du$$

$$= \; 2 \sec u + C \;=\; 2 \sec \frac{x}{2} + C \, .$$

Remarque

Dans l'intégration d'une fonction où apparaissent des fonctions trigonométriques, il est généralement approprié d'identifier la variable auxiliaire u à l'expression jouant le rôle d'angle pour lesdites fonctions trigonométriques (par exemple l'expression $x/2$ dans l'exemple précédent), sauf si l'angle en question n'est constitué que de la variable x (comme c'était le cas à l'exemple 8).

Exemple 10

Soit à calculer l'intégrale :

$$\int \csc^2 2x \, dx \, ,$$

Il convient ici de poser :

$$u = 2x$$

ce qui donne donc:

$$du = 2\,dx\,,$$

ou encore (en regard de l'expression à intégrer):

$$dx = \frac{1}{2}\,du\,.$$

Il s'ensuit que:

$$\int \csc^2 2x\,dx = \int \frac{1}{2}\,\csc^2 u\,du = \frac{1}{2}\int \csc^2 u\,du = \frac{1}{2}\,(-\cot u) + C$$

$$= \frac{-\cot 2x}{2} + C\,.$$

10.7 Exercices

Calculer les intégrales indéfinies suivantes:

1. $\int x^5\,dx$.

2. $\int \dfrac{dx}{x^2}$.

3. $\int \sqrt[3]{x^2}\,dx$.

4. $\int \dfrac{dx}{\sqrt[3]{x^4}}$.

5. $\int (2x^2 - 5x + 3)\,dx$.

6. $\int (1 - x)\,\sqrt{x}\,dx$.

7. $\int (3x + 4)^2\,dx$.

8. $\int \dfrac{(x^3 + 5x^2 - 4)}{x^2}\,dx$.

9. $\int (x - \dfrac{x}{2} + \dfrac{4}{x^3})\,dx$.

10. $\int \sqrt{3 + 2x}\,dx$.

11. $\int (x^3 + 2)^2\,3x^2\,dx$.

12. $\int \sqrt{x^3 + 2}\,x^2\,dx$.

13. $\int \dfrac{x^2\,dx}{(x^3 + 2)^3}$.

14. $\int \dfrac{x^2\,dx}{x^3 + 2}$.

15. $\int x\,\sqrt{1 + 2x^2}\,dx$.

16. $\int \dfrac{(2x + 6)\,dx}{(x^2 + 6x)^{1/3}}$.

17. $\int \dfrac{(2x+2)\ dx}{x^2+2x-4}$.

18. $\int \dfrac{(1+x)^2\ dx}{x}$.

Reste ↗

19. $\int \dfrac{x\ dx}{2x^2+5}$.

20. $\int (x^3+2)\,x\ dx$.

21. $\int e^{-x}\ dx$.

22. $\int e^{5x}\ dx$.

23. $\int e^{-x^2+2}\,x\ dx$.

24. $\int e^{x+1}\ dx$.

25. $\int e^{\tan x}\ \sec^2 x\ dx$.

26. $\int e^{-3x}\ dx$.

27. $\int \dfrac{dx}{e^{3x}}$.

28. $\int (e^x - x^e)\ dx$.

29. $\int \dfrac{dx}{x+4}$.

30. $\int \dfrac{dx}{2x-3}$.

31. $\int \dfrac{x\ dx}{x^2+1}$.

32. $\int \dfrac{x^2\ dx}{1-2x^3}$.

33. $\int \dfrac{e^{2x}\ dx}{e^{2x}+3}$.

34. $\int \dfrac{(2x+2)\ dx}{x^2+2x+2}$.

35. $\int \dfrac{(3x^2+4x+1)\ dx}{x^3+2x^2+x+1}$.

36. $\int \dfrac{3x^2\ dx}{1-x^3}$.

37. $\int \cos \dfrac{x}{3}\ dx$.

38. $\int \cos 2x\ dx$.

39. $\int \csc 2x \cot 2x\ dx$.

40. $\int \csc^2 \dfrac{x}{3}\ dx$.

41. $\int \sin 4x\ dx$.

42. $\int \csc^2 4x\ dx$.

10.8 Intégrale définie

Par opposition à l'intégrale indéfinie, les mathématiciens ont conçu l'***intégrale définie*** qui, beaucoup plus que la première, débouche sur des applications concrètes. Nous en verrons une application importante un peu plus loin.

DÉFINITION

Soient $y = f(x)$ une fonction numérique intégrable sur un intervalle donné $I = [a, b]$ et $F(x)$ une primitive de f. Alors on appelle ***intégrale définie*** de f sur I, qu'on note $\displaystyle\int_a^b f(x)\ dx$, la valeur $F(b) - F(a)$:

$$\int_a^b f(x)\ dx = F(b) - F(a).$$

Les nombres a et b sont appelés les ***bornes*** (ou ***limites***) d'intégration : a la ***borne inférieure*** et b la ***borne supérieure***.

On écrit aussi :

$$\int_a^b f(x)\ dx = F(x)\ \Big|_a^b = F(b) - F(a),$$

où la notation $F(x)\ \Big|_a^b$ a l'avantage de permettre l'explicitation de la primitive $F(x)$ dans les calculs. Par exemple, on a :

$$\int_2^4 2x\ dx = x^2\ \Big|_2^4 = 4^2 - 2^2 = 12.$$

Calcul des intégrales définies

Donc, pour calculer une intégrale définie $\displaystyle\int_a^b f(x)\ dx$:

(a) On trouve d'abord une primitive $F(x)$ de la fonction $f(x)$.

(b) On calcule ensuite successivement $F(b)$ et $F(a)$, puis on soustrait le dernier résultat du premier.

Remarque

Dans le calcul de l'intégrale définie d'une fonction $f(x)$, il est inutile d'adjoindre à la primitive $F(x)$ une constante d'intégration, puisque celle-ci sera automatiquement annulée par la suite.

Exemple 1

$$\int_1^3 x^3 \, dx \;=\; \frac{x^4}{4}\bigg|_1^3 \;=\; \frac{3^4}{4} - \frac{1^4}{4} \;=\; \frac{81}{4} - \frac{1}{4} \;=\; 20 \,.$$

Exemple 2

$$\int_0^1 e^x \, dx \;=\; e^x \bigg|_0^1 \;=\; e^1 - e^0 \;=\; e - 1 \,.$$

Exemple 3

$$\int_5^{10} \frac{dx}{x} \;=\; \ln|x| \;\bigg|_5^{10} \;=\; \ln 10 - \ln 5 \;=\; \ln \frac{10}{5} \;=\; \ln 2 \,.$$

10.9 Exercices

Calculer les intégrales définies suivantes :

1. $\displaystyle\int_1^2 (x^2 - 2x + 3) \, dx$.

2. $\displaystyle\int_2^6 \sqrt{x - 2} \, dx$.

3. $\displaystyle\int_0^1 \frac{dx}{\sqrt{3 - 2x}}$.

4. $\displaystyle\int_2^3 \frac{2x \, dx}{1 + x^2}$.

5. $\displaystyle\int_0^2 x^2 (x^3 + 1) \, dx$.

6. $\displaystyle\int_0^1 2x \, e^{x^2 - 1} \, dx$.

7. $\displaystyle\int_0^1 \frac{x}{\sqrt{1 + x^2}} \, dx$.

8. $\displaystyle\int_{-3}^{-1} \left(\frac{1}{x^2} - \frac{1}{x^3}\right) dx$.

9. $\displaystyle\int_1^7 \frac{dx}{x + 2}$.

10. $\displaystyle\int_{-2}^3 e^{-x/2} \, dx$.

10.10 Calcul d'aires

Parmi les applications importantes du calcul intégral figure le calcul de l'aire délimitée par la courbe d'une fonction, l'axe des x et deux droites parallèles à l'axe des y. On parle alors de *«l'aire sous la courbe»*. Par exemple, comme l'illustre la figure ci-dessous, il pourrait s'agir de l'aire (la partie ombrée) délimitée par la courbe de la fonction $y = f(x)$, l'axe des x et les deux droites $x = a$ et $x = b$ (parallèles à l'axe des y).

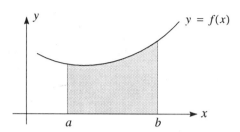

À supposer qu'une fonction numérique $y = f(x)$ soit intégrable sur un intervalle $[a, b]$ et que $F(x)$ soit une primitive de f, alors l'aire sous la courbe, que nous désignerons par A_a^b, a pour valeur l'intégrale définie de $f(x)$ sur l'intervalle $[a, b]$:

$$A_a^b = \int_a^b f(x) \, dx = F(x) \Big|_a^b = F(b) - F(a) \tag{3}$$

Ce résultat est une conséquence d'un théorème très important des mathématiques, appelé le ***théorème fondamental du calcul intégral***, dont l'énoncé ainsi que la démonstration apparaissent au tome 2 de cet ouvrage.

Exemple 1

Par exemple, l'aire délimitée par la courbe de la fonction $y = 2\sqrt{x}$, l'axe des x et les deux droites $x = 4$ et $x = 9$ (V. figure ci-dessous) a pour mesure :

$$A_4^9 = \int_4^9 2\sqrt{x} \, dx = \frac{4}{3}\sqrt{x^3} \Big|_4^9 = \frac{4}{3}\sqrt{9^3} - \frac{4}{3}\sqrt{4^3} = 36 - \frac{32}{3} \approx 25{,}33 \, .$$

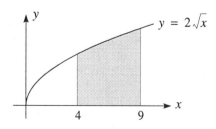

Bien entendu, il s'agit ici d'unités de surface, c'est-à-dire que si l'unité de mesure pour le graphique est le centimètre, alors la réponse obtenue a pour valeur $25{,}33 \text{ cm}^2$.

Exemple 2

Soit à calculer l'aire délimitée par la fonction $y = \dfrac{12x}{x^2 + 4}$, l'axe des x et les droites $x = 0$ et $x = 5$ (V. graphique ci-dessous).

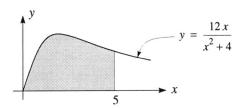

Commençons par calculer l'intégrale indéfinie :

$$\int \frac{12x}{x^2 + 4}\, dx$$

de la fonction proposée. Pour ce faire, posons :

$$u = x^2 + 4\,.$$

Par conséquent, on a :

$$du = 2x\, dx\,,$$

ce qui donne (en regard de l'expression à intégrer) :

$$6\, du = 12x\, dx\,.$$

Il s'ensuit que :

$$\int \frac{12x}{x^2 + 4}\, dx \;=\; \int 6\, \frac{du}{u} \;=\; 6 \ln |u| + C \;=\; 6 \ln (x^2 + 4) + C\,.$$

L'aire cherchée a donc pour mesure :

$$A_0^5 \;=\; 6 \ln (x^2 + 4) \, \Big|_0^5 \;=\; 6\,(\ln 29 - \ln 4) \;=\; 6 \ln \frac{29}{4} \;\approx\; 11{,}89\,.$$

Remarque

Fait important à signaler, l'*aire sous la courbe* dont il est question dans cet article (V. formule (3)) est une aire assortie d'un signe, c'est-à-dire que si on applique la formule (3) telle quelle, le nombre obtenu comme mesure de l'aire sous la courbe est soit positif soit négatif. Le nombre est positif si la portion de courbe considérée est située au-dessus de l'axe des x (l'unique cas que nous rencontrerons dans ce chapitre) et négatif dans le cas contraire. Bien entendu, on suppose ici que l'intégration est faite par rapport à la variable x.

10.11 Exercices

Calculer l'aire délimitée par la courbe, l'axe des x et les deux droites proposées :

1. $y = x^2 - 2x + 2$; $\qquad x = -1$ et $x = 3$.

2. $y = \dfrac{3}{\sqrt{x}}$; $\qquad x = 1$ et $x = 9$.

3. $y = \sqrt{2x + 1}$; $\qquad x = 0$ et $x = 4$.

4. $y = \dfrac{1}{(2x + 1)^2}$; $\qquad x = 1$ et $x = 2$.

5. $y = \dfrac{2}{x}$; $\qquad x = 2$ et $x = 4$.

6. $y = x^3$; $\qquad x = 1$ et $x = 3$.

7. $y = x^3 + 2x + 1$; $\qquad x = 0$ et $x = 2$.

8. $y = e^{2x}$; $\qquad x = 0$ et $x = 2$.

10.12 Résumé du chapitre

(a) Les différentielles *dx* et *dy*

Pour une fonction donnée $y = f(x)$, les ***différentielles*** dx $(dx \neq 0)$ et dy représentent de petits accroissements des variables x et y, ces accroissements étant reliés par la formule $dy = f'(x)\, dx$.

(b) Intégrale indéfinie — Primitive

On dit que $F(x) + C$ est l'*intégrale indéfinie* d'une fonction donnée $f(x)$ si et seulement si $\dfrac{d}{dx} F(x) = f(x)$. On signifie cela en écrivant:

$$\int f(x)\ dx = F(x) + C.$$

Dans cette formule, le symbole C représente une constante arbitraire appelée *constante d'intégration*. Pour chaque valeur particulière de C, $F(x) + C$ est appelée une *primitive* de $f(x)$.

(c) Formules d'intégration

Rappelons ici les formules d'intégration mentionnées dans ce chapitre. Chacune est accompagnée de la formule de dérivation associée ou d'un renvoi à une page particulière du volume.

[28]: $\displaystyle\int u^n\ du = \dfrac{u^{n+1}}{n+1} + C \ \ (n \neq -1)$ $\qquad (\dfrac{d}{dx}(u^n) = n u^{n-1}\dfrac{du}{dx})$;

[29]: $\displaystyle\int du = u + C$ $\qquad$ (V. page 253) ;

[30]: $\displaystyle\int k\ du = k\int du$ $\qquad$ (V. page 253) ;

[31]: $\displaystyle\int (du + dv) = \int du + \int dv$ $\qquad$ (V. page 254) ;

[32]: $\displaystyle\int \dfrac{du}{u} = \ln|u| + C$ $\qquad (\dfrac{d}{dx}(\ln u) = \dfrac{1}{u}\dfrac{du}{dx})$;

[33]: $\displaystyle\int e^u\ du = e^u + C$ $\qquad (\dfrac{d}{dx}(e^u) = e^u\dfrac{du}{dx})$;

[34]: $\displaystyle\int \sin u\ du = -\cos u + C$ $\qquad (\dfrac{d}{dx}(\cos u) = -\sin u\dfrac{du}{dx})$;

[35]: $\displaystyle\int \cos u\ du = \sin u + C$ $\qquad (\dfrac{d}{dx}(\sin u) = \cos u\dfrac{du}{dx})$;

[36] : $\displaystyle\int \sec^2 u \, du = \tan u + C$ $(\dfrac{d}{dx}\,(\tan u) = \sec^2 u \,\dfrac{du}{dx})$;

[37] : $\displaystyle\int \csc^2 u \, du = -\cot u + C$ $(\dfrac{d}{dx}\,(\cot u) = -\csc^2 u \,\dfrac{du}{dx})$;

[38] : $\displaystyle\int \sec u \, \tan u \, du = \sec u + C$ $(\dfrac{d}{dx}\,(\sec u) = \sec u \, \tan u \,\dfrac{du}{dx})$;

[39] : $\displaystyle\int \csc u \, \cot u \, du = -\csc u + C$ $(\dfrac{d}{dx}\,(\csc u) = -\csc u \, \cot u \,\dfrac{du}{dx})$.

(d) Changement de variable

Le *changement de variable* est un procédé d'intégration consistant à substituer une variable auxiliaire u à une certaine «sous-fonction» $h(x)$ apparaissant dans l'expression de la fonction à intégrer $f(x)$. Le changement de variable n'est possible que si $f(x)$ comporte non seulement ladite sous-fonction $h(x)$, mais aussi la différentielle $h'(x)\,dx$ de $h(x)$ (ou un multiple de cette différentielle; V. page 257, article 10.6). Par exemple on a:

$$\int \underbrace{(x^2+1)^3}_{u} \underbrace{2x \, dx}_{du} = \int u^3 \, du \,,$$

ayant posé:

$$u = x^2 + 1 \,,$$

ce qui a par conséquent entraîné que:

$$du = 2x \, dx$$

(puisque $\dfrac{du}{dx} = \dfrac{d}{dx}(x^2+1) = 2x$). D'où on conclut que:

$$\int (x^2+1)^3 \, 2x \, dx = \int u^3 \, du = \frac{u^4}{4} + C = \frac{(x^2+1)^4}{4} + C \,.$$

(e) Exemples de changement de variable

Expression	Expression équivalente	Substitution
$\displaystyle\int (x^2+1)^3\, 2x\ dx$	$\displaystyle\int u^3\ du$	$u = x^2 + 1$
$\displaystyle\int \sec 2x\ \tan 2x\ dx$	$\displaystyle\int \frac{\sec u\ \tan u}{2}\ du$	$u = 2x$ (l'angle)
$\displaystyle\int e^{2x}\ dx$	$\displaystyle\int \frac{e^u}{2}\ du$	$u = 2x$ (l'exposant)
$\displaystyle\int \frac{3x^2\ dx}{x^3+4}$	$\displaystyle\int \frac{du}{u}$	$u = x^3 + 4$ (le dénominateur)

(f) L'intégrale définie

Soient $y = f(x)$ une fonction numérique intégrable sur un intervalle donné $I = [a, b]$, et $F(x)$ une primitive de f. Alors on appelle ***intégrale définie*** de f sur I, qu'on note $\displaystyle\int_a^b f(x)\,dx$, la valeur:

$$\int_a^b f(x)\ dx = F(b) - F(a).$$

Les nombres a et b sont appelés les ***bornes*** (ou ***limites***) d'intégration: a la ***borne inférieure*** et b la ***borne supérieure***. On écrit aussi:

$$\int_a^b f(x)\ dx = F(x)\,\Big|_a^b = F(b) - F(a).$$

(g) Calcul de l'«aire sous la courbe»

À supposer qu'une fonction numérique $y = f(x)$ soit intégrable sur un intervalle donné $[a, b]$, alors l'aire A_a^b délimitée par la courbe de la fonction, l'axe des x et les deux droites $x = a$ et $x = b$ (parallèles à l'axe des y) a pour valeur:

$$A_a^b = \int_a^b f(x)\ dx = F(x)\,\Big|_a^b = F(b) - F(a),$$

où $F(x)$ est une primitive de $f(x)$. Si la portion de courbe concernée est située sous l'axe des x, alors le nombre obtenu comme mesure de l'aire est négatif.

10.13   Exercices de révision

1. Une fonction peut-elle posséder plusieurs primitives? Si oui, quelle relation existe-t-il entre ces diverses primitives?

2. Expliquer pourquoi la formule [28] ne peut être utilisée pour calculer l'intégrale $\int \sqrt{x^2 + 4}\ dx$.

Calculer les intégrales:

3. $\int \sqrt[3]{4x + 1}\ dx$.

4. $\int \dfrac{x^2\ dx}{1 + x^3}$.

5. $\int \sec 3x \tan 3x\ dx$.

6. $\int \sqrt{x}\ (3x - 2)\ dx$.

7. $\int \sqrt{e^x}\ dx$.

8. $\int \dfrac{(2x + 6)}{(x^2 + 6x)^2}\ dx$.

9. $\int \csc^2 \dfrac{x}{3}\ dx$.

10. $\int \dfrac{dx}{e^{3x}}$.

11. Simplifier l'expression $\dfrac{d}{dx}\left[\int f(x)\ dx\right]$. Expliquer.

12. Même chose pour l'expression $\int \dfrac{d}{dx}\left[f(x)\right]\ dx$.

Évaluer:

13. $\displaystyle\int_{-1}^{1} (2x^2 - x^3)\ dx$.

14. $\displaystyle\int_{-3}^{-1} \left(\dfrac{1}{x^2} - \dfrac{1}{x^3}\right)\ dx$.

15. $\displaystyle\int_{0}^{3} (3 - 2x + x^2)\ dx$.

16. $\displaystyle\int_{0}^{1} e^{x^2} x\ dx$.

17. $\displaystyle\int_{1}^{2} \dfrac{x^3\ dx}{1 + x^4}$.

18. $\displaystyle\int_{4}^{8} \dfrac{x\ dx}{\sqrt{x^2 - 15}}\ dx$.

Calculer l'aire délimitée par la courbe, l'axe des x et les deux droites:

19. $y = \sqrt[3]{x}$; $x = 1$ et $x = 8$.

20. $y = \dfrac{12}{x}$; $x = 1$ et $x = e^2$.

21. $y = 4x - x^2$; $x = 1$ et $x = 3$.

22. $y = e^{-x}$; $x = -1$ et $x = 0$.

Défis à relever

Calculer:

23. $\displaystyle\int \frac{e^{\sqrt{x}}}{\sqrt{x}}\, dx$.

24. $\displaystyle\int e^{\tan x} \sec^2 x\, dx$.

25. $\displaystyle\int \frac{dx}{x \ln x}$.

26. $\displaystyle\int \sec^4 x \tan x\, dx$.

27. $\displaystyle\int \frac{e^{1/x^2}}{x^3}\, dx$.

28. $\displaystyle\int_1^e \frac{(\ln x)^3}{x}\, dx$.

29. $\displaystyle\int_1^2 e^{x^3} x^2\, dx$.

30. $\displaystyle\int_1^4 \frac{dx}{\sqrt{x}\,(2 + \sqrt{x})}$.

31. Trouver une fonction ayant un maximum à $x = -1$, un minimum à $x = 1$ et dont la courbe passe par l'origine des axes.

Appendice

RECUEIL
DE
FORMULES

Cet appendice récapitule les formules de *dérivation* et d'*intégration* utilisées dans ce livre, ainsi qu'un ensemble de formules usuelles de *géométrie analytique* et de *géométrie*.

A-1 Formules de dérivation

1. $\dfrac{d}{dx} c = 0$.

2. $\dfrac{d}{dx} x = 1$.

3. $\dfrac{d}{dx} (cu) = c \dfrac{du}{dx}$.

4. $\dfrac{d}{dx} (u + v) = \dfrac{du}{dx} + \dfrac{dv}{dx}$.

5. $\dfrac{d}{dx} (u^n) = n u^{n-1} \dfrac{du}{dx}$.

6. $\dfrac{d}{dx} (x^n) = n x^{n-1}$.

7. $\dfrac{d}{dx}(uv) = u\dfrac{dv}{dx} + v\dfrac{du}{dx}$.

8. $\dfrac{d}{dx}\left(\dfrac{u}{v}\right) = \dfrac{v\dfrac{du}{dx} - u\dfrac{dv}{dx}}{v^2}$.

9. $\dfrac{dy}{dx} = \dfrac{dy}{du} \cdot \dfrac{du}{dx}$.

10. $\dfrac{dy}{dx} = \dfrac{\dfrac{dy}{dt}}{\dfrac{dx}{dt}}$

11. $\dfrac{d}{dx}(\log_a u) = \dfrac{1}{u}(\log_a e)\dfrac{du}{dx}$.

12. $\dfrac{d}{dx}(\ln u) = \dfrac{1}{u}\dfrac{du}{dx}$.

13. $\dfrac{d}{dx}(\ln x) = \dfrac{1}{x}$.

14. $\dfrac{d}{dx}(a^u) = a^u \ln a \dfrac{du}{dx}$.

15. $\dfrac{d}{dx}(e^u) = e^u \dfrac{du}{dx}$.

16. $\dfrac{d}{dx}(e^x) = e^x$.

17. $\dfrac{d}{dx}(\sin u) = \cos u \dfrac{du}{dx}$.

18. $\dfrac{d}{dx}(\cos u) = -\sin u \dfrac{du}{dx}$.

19. $\dfrac{d}{dx}(\tan u) = \sec^2 u \dfrac{du}{dx}$.

20. $\dfrac{d}{dx}(\cot u) = -\csc^2 u \dfrac{du}{dx}$.

21. $\dfrac{d}{dx}(\sec u) = \sec u \tan u \dfrac{du}{dx}$.

22. $\dfrac{d}{dx}(\csc u) = -\csc u \cot u \dfrac{du}{dx}$.

23. $\dfrac{d}{dx}(\operatorname{Arc\,sin}\ u) = \dfrac{1}{\sqrt{1-u^2}}\dfrac{du}{dx}$.

24. $\dfrac{d}{dx}(\operatorname{Arc\,cos} u) = \dfrac{-1}{\sqrt{1-u^2}}\dfrac{du}{dx}$.

25. $\dfrac{d}{dx}(\operatorname{Arc\,tan} u) = \dfrac{1}{1+u^2}\dfrac{du}{dx}$.

26. $\dfrac{d}{dx}(\operatorname{Arc\,cot} u) = \dfrac{-1}{1+u^2}\dfrac{du}{dx}$.

A-2 Formules d'intégration

1. $\displaystyle\int u^n\,du = \dfrac{u^{n+1}}{n+1} + C \ \ (n \neq -1)$.

2. $\displaystyle\int du = u + C$.

3. $\displaystyle\int k\,du = k\int du$.

4. $\displaystyle\int (du + dv) = \int du + \int dv$.

5. $\displaystyle\int \dfrac{du}{u} = \ln|u| + C$.

6. $\displaystyle\int e^u\,du = e^u + C$.

7. $\displaystyle\int \sin u\,du = -\cos u + C$.

8. $\displaystyle\int \cos u\,du = \sin u + C$.

9. $\int \sec^2 u\, du = \tan u + C$.

10. $\int \csc^2 u\, du = -\cot u + C$.

11. $\int \sec u\, \tan u\, du = \sec u + C$.

12. $\int \csc u\, \cot u\, du = -\csc u + C$.

A-3 Formules de géométrie analytique du plan

Distance entre deux points

La distance entre deux points (x_1, y_1) et (x_2, y_2) est obtenue par la formule:

$$d = \sqrt{(x_2 - x_1)^2 + (y_2 - y_1)^2}.$$

Pente d'une droite

Si (x_1, y_1) et (x_2, y_2) sont deux points distincts d'une droite du plan, alors la pente de cette droite a pour valeur:

$$m = \frac{y_2 - y_1}{x_2 - x_1}.$$

Pente de la normale à une droite

Si deux droites de pentes respectives m_1 et m_2 sont perpendiculaires, alors le rapport entre les deux pentes est:

$$m_2 = \frac{-1}{m_1}.$$

Pente d'une droite dont on connaît l'équation

Si l'équation d'une droite est donnée sous la forme $ax + by + c = 0$, alors la pente de cette droite a pour valeur:

$$m = -\frac{a}{b}.$$

Équation d'une droite dont on connaît un point et la pente

Si on connaît un point (x_1, y_1) ainsi que la pente m d'une droite, alors l'équation de cette droite peut s'exprimer ainsi :

$$m = \frac{y - y_1}{x - x_1} \,.$$

Équation d'une droite dont on connaît deux points

Si on connaît deux points distincts (x_1, y_1) et (x_2, y_2) d'une droite, alors l'équation de cette droite est donnée par :

$$\frac{y_2 - y_1}{x_2 - x_1} = \frac{y - y_1}{x - x_1} \,.$$

Équation d'une droite dont on connaît la pente et l'ordonnée à l'origine

Si on connaît la pente m d'une droite ainsi que son ordonnée à l'origine b, alors son équation est donnée par :

$$y = mx + b \,.$$

Équation d'un cercle dans le plan

Un cercle de rayon r et de centre (h, k) a pour équation :

$$(x - h)^2 + (y - k)^2 = r^2 \,.$$

A-4 Formules de géométrie

Triangles semblables :

 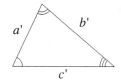

$$\frac{a}{a'} = \frac{b}{b'} = \frac{c}{c'}$$

Triangle rectangle :

$$a^2 + b^2 = c^2$$

Carré :
$\begin{cases} \text{Aire}: a^2 \\ \text{Périmètre}: 4a \end{cases}$

Rectangle :
$\begin{cases} \text{Aire}: ab \\ \text{Périmètre}: 2\,(a+b) \end{cases}$

Cercle :
$\begin{cases} \text{Aire}: \pi r^2 \\ \text{Circonférence}: 2\pi r \end{cases}$

Parallélépipède rectangle :
$\begin{cases} \text{Aire totale}: 2\,(ab+ac+bc) \\ \text{Volume}: abc \end{cases}$

Sphère :
$\begin{cases} \text{Aire}: 4\pi r^2 \\ \text{Volume}: \dfrac{4\pi r^3}{3} \end{cases}$

Cylindre circulaire droit :
$\begin{cases} \text{Aire totale}: 2\pi r^2 + 2\pi rh \\ \text{Volume}: \pi r^2 h \end{cases}$

Cône circulaire droit :
$\begin{cases} \text{Aire totale}: \pi r^2 + \pi r\sqrt{h^2 + r^2} \\ \text{Volume}: \dfrac{1}{3}\,\pi r^2 h \end{cases}$

Appendice

B

ÉLÉMENTS D'ALGÈBRE

Cet appendice propose quelques notions d'algèbre en rapport avec la matière étudiée dans ce livre et que nous avons jugé utile de rappeler ici.

B-1 Formule du binôme de Newton

En mathématiques, il est souvent utile d'effectuer le développement de l'expression $(a + b)^n$, $n \in N$. Le mathématicien Newton a mis au point une formule permettant de développer d'une façon quasi directe la puissance n-ième d'un binôme. Avant de présenter cette formule, précisons le sens de certaines notations usuelles.

La factorielle d'un nombre

On appelle *factorielle* d'un nombre naturel n, le nombre noté ***n*!** (lire «*factorielle n*») et dont la valeur est la suivante:

$$n! \; = \; n \cdot (n-1) \cdot (n-2) \cdot \, ... \, \cdot 2 \cdot 1.$$

Par convention, on pose $0! \; = \; 1$. Donc on a:

$$0! = 1,$$
$$1! = 1,$$
$$2! = 2 \cdot 1 = 2,$$
$$3! = 3 \cdot 2 \cdot 1 = 6,$$
$$4! = 4 \cdot 3 \cdot 2 \cdot 1 = 4 \cdot 3! = 4 \cdot 6 = 24, \quad \text{etc.}$$

Coefficients binomiaux

L'expression $\binom{n}{p}$ (lire «*combinaisons n-p*»), où n et p sont des nombres naturels et $p \leq n$, représente un nombre naturel défini comme suit :

$$\binom{n}{p} = \frac{n!}{p! \cdot (n-p)!} \qquad (1)$$

(Signalons, en passant, que le nombre $\binom{n}{p}$ correspond au nombre de manières —appelées ***combinaisons***— de choisir p objets parmi n.) Par exemple, on a :

$$\binom{7}{3} = \frac{7!}{3! \cdot (7-3)!} = \frac{7!}{3! \cdot 4!} = \frac{7 \cdot 6 \cdot 5 \cdot 4!}{(3 \cdot 2) \cdot 4!} = \frac{7 \cdot 6 \cdot 5}{3 \cdot 2} = 35.$$

Remarque 1

Signalons la règle très pratique :

$$\binom{n}{p} = \binom{n}{n-p},$$

qui est une conséquence immédiate de la définition (1), puisque :

$$\binom{n}{p} = \frac{n!}{p! \cdot (n-p)!} = \frac{n!}{(n-p)! \cdot p!} = \binom{n}{n-p}.$$

En vertu de cette règle, on a, par exemple :

$$\binom{9}{3} = \binom{9}{6}.$$

Remarque 2

Un autre point pratique à noter est que, quel que soit $n \in N$:

$$\binom{n}{0} = \binom{n}{n} = \frac{n!}{n! \cdot 0!} = 1 \qquad \text{et}$$

$$\binom{n}{1} = \binom{n}{n-1} = \frac{n!}{(n-1)! \cdot 1!} = \frac{n \cdot (n-1)!}{(n-1)! \cdot 1!} = n.$$

Formule du binôme de Newton

On constate que :

$$(a+b)^2 = a^2 + 2ab + b^2 \, ;$$

$$(a+b)^3 = a^3 + 3a^2 b + 3ab^2 + b^3 \, ;$$

$$(a+b)^4 = a^4 + 4a^3 b + 6a^2 b^2 + 4ab^3 + b^4 \, ; \quad \text{etc.}$$

Pour ce genre de développement, Newton a mis au point la formule générale, appelée la *formule du binôme de Newton*, que voici :

$$(a+b)^n = \binom{n}{0}a^n + \binom{n}{1}a^{n-1}b + \binom{n}{2}a^{n-2}b^2 + \ldots + \binom{n}{n-1}ab^{n-1} + \binom{n}{n}b^n$$

laquelle, compte tenu de la remarque 2 précédente, revient à :

$$(a+b)^n = a^n + n\,a^{n-1}b + \binom{n}{2}a^{n-2}b^2 + \ldots + n\,ab^{n-1} + b^n.$$

(On comprend ici pourquoi les expressions $\binom{n}{1}$, $\binom{n}{2}$, ..., $\binom{n}{n}$ sont appelées *coefficients binomiaux*.) Ainsi, par exemple, on a :

$$(a+b)^5 = a^5 + 5\,a^4 b + \binom{5}{2}a^3 b^2 + \binom{5}{3}a^2 b^3 + 5\,ab^4 + b^5$$

$$= a^5 + 5a^4 b + 10a^3 b^2 + 10a^2 b^3 + 5ab^4 + b^5,$$

étant donné que :

$$\binom{5}{2} \;=\; \binom{5}{3} \;=\; \frac{5!}{2! \cdot 3!} \;=\; \frac{5 \cdot 4 \cdot 3!}{2! \cdot 3!} \;=\; \frac{5 \cdot 4}{2} \;=\; 10 \,.$$

B-2 Décomposition en facteurs

Rappelons ici les procédés usuels de décomposition en facteurs des polynômes.

(a) Mise en évidence simple

La *mise en évidence simple* est l'opération inverse de la multiplication. Par exemple, puisque :

$$a\,(x + y) \;=\; ax + ay \,,$$

il s'ensuit que :

$$ax + ay \;=\; a\,(x + y) \,,$$

où on dit que le facteur commun a a été mis en évidence.

Exemples

$$x^4 - 2x^2 \;=\; x^2\,(x^2 - 2) \;;$$

$$x^2 y^3 + x^3 y^2 \;=\; x^2 y^2\,(y + x) \;;$$

$$4x^2 y + 2x + 6xy^2 \;=\; 2x\,(2xy + 1 + 3y^2) \;;$$

$$2x\,(1 + x^2)^2 - 4x\,(1 + x^2) \;=\; [\,2x\,(1 + x^2)\,]\,[\,(1 + x^2) - 2\,]$$
$$=\; 2x\,(1 + x^2)\,(x^2 - 1)\;;$$

$$(x^2 + 4)^2 + (x^2 + 4) \;=\; (x^2 + 4)\,[\,(x^2 + 4) + 1\,] \;=\; (x^2 + 4)\,(x^2 + 5)\,.$$

(b) Mise en évidence double

Dans certains cas, il est approprié d'effectuer deux mises en évidence consécutives, ce qu'on appelle une *mise en évidence double*. Au même titre que la mise en évidence simple, la mise en évidence double est l'opération inverse d'une multiplication. Par exemple, puisqu'on a :

$$(a + b)\,(x + y) \;=\; a\,(x + y) + b\,(x + y) \;=\; ax + ay + bx + by \,,$$

il s'ensuit que :

$$\overbrace{ax + ay} + \overbrace{bx + by} \;=\; \overbrace{a\,(x + y)} + \overbrace{b\,(x + y)} \;=\; (x + y)\,(a + b).$$

Exemples

$$
\begin{aligned}
x^3 + x^2 + x + 1 \;&=\; (x^3 + x^2) + (x + 1) \\
&=\; x^2\,(x + 1) + (x + 1) \\
&=\; (x + 1)\,(x^2 + 1)\,;
\end{aligned}
$$

$$
\begin{aligned}
2x^5 + 5x^3 + 4x^2 + 10 \;&=\; x^3\,(2x^2 + 5) + 2\,(2x^2 + 5) \\
&=\; (2x^2 + 5)\,(x^3 + 2)\,.
\end{aligned}
$$

(c) Différence de carrés

Puisque :

$$
\begin{aligned}
(a + b)\,(a - b) \;&=\; a^2 - ab + ba - b^2 \\
&=\; a^2 - ab + ab - b^2 \\
&=\; a^2 - b^2\,,
\end{aligned}
$$

il s'ensuit que :

$$a^2 - b^2 \;=\; (a + b)\,(a - b)\,.$$

Exemples

$$x^2 - 9 \;=\; (x + 3)\,(x - 3)\,;$$

$$x^4 - 16 \;=\; (x^2 + 4)\,(x^2 - 4) \;=\; (x^2 + 4)\,(x + 2)\,(x - 2)\,.$$

Remarque

Contrairement à une différence de carrés (comme, par exemple, $x^2 - 4$), une somme de carrés (comme, par exemple, $x^2 + 4$) ne peut se décomposer en facteurs chez les réels.

(d) Trinômes de la forme $x^2 + bx + c$

Pour décomposer les trinômes de la forme $x^2 + bx + c$, il est pratique de trouver en premier lieu deux nombres dont la somme égale b et le produit c. Par exemple, pour le trinôme :

$$x^2 - 7x + 10,$$

on observe d'abord que, d'une part, $c = (-2)(-5) = 10$ et, d'autre part, $b = (-2) + (-5) = -7$. De là on conclut que :

$$x^2 - 7x + 10 = (x - 2)(x - 5).$$

Exemple

$$x^2 + x - 20 = (x - 4)(x + 5),$$

puisque $(-4)(+5) = -20$ et $(-4) + (+5) = 1$.

(e) Trinômes de la forme $ax^2 + bx + c$

Pour décomposer les trinômes de la forme $ax^2 + bx + c$, on cherche d'abord deux nombres dont le produit égale ac et la somme b. À l'aide de ces deux nombres, on transforme ensuite le terme du centre en une somme de monômes, pour finalement effectuer une double mise en évidence. Par exemple, pour le trinôme :

$$6x^2 - 11x - 10,$$

on note d'abord que $ac = -60$ et $b = -11$. Par suite, les nombres à choisir sont -15 et $+4$, puisque $(-15)(+4) = -60 = ac$ et $(-15) + (+4) = -11 = b$. Par suite, on procède comme suit :

$$6x^2 - 11x - 10 = 6x^2 - 15x + 4x - 10$$
$$= 3x(2x - 5) + 2(2x - 5)$$
$$= (2x - 5)(3x + 2).$$

Exemple

$$15x^2 - 11x - 12 = 15x^2 - 20x + 9x - 12$$
$$= 5x(3x - 4) + 3(3x - 4)$$
$$= (3x - 4)(5x + 3).$$

Remarque

Rappelons que, lorsqu'on est à la recherche des zéros d'un trinôme de la forme $ax^2 + bx + c$, on peut mettre à profit la formule classique :

$$x = \frac{-b \pm \sqrt{b^2 - 4ac}}{2a}.$$

Par exemple, les zéros du trinôme :

$$2x^2 + 7x - 15$$

sont :

$$\frac{-7 \pm \sqrt{49 + 120}}{4} = \frac{-7 \pm \sqrt{169}}{4} = \frac{-7 \pm 13}{4},$$

c'est-à-dire :

$$3/2 \qquad \text{et} \qquad -5.$$

(f) Sommes et différences de cubes

Pour mettre en facteurs les sommes de cubes et les différences de cubes, il suffit de se rappeler que $a^3 + b^3$ admet $a + b$ comme facteur et que $a^3 - b^3$ admet $a - b$ comme facteur. On peut aussi utiliser les formules :

$$a^3 + b^3 = (a + b)(a^2 - ab + b^2) \qquad \text{et}$$

$$a^3 - b^3 = (a - b)(a^2 + ab + b^2).$$

Exemple

Soit à décomposer en facteurs le polynôme $8x^3 + 27y^3$. Il s'agit d'une somme de cubes, puisque $8x^3 + 27y^3 = (2x)^3 + (3y)^3$. On a :

$$
\begin{array}{r|l}
8x^3 + 27y^3 & 2x + 3y \\
-8x^3 - 12x^2y & 4x^2 - 6xy + 9y^2 \\
\hline
-12x^2y & \\
+12x^2y + 18xy^2 & \\
\hline
18xy^2 + 27y^3 & \\
-18xy^2 - 27y^3 & \\
\hline
0 &
\end{array}
$$

De là on conclut que :

$$8x^3 + 27y^3 \;=\; (2x + 3y)\,(4x^2 - 6xy + 9y^2)\,.$$

B-3 Exercices

Décomposer en facteurs :

1. $x^4 - 4x^2$.

2. $x^2 - 4x - 21$.

3. $8x^3 + 1$.

4. $6x^2 + 7x - 3$.

5. $2x^4 + 6x^3 + 8x^2$.

6. $16x^4 - 81$.

7. $3\,(x^2 + 4)^2 - 9\,(x^2 + 4)$.

8. $x^6 - 1$.

9. $x^2 - 3x - 28$.

10. $x^2 - y^2 + x - y$.

11. $6x^2 - 5x - 4$.

12. $(x^2 - 9)^3 + 5\,(x^2 - 9)$.

13. $5x^2 - 34x - 7$.

14. $x^2 - 14x + 33$.

B-4 Les radicaux

Soit n un entier positif et a un nombre réel quelconque. Par définition :

$$\sqrt[n]{a} \;=\; b \quad \Leftrightarrow \quad b^n \;=\; a\,.$$

On dit que $\sqrt[n]{a}$ est le ***radical n-ième*** de a. L'entier positif n est appelé l'***indice*** du radical et le réel a le ***radicande***. L'indice d'un radical est généralement omis lorsque $n = 2$. Par exemple :

$$\sqrt{9} \;=\; 3, \quad \text{puisque} \quad 3^2 \;=\; 9\,;$$

$$\sqrt[3]{-8} \;=\; -2, \quad \text{puisque} \quad (-2)^3 \;=\; -8\,.$$

Cependant $\sqrt{-4}$ n'existe pas (chez les réels), puisqu'il n'existe aucun nombre réel x tel que $x^2 = -4$.

Opérations sur les radicaux

Les règles concernant les opérations sur les radicaux sont les mêmes que pour les exposants, puisque, rappelons-le :

$$\sqrt[n]{a} = a^{1/n}.$$

Nous présentons ci-après les plus usuelles. Pour le cas où l'indice du radical est pair, on devra supposer $a \geq 0$ et $b \geq 0$.

(a) $\boxed{(\sqrt[n]{a})^n = a}$

(au même titre que $a^{n/n} = a$). Par exemple, $(\sqrt[7]{3})^7 = 3$.

(b) $\boxed{\sqrt[n]{ab} = \sqrt[n]{a}\,\sqrt[n]{b}}$

(au même titre que $(ab)^{1/n} = a^{1/n}\,b^{1/n}$). Par exemple :

$$\sqrt{45} = \sqrt{9 \cdot 5} = \sqrt{9}\,\sqrt{5} = 3\sqrt{5}.$$

(c) $\boxed{\sqrt[n]{\dfrac{a}{b}} = \dfrac{\sqrt[n]{a}}{\sqrt[n]{b}}}$

(au même titre que $(\dfrac{a}{b})^{1/n} = \dfrac{a^{1/n}}{b^{1/n}}$). Par exemple :

$$\sqrt[3]{\frac{8}{(x-1)^9}} = \frac{\sqrt[3]{8}}{\sqrt[3]{(x-1)^9}} = \frac{2}{(x-1)^{9/3}} = \frac{2}{(x-1)^3}.$$

Remarque

Sauf cas particulier, les radicaux ne s'additionnent pas et ne se soustraient pas. Par exemple, les expressions $\sqrt{4} + \sqrt{9}$ et $\sqrt{5} - \sqrt{7}$ ne peuvent être réduites. On a cependant :

$$\sqrt{5} + \sqrt{5} = 2\sqrt{5} \qquad \text{et} \qquad 5\sqrt[3]{x} - 3\sqrt[3]{x} = 2\sqrt[3]{x}.$$

Rationalisation d'une expression algébrique

Soient a et b des nombres réels. Alors les expressions $a + \sqrt{b}$ et $\sqrt{a} + \sqrt{b}$ sont appelées **binômes irrationnels**. De plus les binômes $a - \sqrt{b}$ et $\sqrt{a} - \sqrt{b}$ sont respectivement appelés les **conjugués** des premiers. Bien remarquer que la multiplication d'un binôme irrationnel par son conjugué donne une expression *rationnelle* (c'est-à-dire une expression ne comportant aucun radical). Par exemple, on a :

$$(a + \sqrt{b})(a - \sqrt{b}) = a^2 - b \; ;$$

$$(\sqrt{a} + \sqrt{b})(\sqrt{a} - \sqrt{b}) = a - b \; .$$

Il est parfois utile de faire appel au conjugué d'un binôme irrationnel pour *«rationaliser»* le numérateur ou le dénominateur d'une fraction algébrique. Par exemple on peut rationaliser le dénominateur de l'expression :

$$\frac{3x^2}{x - \sqrt{2}}$$

en multipliant son numérateur et son dénominateur par le conjugué du dénominateur :

$$\frac{3x^2}{x - \sqrt{2}} = \frac{3x^2(x + \sqrt{2})}{(x - \sqrt{2})(x + \sqrt{2})} = \frac{3x^2(x + \sqrt{2})}{x^2 - 2} \; .$$

B-5 Exercices

Réduire à sa plus simple expression :

1. $\sqrt{1 + 3x} + \sqrt{1 + 3x}$.

2. $\sqrt{3} + \sqrt{27}$.

3. $\sqrt{3} + \sqrt{5}$.

4. $(\sqrt{x^2 + 1})(\sqrt{x^2 + 1})$.

5. $\sqrt{x} + \sqrt{x}$.

6. $\sqrt{x} \sqrt[3]{y}$.

7. $(\sqrt{x} - 1)(\sqrt{x} + 1)$.

8. $(\sqrt{3 + x} - \sqrt{3})(\sqrt{3 + x} + \sqrt{3})$.

9. $(2 - \sqrt{3x - 2})(2 + \sqrt{3x - 2})$.

10. $(\sqrt{x + 4} - 2)(\sqrt{x + 4} + 2)$.

Rationaliser les dénominateurs :

11. $\dfrac{1}{\sqrt{3} + 2}$.

12. $\dfrac{x^2}{\sqrt{x - 3} + 1}$.

Rationaliser les numérateurs :

13. $\dfrac{\sqrt{x} - \sqrt{y}}{\sqrt{x} + \sqrt{y}}$.

14. $\dfrac{\sqrt{5} + \sqrt{2}}{2}$.

Appendice

C

RAPPELS SUR LA TRIGONOMÉTRIE

Rappelons ici quelques notions de trigonométrie en rapport avec la matière étudiée dans ce livre.

C-1 Résolution des équations trigonométriques

Nous suggérons ci-après, à partir d'exemples, une manière simple et pratique de résoudre les équations trigonométriques, c'est-à-dire de trouver l'ensemble des angles répondant à une équation trigonométrique donnée.

Soit à résoudre l'équation:

$$\sin\theta = 0{,}59\,.$$

La calculatrice nous donne:

$$\theta = \text{Arc}\sin 0{,}59 \approx 0{,}631 \text{ (radian)}.$$

À la suite de ce résultat, examinons la figure ci-dessous représentant le cercle trigonométrique, où figure un angle θ $(0 < \theta < \pi/2)$:

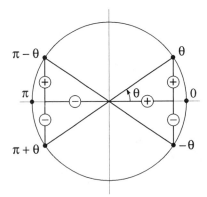

Dans cette figure, les signes $\oplus$ et $\ominus$ sont là pour souligner le fait que, pour $0 < \theta < \pi/2$, le cosinus, le sinus, et par conséquent la tangente sont positifs, alors que, par exemple, pour l'angle $\pi - \theta$, le cosinus est négatif, le sinus positif et la tangente négative, etc.

Pour notre problème, la figure nous indique donc que, non seulement l'angle $\theta = 0{,}631$ admet la valeur positive $0{,}59$ comme sinus, mais aussi l'angle :

$$\pi - \theta \; = \; 3{,}1416 - 0{,}631 \; = \; 2{,}511 \, .$$

Considérons maintenant cette autre équation :

$$\sin A \; = \; -\,0{,}517 \, .$$

La calculatrice nous donne, cette fois :

$$A \; \approx \; -0{,}543 \; = \; -\,\theta \, .$$

Par suite, la figure ci-dessus nous indique que non seulement l'angle $-\theta = -0{,}543$ admet la valeur négative $-\,0{,}517$ comme sinus, mais aussi l'angle :

$$A \; = \; \pi + \theta \; = \; 3{,}1416 + 0{,}543 \; = \; 3{,}685 \, .$$

Remarque 1

Rappelons que, pour chaque équation trigonométrique du genre ci-dessus, et comme la figure précédente en fait foi, il y a toujours deux et seulement deux points trigonométriques répondant à l'équation.

Bien entendu, si un angle θ vérifie une équation trigonométrique, tous les angles $\theta + 2k\pi$ (k entier) vérifient également l'équation.

Remarque 2

Généralement, lorsqu'on résout une équation trigonométrique du genre ci-dessus, on ne retient comme solutions que les angles compris entre 0 et 2π (radians), appelés les **solutions principales** de l'équation. Par conséquent, si un angle nous est fourni négativement par la calculatrice, il n'y a qu'à le convertir en un angle positif en lui ajoutant 2π. Par exemple, l'angle $A = -0,543$ obtenu comme solution de la seconde équation ci-dessus se transformera en l'angle $2\pi - 0,543 = 5,740$.

Autre exemple

Soit à résoudre l'équation:

$$-2\tan A + 5 = 0.$$

Cette équation revient à cette autre:

$$\tan A = \frac{5}{2} = 2,5,$$

à partir de laquelle la calculatrice donne:

$$A \approx 1,190 = \theta.$$

La figure de la page précédente nous indique qu'en plus de l'angle trouvé ci-dessus, l'angle:

$$A = \pi + \theta = 3,1416 + 1,190 = 4,332$$

vérifie également l'équation proposée.

Remarque 3

On peut toujours vérifier l'exactitude de ses réponses à l'aide de la calculatrice. Ainsi, pour l'exemple ci-dessus, la calculatrice nous indique qu'on a bien:

$$\tan 1,190 \approx 2,5 \qquad \text{et} \qquad \tan 4,332 \approx 2,5.$$

Remarque 4

Outre l'utilité que nous venons de trouver à la figure précédente, cette même figure constitue un excellent moyen de se rappeler facilement les relations souvent utilisées suivantes:

$$\sin\theta \;=\; \sin(\pi - \theta) \;=\; -\sin(\pi + \theta) \;=\; -\sin(-\theta)\,,$$

$$\cos\theta \;=\; -\cos(\pi - \theta) \;=\; -\cos(\pi + \theta) \;=\; \cos(-\theta)\,,$$

$$\tan\theta \;=\; -\tan(\pi - \theta) \;=\; +\tan(\pi + \theta) \;=\; -\tan(-\theta)\,.$$

À l'aide d'une autre figure du même genre que la précédente, tracée ci-après, on peut tout aussi facilement se remémorer cette autre famille de relations :

$$\sin\theta \;=\; \cos\left(\frac{\pi}{2} - \theta\right) \;=\; -\cos\left(\frac{\pi}{2} + \theta\right) \;=\; -\cos\left(\frac{3\pi}{2} - \theta\right) \;=\; \cos\left(\frac{3\pi}{2} + \theta\right)\,,$$

$$\cos\theta \;=\; \sin\left(\frac{\pi}{2} - \theta\right) \;=\; \sin\left(\frac{\pi}{2} + \theta\right) \;=\; -\sin\left(\frac{3\pi}{2} - \theta\right) \;=\; -\sin\left(\frac{3\pi}{2} + \theta\right)\,,$$

$$\tan\theta \;=\; \tan\left(\frac{\pi}{2} - \theta\right) \;=\; -\tan\left(\frac{\pi}{2} + \theta\right) \;=\; \tan\left(\frac{3\pi}{2} - \theta\right) \;=\; -\tan\left(\frac{3\pi}{2} + \theta\right)\,.$$

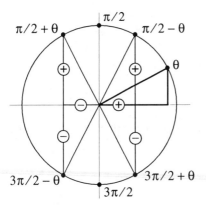

C-2 Exercices

Trouver toutes les valeurs de x (en radians), sur l'intervalle $[0, 2\pi]$, répondant à l'équation :

1. $3\cos x - 2 \;=\; 0$.

2. $\tan x - 2 \;=\; 0$.

3. $4\sin x + 3 \;=\; 0$.

4. $\cos\dfrac{x}{2} \;=\; \dfrac{1}{2}$.

5. $2 \sin 3x - \sqrt{2} = 0$.

6. $(2 \cos x - 1)(\sin x + 3) = 0$.

C-3   Angles particuliers

Il arrive assez souvent que les fonctions trigonométriques des angles $\pi/6$ (30°), $\pi/4$ (45°) et $\pi/3$ (60°) soient présentées sous la forme de fractions ordinaires. Rappelons ici des manières toutes simples de se remémorer ces valeurs.

Pour les angles $\pi/3$ (60°) et $\pi/6$ (30°), on construit un triangle équilatéral muni d'une de ses hauteurs, en attribuant aux côtés du triangle la valeur 1, ce qui donne donc :

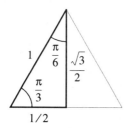

De là on conclut directement que :

$$\cos \frac{\pi}{6} = \sin \frac{\pi}{3} = \frac{\sqrt{3}}{2} , \qquad \cos \frac{\pi}{3} = \sin \frac{\pi}{6} = \frac{1}{2} , \qquad \text{et}$$

$$\tan \frac{\pi}{3} = \cot \frac{\pi}{6} = \sqrt{3} .$$

Et pour l'angle $\pi/4$ (45°), on part du triangle rectangle isocèle suivant :

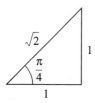

De là on conclut directement que :

$$\cos \frac{\pi}{4} = \sin \frac{\pi}{4} = \frac{1}{\sqrt{2}} \qquad \text{et} \qquad \tan \frac{\pi}{4} = 1 .$$

C-4 Formules de trigonométrie

1. $\tan \theta = \dfrac{\sin \theta}{\cos \theta}$.

2. $\cot \theta = \dfrac{\cos \theta}{\sin \theta} = \dfrac{1}{\tan \theta}$.

3. $\sec \theta = \dfrac{1}{\cos \theta}$.

4. $\csc \theta = \dfrac{1}{\sin \theta}$.

5. $\sin^2 \theta + \cos^2 \theta = 1$.

6. $\sec^2 \theta = \tan^2 \theta + 1$.

7. $\csc^2 \theta = \cot^2 \theta + 1$.

8. $\sin 2\theta = 2 \sin \theta \cos \theta$.

9. $\cos 2\theta = \cos^2 \theta - \sin^2 \theta$.

SOLUTIONS

1.3 – 1 (page 3)

(a) 11 ;

(b) $a^3 - 2a + 7$;

(c) $(a+2)^3 - 2(a+2) + 7$;

(d) $(x^2+x)^3 - 2(x^2+x) + 7$;

(e) $(x+\Delta x)^3 - 2(x+\Delta x) + 7$;

(f) $(x+\Delta x)^3 - 2(x+\Delta x) + 7$
$$- (x^3 - 2x + 7) .$$

1.3 – 2

(a) $2/5$;

(b) $\dfrac{x+h-1}{x+h+2}$;

(c) $\dfrac{\Delta x - 1}{\Delta x + 2}$;

(d) $\dfrac{x^3 - 1}{x^3 + 2}$;

(e) $\dfrac{x+\Delta x - 1}{x+\Delta x + 2}$;

(f) $\dfrac{x+\Delta x - 1}{x+\Delta x + 2} - \dfrac{x-1}{x+2}$.

1.3 – 3

(a) $[(x+\Delta x)^2 - (x+\Delta x)] - (x^2 - x)$;

(b) $[4(x+\Delta x) - 7] - (4x - 7)$;

(c) $\dfrac{x+\Delta x}{3x + 3\Delta x + 2} - \dfrac{x}{3x + 2}$;

(d) $\sqrt{x + \Delta x + 5} - \sqrt{x + 5}$;

(e) $\dfrac{1}{\sqrt{3 - 2x - 2\Delta x}} - \dfrac{1}{\sqrt{3 - 2x}}$;

(f) 0 ;

(g) $\dfrac{x+\Delta x + 1}{x+\Delta x - 1} - \dfrac{x+1}{x-1}$;

(h) $3(x+\Delta x)^2 + 2(x+\Delta x) - 4$
$$- (3x^2 + 2x - 4) .$$

1.3 – 4

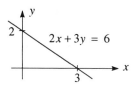

$2x + 3y = 6$

C'est une fonction.

1.3 – 5

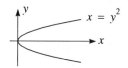

$y = x^2$

C'est une fonction.

1.3 – 6

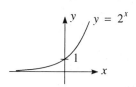

$x = y^2$

Ce n'est pas une fonction.

1.3 – 7

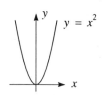

$y = 2^x$

C'est une fonction.

1.3 – 8

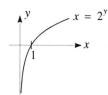

$x = 2^y$

C'est une fonction.

1.3 – 9

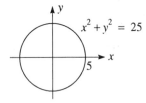

$$x^2 + y^2 = 25$$

Ce n'est pas une fonction.

1.6 (page 7)

1. R .   2. $R \setminus \{0\}$.

3. $[-1, \infty[$.   4. R .

5. $R \setminus \{2\}$.   6. $]\frac{1}{2}, \infty[$.

7. R .   8. $]-\infty, 7[$.

9. R .   10. $R \setminus \{-1, 3\}$.

11. $]-\infty, 4]$.   12. $R \setminus \{4\}$.

13. $]-1, \infty[$.   14. $R \setminus \{-2, 2\}$.

15. $R \setminus \{0\}$.   16. R .

17. R .   18. $]-\infty, 4[$.

19. R .   20. $R \setminus \{1, 2, 3\}$.

2.9 – 1 (page 21)

(a) La limite de la fonction $2x^2$ lorsque x tend vers 5 par la gauche est 50.

(b) La limite de la fonction $\sqrt{x+4}$ lorsque x tend vers -4 par la droite est 0.

(c) La limite de la fonction $f(x)$ lorsque x tend vers 3 est L.

2.9 – 2

(a) La limite d'une somme est égale à la somme des limites, si ces dernières existent.

(b) La limite d'un produit est égale au produit des limites, si ces dernières existent.

(c) La limite d'un quotient est égale au quotient des limites, si ces dernières existent et si la limite servant de dénominateur est différente de zéro.

2.9 (suite)

3. 1 .   4. $1/7$.

5. 0 .   6. 7 .

7. c .

2.12 – 1 (page 24)

(a)

x	3,9	3,99	3,999
$\dfrac{\sqrt{x^2+9}}{x}$	1,2616	1,2511	1,2501

(b)

x	4,1	4,01	4,001
$\dfrac{\sqrt{x^2+9}}{x}$	1,2391	1,2489	1,2499

(c) $\displaystyle\lim_{x \to 4} \frac{\sqrt{x^2+9}}{x} = 1,25$.

(d) La limite d'une fonction $f(x)$ lorsque x tend vers a est égale à $f(a)$.

2.12 – 2

(a)

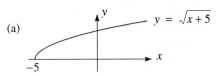

$$y = \sqrt{x+5}$$

(b) $D_f = [-5, \infty[$.

(c) On peut voir sur le graphique que la limite à droite existe alors que la limite à gauche n'existe pas (pas de voisin immédiat à gauche).

(d) Si une valeur de x constitue la borne inférieure ou la borne supérieure du domaine de définition d'une fonction, alors, pour cette valeur précise de x, la limite à gauche ou la limite à droite (selon le cas) n'existe pas.

2.12 – 3

En vertu de la règle $b^2 = a \Leftrightarrow b = \pm\sqrt{a}$ et compte tenu du fait qu'il est impossible de trouver un nombre réel b tel que $b^2 = -5$, $\sqrt{-5}$ n'existe pas (chez les réels).

2.12 (suite)

4. 12.

5. 8.

6. $\sqrt{5}$

7. $\not\exists$

8. 0.

9. $\not\exists$

10. 0.

11. 5.

12. $\not\exists$.

13. 1/4.

14. $\sqrt{5}$

15. $\sqrt{2}$.

16. $\not\exists$.

17. 0.

18. $\sqrt{6}+2$.

19. $\not\exists$.

20. $\not\exists$.

21. 0.

22. 0.

23. 2/3.

2.14 (page 28)

1. 2.

2. $-1/2$.

3. 1/7.

4. 18.

5. 1.

6. 3.

7. 1/2.

8. 8.

9. 2.

10. 1/4.

11. $1/(2\sqrt{3})$.

12. $-3/8$.

2.18 – 1 (page 33)

(a)

x	10	100	1000
$\dfrac{1}{x}$	0,1	0,01	0,001

(b) $\lim\limits_{x\to\infty}\dfrac{1}{x}=0$.

2.18 – 2

(a)

x	-10	-100	-1000
$\dfrac{1}{x}$	$-0,1$	$-0,01$	$-0,001$

(b) $\lim\limits_{x\to-\infty}\dfrac{1}{x}=0$.

2.18 – 3

En s'exprimant d'une manière très intuitive, on peut affirmer que si on fait le produit de deux variables devenant de plus en plus grandes, le résultat obtenu sera forcément une variable devenant de plus en plus grande (ce qu'on convient de signifier en écrivant $\infty\cdot\infty=\infty$).

Si d'autre part on fait le quotient de deux variables devenant de plus en plus grandes, on ne peut rien conclure quant au résultat; par exemple, il pourrait se faire que l'une des variables grandisse plus rapidement que l'autre: on dit que la forme $\frac{\infty}{\infty}$ est indéterminée.

2.18 (suite)

4. 0.

5. $-\infty$

6. ∞.

7. $-\infty$.

8. 5/2.

9. 0.

10. 4/5.

11. ∞.

2.20 – 1 (page 36)

(a)

x	0,1	0,01	0,001
$\dfrac{1}{x}$	10	100	1000

(b)

x	$-0,1$	$-0,01$	$-0,001$
$\dfrac{1}{x}$	-10	-100	-1000

(c) La limite n'existe pas, puisque, d'après les résultats ci-dessus, on a :

$$\lim_{x\to 0^+}\frac{1}{x}=+\infty \;\neq\; \lim_{x\to 0^-}\frac{1}{x}=-\infty.$$

(d) En procédant comme aux exemples de l'article 2.19, on trouve que :

$$\lim_{x\to 0^+}\frac{1}{x}=\frac{1}{0^+}=+\infty \quad \text{et}$$

$$\lim_{x\to 0^-}\frac{1}{x}=\frac{1}{0^-}=-\infty.$$

Comme la limite à gauche diffère de la limite à droite, la limite cherchée n'existe pas.

2.20 – 2

Prenons un exemple. On a $\dfrac{6}{2} = 3$, parce que $2 \cdot 3 = 6$. Il est impossible de calculer $\dfrac{6}{0}$, puisque, quel que soit x, $0 \cdot x \neq 6$.

2.20 (suite)

3. $\nexists$.	4. $-\infty$.
5. $-\infty$.	6. ∞ .
7. $\nexists$.	8. $-\infty$.
9. $\nexists$.	10. $-\infty$.
11. ∞ .	12. $\nexists$.
13. $\nexists$.	14. 3 .
15. $-\infty$.	16. $5/7$.
17. $-\infty$.	18. -8 .
19. 1 .	20. $\nexists$.
21. 2 .	22. $1/4$.
23. $-7/2$.	24. ∞ .
25. $\nexists$.	26. 3 .
27. 0 .	28. 2 .
29. $\nexists$.	30. $-1/4$.
31. $9/4$.	32. $-\infty$.

2.25 (page 43)

1. Asymptote horizontale $y = 2/3$.

2. Asymptote horizontale $y = 3$ et asymptote verticale $x = -5$.

3. Asymptote horizontale $y = 0$ et asymptotes verticales $x = \pm 2$.

4. Asymptote horizontale $y = 0$ et asymptotes verticales $x = 1$ et $x = 3$.

5. Asymptote horizontale $y = 2$ et asymptotes verticales $x = \pm 3$.

6. Asymptote oblique $y = 3x + 1$.

7. Asymptote horizontale $y = 2$ et asymptote verticale $x = 1$.

8. Asymptote verticale $x = -1$ et asymptote oblique $y = -2x - 1$.

9. Asymptote verticale $x = 0$ et asymptote oblique $y = 2x + 1$.

10. Aucune asymptote.

11. Asymptote verticale $x = -1$ et asymptote oblique $y = 2x + 2$.

12. Asymptote horizontale $y = 0$ et asymptote verticale $x = -1$.

2.27 – 1 (page 46)

La variable x s'approche de plus en plus de 3, tout en demeurant plus grande que 3 et différente de 3 (ce qui se lit : *x tend vers* 3 *par la droite*).

2.27 – 2

La variable x s'approche de plus en plus de 2, tout en demeurant plus petite que 2 et différente de 2 (ce qui se lit : *x tend vers* 2 *par la gauche*).

2.27 – 3

La variable x s'approche de plus en plus de 4 à la fois par la gauche et par la droite.

2.27 – 4

$$\lim_{x \to 3} (x^2 - 3) = 6 .$$

2.27 – 5

(a) 19 ;   (b) 7.

2.27 – 6

La limite de la fonction $x + 5$ lorsque x tend vers 4 par la gauche est égale à 9.

Une autre manière de dire la même chose serait : lorsque la variable x s'approche très près de la constante 4 tout en demeurant plus petite que 4, alors la fonction $x + 5$ s'approche très près de la constante 9.

2.27 – 7

«La limite de $f(x)$ lorsque x tend vers a» est la valeur de laquelle s'approche de plus en plus la fonction $f(x)$ lorsque la variable x s'approche de plus en plus de la constante a par la gauche et par la droite.

2.27 – 8

(a) On a:

x	2,9	2,99	2,999
$4x + 2$	13,6	13,96	13, 996

(b) $\lim\limits_{x \to 3^-} (4x + 2) = 14$.

2.27 – 9

La forme $\sqrt[2n]{0}$ ($n \in N^*$) fait souvent problème, parce que l'expression $\sqrt[2n]{0^-}$ n'a pas de sens défini chez les réels.

2.27 – 10

$\sqrt{9} = 3$, parce que $3^2 = 9$; $\sqrt[3]{-8} = -2$, parce que $(-2)^3 = -8$. Cependant $\sqrt{-4}$ n'existe pas, parce que, quel que soit x, $x^2 \neq -4$.

2.27 – 11

(a) $\sqrt{7}$;   (b) $\nexists$;

(c) 0 ;   (d) $\nexists$;

(e) $\nexists$;   (f) 0 ;

(g) 6 ;   (h) $6/5$.

2.27 – 12

(a) $2\sqrt{3}$;   (b) $-1/16$.

2.27 – 13

Pour le calcul de la limite:

$$\lim\limits_{x \to 2} \frac{(x + 2)\,(x - 2)}{x - 2}$$

(présentant la forme $0/0$), la simplification par le facteur $x - 2$ est rigoureusement permise vu que, par le fait qu'on calcule la limite de la fonction lorsque $x \to 2$, on suppose $x \neq 2$, ce qui laisse donc supposer que le dénominateur $x - 2$ est non nul pour toutes les valeurs de x considérées.

2.27 – 14

Afin de faire apparaître un facteur commun au numérateur et au dénominateur, il convient généralement de multiplier le numérateur et le dénominateur par la conjuguée de l'expression comportant un radical.

2.27 – 15

$\lim\limits_{x \to 3^-} f(x) = 9$.

2.27 – 16

On a $\infty + \infty = \infty$, en ce sens que si on additionne deux quantités plus grandes que tout nombre réel donné, on obtient évidemment une quantité plus grande que tout nombre réel donné. D'autre part, l'expression $\infty - \infty$ est indéterminée, en ce sens que si on soustrait l'une de l'autre deux quantités plus grandes que tout nombre réel donné, on ne peut *a priori* rien anticiper quant à la valeur de la quantité obtenue.

2.27 – 17

La fonction proposée est $f(x) = x^3 - x^2$.

(a) On a :

     $f(10) = 900,$

     $f(100) = 990\,000$ et

     $f(1000) = 999\,000\,000$.

(b) Il est clair que plus x augmente, plus $f(x)$ augmente également, c'est-à-dire que : $\lim\limits_{x \to \infty} f(x) = \infty$.

2.27 – 18

La fonction proposée est $f(x) = x - x^2$.

(a) On a :

     $f(10) = -90,$

     $f(100) = -9900$ et

     $f(1000) = -999\,000$.

(b) Il est donc clair que plus x augmente positivement, plus $f(x)$ augmente négativement, c'est-à-dire que :

     $\lim\limits_{x \to \infty} f(x) = -\infty$.

2.27 – 19

(a) $-\infty$;   (b) 0 ;

(c) 0 ;   (d) $1/2$.

2.27 – 20

Les expressions $0/0$ et $c/0$ font problème parce que la division par 0 est impossible.

2.27 – 21

La division d'un nombre $a \neq 0$ par un nombre b consiste à trouver un troisième nombre c tel que $bc = a$. Comme il est impossible de trouver un nombre c tel que $0 \cdot c = a$ $(a \neq 0)$, la division de a par 0 est donc impossible. Ceci est vrai même si $a = 0$, car dans ce cas il y aurait indétermination, c'est-à-dire que c pourrait prendre une infinité de valeurs.

2.27 – 22

(a) 0 ;   (b) $1/4$;

(c) $-\infty$;   (d) 8 ;

(e) $2/3$;   (f) 0 ;

(g) ∞ ;   (h) ∞ ;

(i) $\nexists$;   (j) ∞ .

2.27 – 23

(a) Deux asymptotes verticales: les droites $x = 1$ et $x = -1$. Une asymptote oblique: la droite $y = x$.

(b) Une asymptote verticale: la droite $x = 1$. Une asymptote horizontale: la droite $y = 1$.

(c) Une asymptote horizontale: la droite $y = 5$.

(d) Une asymptote oblique: la droite $y = 2x + 1$.

2.27 – 24

L'objet premier du calcul différentiel est l'étude des fonctions définies par une équation à deux variables.

2.27 – 25

On dit qu'une fonction $f(x)$ tend vers une limite L lorsque x tend vers a, si $f(x)$ s'approche très près de la constante L lorsque la variable x s'approche très près de la constante a, et ceci, par la gauche et par la droite.

2.27 – 26

En mathématiques le mot infini employé seul n'a pas de sens. D'un point de vue pratique on peut cependant le considérer comme une quantité plus grande que tout nombre réel donné.

2.27 – 27

La fonction proposée est $y = f(x) \doteq 2^{1/x}$.

(a) Son domaine de définition est:

$$D_f = R \setminus \{0\} .$$

(b) On constate que:

$$\lim_{x \to 0^+} 2^{1/x} = 2^{\infty} = \infty , \qquad (1)$$

$$\lim_{x \to 0^-} 2^{1/x} = 2^{-\infty} = 0 \qquad \text{et} \qquad (2)$$

$$\lim_{x \to \pm\infty} 2^{1/x} = 2^0 = 1 . \qquad (3)$$

Le résultat (1) nous indique que la droite $x = 0$ (l'axe des y) constitue une *asymptote verticale* pour le graphique de la fonction. Le résultat (3) nous indique que la droite $y = 1$ constitue une *asymptote horizontale* pour le même graphique.

(c) Esquisse du graphique:

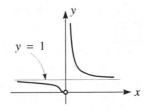

2.27 (suite)

28. 1 .

29. −1 .

30. −1/4 .

31. $\sqrt{3}$.

32. 1/2 .

33. ∞ .

34. − ∞ .

35. ∄ .

36. 0 .

37. ∞ .

38. − ∞ .

39. 2 .

3.5 (page 58)

1. Discontinuité par passage à l'infini en $x = 2$. (Continuité en toute autre valeur de x.)

2. Continuité en toute valeur de $x \in R$.

3. Discontinuité par trou en $x = 0$.

4. Continuité en toute valeur de $x \in R$.

5. Discontinuité par passage à l'infini en $x = 0$.

6. Continuité en toute valeur de $x \in R$.

7. Discontinuité par défaut sur l'intervalle $] -\infty, \, 2]$.

8. Discontinuité par trou en $x = 1$.

9. Continuité en toute valeur de $x \in R$.

10. Continuité en toute valeur de $x \in R$.

11. Discontinuité par passage à l'infini en $x = -1$.

12. Discontinuité par trou en $x = -1$.

13. Discontinuité par passage à l'infini en $x = 5$.

14. Continuité en toute valeur de $x \in R$.

15. Continuité en toute valeur de $x \in R$.

16. Discontinuité par défaut sur l'intervalle $] -\infty, -3]$.

17. Discontinuité par passage à l'infini en $x = -1$ et en $x = 3$.

18. Discontinuité par passage à l'infini en $x = 2$.

19. Discontinuité par passage à l'infini en $x = -2$ et par trou en $x = 2$.

20. Discontinuité par passage à l'infini en $x = -3$, en $x = 0$ et en $x = 2$.

21. Continuité en toute valeur de $x \in R$.

22. Continuité en toute valeur de $x \in R$.

23. Discontinuité par passage à l'infini en $x = 3$ et par trou en $x = 0$ et en $x = -3$.

24. Discontinuité par passage à l'infini en $x = -3$ et par défaut sur l'intervalle $[3, \, \infty[$.

25. Discontinuité par saut en $x = -1$.

26. Continuité en toute valeur de $x \in R$.

27. Discontinuité par passage à l'infini en $x = 5$.

28. Discontinuité par trou en $x = 1$, et par saut en $x = -1$.

29. Discontinuité par saut en $x = -2$ et en $x = 3$.

30. Discontinuité par saut en $x = 4$.

3.7 − 1 (V. page 61)

Il y a continuité en un point donné $(a, \, f(a))$ de la courbe de la fonction si ce point a deux voisins immédiats, l'un à sa gauche et l'autre à sa droite, situés infiniment près de lui.

3.7 − 2

Il y a continuité sur un intervalle ouvert donné si, sur cet intervalle, on peut tracer la courbe de la fonction sans lever le crayon.

3.7 − 3

Une fonction $f(x)$ est continue en un point $x = a$ si :

(a) elle est définie en $x = a$, c'est-à-dire si $f(a)$ existe ;

(b) les limites à gauche et à droite en $x = a$ existent et sont toutes deux égales à $f(a)$.

3.7 − 4

Les points graphiquement situés infiniment près du point $(a, \, f(a))$ de la réponse à la question 1 correspondent à l'existence des limites à gauche et à droite en $x = a$ de la réponse à la question 3.

3.7 – 5

(a) *Discontinuité* en $x = 3$.

(b) *Discontinuité* en $x = -2$.

(c) *Discontinuité* en $x = 1$.

(d) Aucun point de discontinuité.

3.7 – 6

(a) Discontinuité en $x = \pm 2$.

(b) Discontinuité en $x = -5$.

(c) Discontinuité sur l'intervalle $[4, \infty[$.

(d) Discontinuité en $x = -3$ et $x = 1$.

(e) Discontinuité en $x = -4$.

3.7 (suite)

7. Discontinuité par trou en $x = 0$ et en $x = -2$; discontinuité par passage à l'infini en $x = 2$. (Continuité en toute autre valeur de x.)

8. Continuité en toute valeur de $x \in R$.

9. Discontinuité par défaut sur l'intervalle $]-\infty, 5]$.

10. Discontinuité par passage à l'infinie en $x = 4$ et par défaut sur l'intervalle $]4, \infty[$.

11. Discontinuité par trou en $x = 0$.

12. Discontinuité par passage à l'infini en $x = -4$; discontinuité par défaut sur l'intervalle $[2, \infty[$.

13. Continuité en toute valeur de $x \in R$.

14. Discontinuité par passage à l'infini en $x = 0$.

15. Discontinuité par saut en $x = 0$.

16. Discontinuité par passage à l'infini en $x = 4$.

17. Continuité en toute valeur de $x \in R$.

18. Le graphique de la fonction ne comporte qu'un seul point, le point $(0, 0)$. Par conséquent la fonction est discontinue sur R tout entier (le point en question n'ayant pas de voisin immédiat à sa gauche et non plus à sa droite).

19. Continuité en toute valeur de $x \in R$.

20. Discontinuité par trou en $x = 1$.

21. Discontinuité par passage à l'infini en $x = -2$ et discontinuité par saut en $x = 3$.

22. Continuité sur R tout entier.

23. Discontinuité par passage à l'infini en $x = 1$ et discontinuité par saut en $x = 5$.

24. Discontinuité par saut en $x = 0$ et discontinuité par trou en $x = 2$.

3.7 – 25

(a) $D_f =]-\infty, 4]$.

(b) La fonction est continue sur l'intervalle $]-\infty, 4[$.

(c) Le point $x = 4$ fait bien partie du domaine de définition de la fonction, puisque $f(4) = \sqrt{0} = 0$ (c'est-à-dire que $f(4)$ existe). La fonction est cependant discontinue en $x = 4$, parce que la seconde condition de la définition de la continuité n'est pas rencontrée: la limite à droite n'existe pas.

(d) Le point $(4, f(4))$ appartient bien à la courbe de la fonction, mais il n'a pas de voisin immédiat à droite.

3.7 – 26

(a) La fonction est continue pour toutes les valeurs de $x \in R$.

(b) Vrai, puisque la fonction est continue sur R tout entier.

(c) $\lim\limits_{x \to -\infty} (x^3 + 2x^2 + x - 4) = \lim\limits_{x \to -\infty} x^3$
$$= -\infty \,;$$

$\lim\limits_{x \to \infty} (x^3 + 2x^2 + x - 4) = \lim\limits_{x \to \infty} x^3$
$$= \infty.$$

(d) Puisque la fonction est continue et possède à la fois des valeurs positives et des valeurs négatives (vu qu'elle passe de $-\infty$ à $+\infty$) sa courbe coupe nécessairement l'axe des x au moins une fois (c'est-à-dire que la fonction égale zéro au moins une fois).

3.7 − 27

(a) La fonction est continue sur tout l'intervalle proposé $[0, 3]$.

(b) Il y a continuité sur l'intervalle $[-5, 0]$, sauf en $x = -2$ (discontinuité par passage à l'infini).

(c) Il y a discontinuité sur l'intervalle $[4, 8]$ et continuité sur tout le reste de l'intervalle $[0, 8]$, soit sur l'intervalle $[0, 4[$.

(d) Il y a continuité sur l'intervalle $]5, 10]$ (et donc discontinuité en $x = 5$).

3.7 − 28

(a) $f(x) = \dfrac{(x-4)(x-2)}{(x-4)}$.

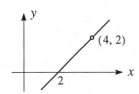

(b) $f(x) = \sqrt{x-5}$.

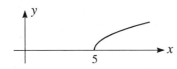

(c) $f(x) = \dfrac{1}{x+4}$.

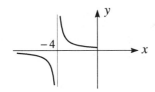

(d) $f(x) = \dfrac{|x-3|}{x-3}$.

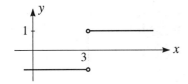

4.4 (page 69)

1. $m = 0$.

2. $m = 7$.

3. $m = -2$.

4. $m = 13/2$.

5. $m = 1/4$.

6. $m = 1/2$.

4.9 (page 77)

1. $\dfrac{dy}{dx} = 3$.

2. $\dfrac{dy}{dx} = 8\pi x$.

3. $\dfrac{da}{dr} = 8\pi r$.

4. $\dfrac{ds}{dt} = 50 - 2t$.

5. $\dfrac{ds}{dt} = 2 - 0,1t$.

6. $\dfrac{dy}{dx} = \dfrac{-4}{(x-1)^2}$.

7. $\dfrac{dy}{dx} = \dfrac{-9}{(x-3)^2}$.

8. $\dfrac{dy}{dx} = \dfrac{1}{2\sqrt{x+5}}$.

9. $\dfrac{dy}{dx} = \dfrac{-3}{2\sqrt{2-3x}}$.

10. $\dfrac{dy}{dx} = \dfrac{-1}{2\sqrt{x^3}}$.

11. $\dfrac{dy}{dx} = 3x^2$.

12. $\dfrac{dy}{dx} = 0$.

4.9 – 13

(a) $m = f'(x) = \dfrac{-2}{(x-1)^2}$.

(b) $m = f'(3) = -\dfrac{1}{2}$.

4.9 – 14

(a) $m = f'(x) = 2x+1$.

(b) $m = f'(-2) = -3$.

4.9 – 15

(a) $m = f'(x) = \dfrac{1}{\sqrt{x}}$.

(b) $m = f'(4) = \dfrac{1}{2}$.

4.9 – 16

(a) $m = f'(x) = \dfrac{4}{(1-2x)^2}$.

(b) $m = f'(1) = 4$.

4.11 – 1 (page 83)

(a) $\Delta a = A(5) - A(2)$

$= 5^2 - 2^2 = 21 \ \text{cm}^2$.

(b) $T.V.M. = \dfrac{\Delta a}{\Delta x} = \dfrac{21}{5-2} = \dfrac{21}{3}$

$= 7 \ \text{cm}^2/\text{cm}$.

(c) $T.V.I. = 2x = 2 \cdot 2 = 4 \ \text{cm}^2/\text{cm}$

(étant donné que la dérivée de la fonction x^2 est $2x$).

4.11 – 2

(a) La formule générale demandée n'est autre que la dérivée de la fonction. Calculons donc cette dérivée :

$\Delta n = N(t+\Delta t) - N(t)$

$= 1843 - 9(t+\Delta t) - (1843 - 9t)$

$= -9\Delta t$.

$\dfrac{\Delta n}{\Delta t} = \dfrac{-9\Delta t}{\Delta t} = -9$.

$\dfrac{dn}{dt} = \lim_{\Delta t \to 0} \dfrac{\Delta n}{\Delta t}$

$= \lim_{\Delta t \to 0} (-9) = -9$.

Donc la formule générale demandée est :

$N'(t) = -9$.

(b) Le fait que la formule trouvée ci-dessus est une constante signifie que le taux de variation est constant, c'est-à-dire que le changement du nombre d'élèves sera le même d'une année à l'autre.

(c) Le fait que la constante en question (qui est le taux de variation) est négative signifie que la population étudiante *diminuera* à chaque année (de 9 individus).

4.11 – 3

(a) $\Delta y = f(3) - f(1) = 20 - 10$

$= 10$.

(b) $T.V.M. = \dfrac{\Delta y}{\Delta x} = \dfrac{10}{3-1} = 5$.

(c) $T.V.I. = f'(1) = 2 \cdot 1 + 1 = 3$.

(vu que la dérivée de la fonction est $f'(x) = 2x+1$).

(d) La pente de la sécante à la courbe sur l'intervalle *I* correspond au taux d'accroissement moyen de la fonction sur l'intervalle *I*. Donc (V. (b)) :

$m = \dfrac{\Delta y}{\Delta x} = 5$.

(e) La pente de la tangente à la courbe en $x = 1$ correspond au taux d'accroissement instantané en $x = 1$, soit (V. (c)) :

$m = f'(1) = 3$.

4.11 – 4

(a) $\Delta y = f(11) - f(4) = 4 - 3 = 1.$

(b) $T.V.M. = \dfrac{\Delta y}{\Delta x} = \dfrac{1}{11 - 4} = \dfrac{1}{7}.$

(c) $T.V.I. = f'(4) = \dfrac{1}{2\sqrt{4 + 5}} = \dfrac{1}{6}$

(vu que la dérivée de la fonction est

$f'(x) = \dfrac{1}{2\sqrt{x + 5}}$).

(d) $m = \dfrac{\Delta y}{\Delta x} = \dfrac{1}{7}.$

(e) $m = f'(4) = \dfrac{1}{6}.$

4.14 – 1 (page 87)

(a) Le trajet parcouru au bout de 10 secondes est de:

$S(10) = 500 - 100 = 400$ m.

Au bout de 15 secondes, le trajet parcouru est de:

$S(15) = 750 - 225 = 525$ m.

(b) Sur l'intervalle de temps [10, 15], la vitesse moyenne est de:

$$v_m = \frac{\Delta s}{\Delta t} = \frac{S(15) - S(10)}{15 - 10}$$

$$= \frac{525 - 400}{5} = \frac{125}{5} = 25 \text{ m/s}.$$

(c) Vu que la dérivée de la fonction s est:

$s' = 50 - 2t$

(V. Exercice 4.9 – 4), il s'ensuit que la vitesse instantanée au temps $t = 10$ est de:

$S'(10) = 50 - 20 = 30$ m/s

et celle au temps $t = 15$:

$S'(15) = 50 - 30 = 20$ m/s.

4.14 – 2

D'après les données du problème, le mobile s'élève conformément à la fonction:

$s = S(t) = 39,2\, t - 4,9\, t^2$ (m/s).

Afin de pouvoir facilement répondre aux diverses questions du problème, commençons par calculer la dérivée de la fonction s et, afin simplifier l'écriture des calculs, posons $a = 39,2$ et $b = 4,9$. Dans ces conditions, la fonction à dériver a pour expression:

$s = S(t) = at - bt^2.$

On a:

$$\Delta s = S(t + \Delta t) - S(t)$$

$$= a(t + \Delta t) - b(t + \Delta t)^2 - (at - bt^2)$$

$$= at + a\Delta t - b(t^2 + 2t\,\Delta t + (\Delta t)^2) - at + bt^2$$

$$= a\Delta t - 2bt\,\Delta t - b(\Delta t)^2$$

$$= \Delta t\,(a - 2bt - b\Delta t).$$

$$\frac{\Delta s}{\Delta t} = \frac{\Delta t\,(a - 2bt - b\Delta t)}{\Delta t}$$

$$= a - 2bt - b\Delta t.$$

$$\frac{ds}{dt} = \lim_{\Delta t \to 0} \frac{\Delta s}{\Delta t}$$

$$= \lim_{\Delta t \to 0} (a - 2bt - b\Delta t)$$

$$= a - 2bt.$$

Donc, la dérivée de la fonction est:

$S'(t) = 39,2 - 9,8\,t.$

(a) Après une seconde de parcours, la vitesse instantanée du mobile est:

$$v_i = S'(1) = 39{,}2 - 9{,}8 \cdot 1$$
$$= 29{,}4 \text{ m/s}.$$

(b) Le mobile cesse de monter au moment où sa vitesse instantanée est nulle, c'est-à-dire au moment où:

$$v_i = S'(t) = 39{,}2 - 9{,}8\,t = 0,$$

ce qui se produit donc au bout de:

$$t = \frac{39{,}2}{9{,}8} = 4 \text{ secondes}.$$

(c) À montrer que la vitesse du mobile est réduite de moitié après 2 secondes.

Au temps $t = 0$, la vitesse du mobile est de:

$$v_i = S'(0) = 39{,}2 \text{ m/s}.$$

Au temps $t = 2$, elle est de:

$$v_i = S'(2) = 39{,}2 - 9{,}8 \cdot 2$$
$$= 19{,}6 \text{ m/s}.$$

Par conséquent, au bout de 2 secondes, la vitesse du mobile est réduite de moitié.

4.16 − 1 (page 89)

$$f'(x) = \frac{dy}{dx} = \lim_{\Delta x \to 0} \frac{\Delta y}{\Delta x}$$

$$= \lim_{\Delta x \to 0} \frac{f(x + \Delta x) - f(x)}{\Delta x}.$$

4.16 − 2

La dérivée $f'(x) = dy/dx$ d'une fonction $y = f(x)$ est la limite du quotient $\Delta y/\Delta x$ de l'accroissement Δy de la variable y par l'accroissement Δx de la variable x, lorsque Δx tend vers zéro.

4.16 − 3

(a) $m = 10$.

(b) $m = 8{,}02$.

(c) $m = 8{,}002$.

(d) $m = 8$.

(e) On a pu remarquer que plus l'accroissement Δx est petit, plus la pente de la sécante sur l'intervalle $[2,\ 2 + \Delta x]$ se rapproche du nombre 8, qui est la pente de la tangente à la courbe au point $(2, f(2))$. Autrement dit, lorsque l'intervalle devient infiniment petit, la pente de la sécante se confond avec celle de la tangente, qui est la limite.

(f) $f'(x) = 4x$.

(g) $f'(2) = 8$.

(h) Le fait d'avoir les mêmes réponses en (d) et (g) confirme le fait que la dérivée d'une fonction $f(x)$ en une valeur de x correspond à la pente de la tangente à la courbe au point $(x, f(x))$.

4.16 − 4

(a) Puisque la dérivée de la fonction est:

$$f'(x) = \frac{-4}{(x - 1)^2}.$$

il s'ensuit donc que:

$$f'(2) = \frac{-4}{(2 - 1)^2} = -4.$$

(b) Le nombre $f'(2) = -4$ correspond à la pente de la tangente à la courbe de la fonction au point $(2, f(2)) = (2, 4)$. On pourrait aussi dire que le nombre -4 est le taux de variation instantané de y par rapport à x lorsque $x = 2$.

4.16 − 5

(a) La pente de la sécante à la courbe de la fonction sur l'intervalle $[x\,,\ x + \Delta x]$ est:

$$m \ = \ \frac{f(x + \Delta x) - f(x)}{(x + \Delta x) - x}$$

$$= \ \frac{(x + \Delta x)^2 - 2(x + \Delta x) - (x^2 - 2x)}{\Delta x}$$

$$= \ \frac{x^2 + 2x\Delta x + (\Delta x)^2 - 2x - 2\Delta x - x^2 + 2x}{\Delta x}$$

$$= \ \frac{2x\Delta x + (\Delta x)^2 - 2\Delta x}{\Delta x}$$

$$= \ \frac{\Delta x\,(2x + \Delta x - 2)}{\Delta x}$$

$$= \ 2x + \Delta x - 2\,.$$

(b) La pente de la tangente en tout point $(x, f(x))$ de la courbe de la fonction est obtenue par la formule:

$$m(x) \ = \ \lim_{\Delta x \to 0}\ (2x + \Delta x - 2)$$
$$= \ 2x - 2\,.$$

(Il s'agit de la dérivée de la fonction.)

(c) Au point d'abscisse $x = 1$, la pente de la tangente a pour valeur:

$$m(1) \ = \ 2 \cdot 1 - 2 \ = \ 0\,.$$

(d) Puisque cette pente est nulle, la tangente est horizontale, c'est-à-dire parallèle à l'axe des x.

4.16 − 6

(a) 40 000 citoyens.

(b) -500 citoyens par année.

(c) Le signe moins dans la réponse ci-dessus signifie que, de 1960 à 1980, la population a *diminué* (de 500 citoyens par année en moyenne).

(d) On ne peut trouver le taux de variation instantané pour l'année 1920. En effet, comme l'évolution du nombre de citoyens en fonction du temps n'est pas décrite à l'aide d'une équation, on ne peut calculer la dérivée, laquelle nous permettrait de connaître le taux de variation instantané à un moment précis.

Tout au plus pourrait-on, par exemple, trouver une approximation à l'aide d'une courbe continue tracée à l'aide des données ponctuelles fournies et retenir comme réponse la pente de la tangente à la courbe en $t = 1920$.

4.16 − 7

(a) 15° C.

(b) 1,5 °/heure.

(c) La formule permettant de connaître le taux de variation instantané pour chaque moment de la journée nous est donnée par la dérivée de la fonction (calculée à l'exercice 4.9 − 5):

$$C'(t) \ = \ 2 - 0{,}1\,t\,.$$

(d) Les taux de variation instantanés à 11 h et à 20 h sont respectivement:

$$C'(11) \ = \ 0{,}9 \text{ degré/heure} \quad \text{et}$$

$$C'(20) \ = \ 0 \text{ degré/heure}.$$

4.16 − 8

(a) À partir du moment où on applique les freins, la vitesse du véhicule en fonction du temps est donnée par la dérivée de la fonction de déplacement:

$$v \ = \ S'(t) \ = \ 10 - 2t \ \ (\text{m/sec})\,.$$

(b) La vitesse du véhicule au moment où on applique les freins est de:

$$v_0 \ = \ S'(0) \ = \ 10 \ \ \text{m/sec}\,.$$

(c) Le temps requis pour que le véhicule s'immobilise est celui qu'il faut pour que la vitesse devienne nulle. Donc il faut que :

$$v = 10 - 2t = 0 .$$

Par conséquent, le temps requis est de :

$$t = 5 \text{ secondes.}$$

(d) L'espace parcouru pendant la période de freinage est celui parcouru pendant les 5 secondes dont il est question ci-dessus. Cet espace est donc de :

$$s = S(5) = 10 \cdot 5 - 5^2 = 25 \text{ m.}$$

4.16 – 9

(a) La *vitesse moyenne* (sur l'intervalle de temps $[t_1, t_2]$).

(b) La *vitesse instantanée* (au temps t_1).

(c) Le *taux de variation moyen* (sur l'intervalle $[t_1, t_2]$).

(d) Le *taux de variation instantané* (en $t = t_1$).

4.16 – 10

La tangente en un point A d'une courbe peut être vue comme la *limite* d'une sécante en deux points de la courbe lorsque, par le déplacement de l'un des deux points, ceux-ci en viennent à se confondre avec le point A.

4.16 – 11

(a) En *géométrie analytique*, la dérivée d'une fonction numérique $f(x)$ donne la *pente de la tangente* à la courbe de la fonction en chaque point $(x, f(x))$ où la dérivée est définie.

(b) La dérivée d'une fonction $f(x)$ peut aussi être considérée comme le *taux de variation instantané* de la variable y par rapport à la variable x en chaque valeur de x où la dérivée est définie.

(c) Dans le cas des *corps en mouvement*, la dérivée de la «fonction de déplacement» (exprimant l'espace parcouru s en fonction du temps t) donne la *vitesse instantanée* au temps t.

4.16 – 12

Voici quatre notions étudiées dans ce chapitre faisant appel à la notion de limite :

– la *dérivée* : limite d'un quotient d'accroissements ;

– la *pente* de la tangente en un point A d'une courbe : limite d'une sécante en deux points de la courbe lorsque, par le déplacement de l'un de ces deux points, ceux-ci en viennent à se confondre avec le point A ;

– le *taux de variation instantané* : limite du taux de variation moyen lorsque l'intervalle sur lequel il porte tend vers zéro ;

– la *vitesse instantanée* : limite de la vitesse moyenne lorsque l'intervalle de temps considéré devient infiniment petit.

4.16 – 13

La fonction proposée est : $y = f(x) = |x|$.

(a) Son graphique est :

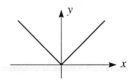

(b) Cette fonction est continue sur R tout entier (puisqu'on peut tracer sa courbe sans lever le crayon).

(c) Sur l'intervalle $]0, \infty[$, la dérivée est $f'(x) = +1$ ($+1$ étant la pente de la branche ascendante de la courbe de f).

(d) Sur l'intervalle $]-\infty, 0[$, la dérivée est $f'(x) = -1$ (-1 étant la pente de la branche descendante de la courbe de f).

(e) En $x = 0$ la dérivée n'existe pas, puisque la limite de $\Delta y/\Delta x$ lorsque $\Delta x \to 0$ égale -1 à gauche et $+1$ à droite (c'est-à-dire que la limite à gauche diffère de celle à droite).

4.16 – 14

Nous avons vu (V. page 74, Exemple 1) que la dérivée de la fonction $f(x) = x^2$ est $f'(x) = 2x$. Par conséquent, la pente de la tangente à la courbe de la fonction au point $(1, 1)$ est $f'(1) = 2$. Il s'ensuit que cette tangente a pour équation :

$$\frac{y-1}{x-1} = 2.$$

Comme le point $(4, 7)$ vérifie cette équation (c'est-à-dire qu'il fait partie de la droite définie par cette équation), on peut donc affirmer qu'il fait partie de la tangente à la courbe au point $(1, 1)$.

4.16 – 15

Soit (x_1, y_1) l'un des deux points cherchés. Ce point doit vérifier l'équation de la courbe. Donc on doit avoir :

$$y_1 = x_1^2. \tag{1}$$

D'autre part, la tangente au point (x_1, y_1) a pour pente :

$$m = 2x_1,$$

puisque la dérivée de la fonction x^2 est $2x$. Il s'ensuit que l'équation de la tangente au point (x_1, y_1) est :

$$\frac{y_1 - 3}{x_1 - 2} = 2x_1, \tag{2}$$

(compte tenu du fait que cette tangente doit comporter le point $(2, 3)$). Le résultat (1) substitué dans (2) nous conduit à l'équation :

$$x_1^2 - 4x_1 + 3 = 0,$$

c'est-à-dire :

$$(x_1 - 3)(x_1 - 1) = 0.$$

Par suite, pour $x_1 = 3$, (1) donne $y_1 = 9$. Et pour $x_1 = 1$, (1) donne $y_1 = 1$. Donc les points cherchés sont $(3, 9)$ et $(1, 1)$.

4.16 – 16

La fonction $y = |x - 3|$ répond à la question, c'est-à-dire qu'elle est continue sur R et non dérivable en $x = 3$. Elle est non dérivable en ce point, puisque la limite de $\Delta y/\Delta x$ lorsque $\Delta x \to 0$ égale -1 à gauche de 3 et $+1$ à droite (c'est-à-dire que la limite à gauche diffère de celle à droite). Voici le graphique de cette fonction :

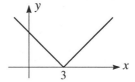

4.16 – 17

Soit r le rayon du front d'ondes à un instant donné et $a = f(r)$ la fonction décrivant l'aire de la surface circulaire délimitée par ce front d'ondes en fonction de son rayon. Par conséquent on a :

$$a = f(r) = \pi r^2.$$

En procédant en trois temps comme plus haut dans ce chapitre, on trouve que la dérivée de cette fonction est :

$$f'(r) = 2\pi r.$$

C'est donc dire que le taux de variation (instantané) de l'aire de la surface lorsque le rayon égale 40 cm est :

$$T.V.I. = f'(40) = 2\pi \cdot 40 = 80\pi$$
$$\text{cm}^2/\text{cm} .$$

4.16 – 18

Ces mathématiciens n'avaient pas compris la notion de limite qui veut que la dérivée soit la limite du quotient $\Delta y/\Delta x$ lorsque Δx tend vers zéro. Lorsqu'on dit que Δx tend vers zéro, on suppose que Δx s'approche autant que l'on veut de zéro tout en restant *différent* de zéro.

5.7 (page 100)

1. $y' = 6x - 5$.

2. $y' = \dfrac{2x}{5} + 7$.

3. $y' = \dfrac{9x^2}{2} - 10x - \dfrac{1}{7}$.

4. $y' = 3x^2 + 2x + 1$.

5. $y' = 6$.

6. $y' = 7x + \pi$.

7. $y' = 12x^2 + 10x$.

8. $y' = \dfrac{1}{3} + 8$.

9. $y' = x + \sqrt{\pi}$.

10. $y' = x^2 + x + 1$.

5.9 (page 105)

(*Note:* Pour cette série d'exercices et pour les deux suivantes, les réponses seront généralement fournies sous deux formes : d'abord sous une forme «non simplifiée», puis, s'il y a lieu, sous une forme «simplifiée» (s'apparentant autant que possible à la forme dans laquelle la question a été posée).)

1. $y' = \dfrac{1}{2} x^{-1/2} = \dfrac{1}{2\sqrt{x}}$.

2. $y' = \dfrac{2}{3} x^{-2/3} + \dfrac{6}{5} x^{-3/5}$

$= \dfrac{2}{3 x^{2/3}} + \dfrac{6}{5 x^{3/5}}$.

3. $y' = \dfrac{3}{2} x^{1/2} + \dfrac{2}{3} x^{-1/3}$

$= \dfrac{3}{2} \sqrt{x} + \dfrac{2}{3 \sqrt[3]{x}}$.

4. $y' = -x^{-3} - 2 x^{-3/2}$

$= -\dfrac{1}{x^3} - \dfrac{2}{\sqrt{x^3}}$.

5. $y' = \dfrac{1}{3} x^{-2/3} = \dfrac{1}{3 \sqrt[3]{x^2}}$.

6. $y' = -\dfrac{1}{3} x^{-4/3} - \dfrac{4}{3} x^{-7/3}$

$= -\dfrac{1}{3 x^{4/3}} - \dfrac{4}{3 x^{7/3}}$.

7. $y' = \pi x^{\pi - 1} - \pi x^{-2}$

$= \pi x^{\pi - 1} - \dfrac{\pi}{x^2}$.

8. $y' = -6x^{-3} + \dfrac{10}{3} x^{-5/3}$

$= -\dfrac{6}{x^3} + \dfrac{10}{3 x^{5/3}}$.

9. $y' = 8x (x^2 + 1)^3$.

10. $y' = \dfrac{1}{2} (x^3 + 1)^{-1/2} (3x^2)$

$= \dfrac{3x^2}{2\sqrt{x^3 + 1}}$.

11. $y' = -9 (x^2 - 5)^{-4} (2x)$

$= \dfrac{-18x}{(x^2 - 5)^4}$.

12. $y' = 3 (x^3 + 2x^2 + x + 4)^2$
$(3x^2 + 4x + 1)$.

13. $y' = \dfrac{1}{3} (x^2 + 7)^{-2/3} (2x)$

$= \dfrac{2x}{3 \sqrt[3]{(x^2 + 7)^2}}$.

14. $y' = 15(3x+4)^4$.

15. $y' = \dfrac{7}{2}(x^2+3x+2)^{5/2}(2x+3)$.

16. $y' = -10(x^2+x+1)^{-3}(2x+1)$

$= \dfrac{-10(2x+1)}{(x^2+x+1)^3}$.

17. $y' = \dfrac{1}{2}(x^5+x)^{-1/2}(5x^4+1)$

$= \dfrac{5x^4+1}{2\sqrt{x^5+x}}$.

18. $y' = -(1-x^2)^{-4/3}(-2x)$

$= \dfrac{2x}{\sqrt[3]{(1-x^2)^4}}$.

19. $y' = \dfrac{5}{3}(1-x)^{2/3}(-1)$

$= -\dfrac{5}{3}(1-x)^{2/3}$.

20. $y' = \dfrac{3}{4}(2x+3)^2(2)$

$= \dfrac{3}{2}(2x+3)^2$.

5.11 (page 108)

1. $y' = x^3(2x) + (x^2+1)(3x^2)$

$= 5x^4 + 3x^2$.

2. $y' = 8x(3-x) + (4x^2+7)(-1)$

$= -12x^2 + 24x - 7$.

3. $y' = \dfrac{x^2}{2}(4+x)^{-1/2} + \sqrt{4+x}\,(2x)$

$= \dfrac{5x^2 + 16x}{2\sqrt{4+x}}$.

4. $y' = (2x+1)^2(2x)$

$\qquad + (x^2+3)(2x+1)(4)$

$= 2(2x+1)(4x^2+x+6)$.

5. $y' = \dfrac{x^5}{3}(x+1)^{-2/3} + 5x^4(x+1)^{1/3}$

$= \dfrac{16x^5 + 15x^4}{3\sqrt[3]{(x+1)^2}}$.

6. $y' = (2x+1)(2x) + (x^2+1)(2)$

$= 6x^2 + 2x + 2$.

7. $y' = -(2x+4)^3$

$\qquad + (2-x)(6)(2x+4)^2$

$= 8(2x+4)^2(1-x)$.

8. $y' = (x+3)^5 + (x-4)(5)(x+3)^4$

$= (x+3)^4(6x-17)$.

9. $y' = 5x(2x-5)(4) + 5(2x-5)^2$

$= 5(2x-5)(6x-5)$.

10. $y' = \dfrac{3x^{-3}}{2}(3x+1)^{-1/2}$

$\qquad + (3x+1)^{1/2}(-3x^{-4})$

$= \dfrac{-3(5x+2)}{2x^4\sqrt{3x+1}}$.

5.13 (page 111)

1. $y' = \dfrac{(1+x)(-1) - (1-x)}{(1+x)^2}$

$= \dfrac{-2}{(1+x)^2}$.

2. $y' = \dfrac{(x^2 + 1)\left[\frac{1}{2}(x+4)^{-1/2}\right] - (x+4)^{1/2}(2x)}{(x^2 + 1)^2}$

$= \dfrac{-3x^2 - 16x + 1}{2\sqrt{x+4}\,(x^2 + 1)^2}$.

3. $y' = -4(x^2 + 1)^{-2}(2x)$

$= \dfrac{-8x}{(x^2 + 1)^2}$.

4. $y' = \dfrac{4}{3}(x^2 + 1)^3(2x)$

$= \dfrac{8x(x^2 + 1)^3}{3}$.

5. $y' = \dfrac{2x(1 - x^2) - (1 + x^2)(-2x)}{(1 - x^2)^2}$

$= \dfrac{4x}{(1 - x^2)^2}$.

6. $y' = \dfrac{6(1 - x^2)^{1/2} + 6x^2(1 - x^2)^{-1/2}}{1 - x^2}$

$= \dfrac{6}{\sqrt{(1 - x^2)^3}}$.

7. $y' = \dfrac{3(x^2 + 4) - 6x^2}{(x^2 + 4)^2}$

$= \dfrac{-3x^2 + 12}{(x^2 + 4)^2}$.

8. $y' = -6x(x^2 + 4)^{-2}$

$= \dfrac{-6x}{(x^2 + 4)^2}$.

9. $y' = \dfrac{1}{10}(4 - x^2)^{-1/2}(-2x)$

$= -\dfrac{x}{5\sqrt{4 - x^2}}$.

10. $y' = \dfrac{-x(5 - x)^{-1/2} - 2(5 - x)^{1/2}}{4x^2}$

$= \dfrac{x - 10}{4x^2\sqrt{5 - x}}$.

5.15 (page 112)

1. $y' = \dfrac{35x^4}{(7 + x)^6}$.

2. $y' = \dfrac{41}{2\sqrt{(3x - 4)(5x + 7)^3}}$.

3. $y' = \dfrac{15\sqrt{x}}{2} + \dfrac{4}{3\sqrt[3]{x}} - \dfrac{5}{4\sqrt[4]{x^3}}$.

4. $y' = (x - 3)^2(5x^2 - 6x + 6)$.

5. $y' = \dfrac{4x}{\sqrt{(1 - x^2)^3}}$.

6. $y' = \dfrac{-14x^3 + 48x^2}{\sqrt{4 - x}}$.

7. $y' = \dfrac{2x - 2}{\sqrt{2x^2 - 4x + 5}}$.

8. $y' = \dfrac{x^3 + 8x}{\sqrt{(x^2 + 4)^3}}$.

9. $y' = \dfrac{8(1 + x)^3}{(1 - x)^5}$.

10. $y' = 5\sqrt{x^3} - \dfrac{3}{4\sqrt[4]{x^3}} - \dfrac{10}{x^3}$.

11. $y' = (3 - x)(-5x^3 + 9x^2 - 14)$.

12. $y' = \dfrac{4x^3}{(1-2x)^5}$.

13. $y' = \dfrac{1}{2\sqrt{\dfrac{2}{x}+\dfrac{x}{3}}} \left(\dfrac{1}{3}-\dfrac{2}{x^2}\right)$.

14. $y' = \dfrac{x^2+4x+1}{(1-x^2)^2}$.

15. $y' = -\dfrac{1}{\sqrt{x^3}} - \dfrac{5}{x^2} - \dfrac{x}{3}$.

16. $y' = (3-x)^2(-5x^2+6x+9)$.

17. $y' = \dfrac{6}{\sqrt{(x^2+3)^3}}$.

18. $y' = -30(1-5x)^5$.

19. $y' = \dfrac{5x^4}{(1+2x)^6}$.

20. $y' = \dfrac{-5x^2+8x}{\sqrt{2-x}}$.

21. $y' = \dfrac{1}{4\sqrt{1+\sqrt{x}}\ \sqrt{x}}$.

22. $y' = \dfrac{-x^4+12x^2+54x}{(x^3+27)^2}$.

23. $y' = \dfrac{4(3x^3-2x)}{\sqrt{x^2-1}}$.

24. $y' = \dfrac{-12}{(3x-1)^2}$.

25. $y' = \dfrac{-2(x+2)}{(x-2)^3}$.

26. $y' = \dfrac{-14}{(x-2)^3}$.

27. $y' = \dfrac{9x}{\sqrt{x^2+4}}$.

28. $y' = -\dfrac{3x^2+1}{(x^3+x)^2}$.

5.17 (page 116)

1. $\dfrac{dy}{dx} = \dfrac{6(1+2\sqrt{x})^5}{\sqrt{x}}$.

2. $\dfrac{dy}{dx} = \dfrac{3t^2}{2}$.

3. $\dfrac{dy}{dx} = \dfrac{x}{4\sqrt{16+x^2}}$.

4. $\dfrac{dy}{dx} = \dfrac{4t}{3\sqrt[3]{t^2+4}}$.

5. $\dfrac{dy}{dx} = \dfrac{16}{x^2\sqrt{x^2-16}}$.

6. $\dfrac{dy}{dx} = \dfrac{-2}{\sqrt{x^3}\ \left(1-\sqrt{\dfrac{4}{x}}\right)^2}$.

7. $\dfrac{dy}{dx} = \dfrac{-x}{2\sqrt{16-x^2}}$.

8. $\dfrac{dy}{dx} = \dfrac{-8}{(t-1)^2}$.

9. $\dfrac{dy}{dx} = \dfrac{-4x^3}{27\sqrt[3]{\left(4-\dfrac{x^4}{9}\right)^2}}$.

10. $\dfrac{dy}{dx} = \dfrac{4\sqrt{t^3}}{\sqrt{2}(1+t)^2}$.

11. $\dfrac{dy}{dx} = -\dfrac{4(2x+1)}{3\sqrt[3]{[2-(2x+1)^2]^2}}$.

12. $\dfrac{dy}{dx} = -\dfrac{(t-1)^2(t^2+2t-1)}{5(t+1)^2}$.

5.19 (page 122)

1. $\dfrac{dy}{dx} = \dfrac{2-x}{y}$.

2. $\dfrac{dy}{dx} = \dfrac{y+1}{2-x}$.

3. $\dfrac{dy}{dx} = \dfrac{2x-y}{x-2y}$.

4. $y' = -\dfrac{x^2}{y^2}$.

5. $\dfrac{dy}{dx} = \dfrac{10xy^2 - 4x^3 - y}{x - 10x^2 y}$.

6. $\dfrac{dy}{dx} = \dfrac{\sqrt{y^2+3}}{y}$.

7. $\dfrac{dy}{dx} = \dfrac{y^7 - 6x^5 - 6x^2 y}{2x^3 - 7xy^6}$.

8. $\dfrac{dy}{dx} = \dfrac{\sqrt{x^2+y^2}-x}{y}$.

9. $m = 5/7$.

10. $m = 1/2$.

11. $m = -1$.

12. $m = -4/3$.

5.19 – 13

Les cercles proposés ont respectivement pour équation :

$$x^2 + y^2 - 12x - 6y + 25 = 0 \quad \text{et} \quad (1)$$

$$x^2 + y^2 + 2x + y = 10 . \quad (2)$$

À montrer que ces cercles sont tangents au point $(2, 1)$.

On constate que le point $(2, 1)$ appartient à chacun des cercles, puisqu'il répond à leurs équations respectives. En effet, en remplaçant x par 2 et y par 1 dans les équations (1) et (2), on obtient :

$$4 + 1 - 24 - 6 + 25 = 0 \qquad \text{et}$$

$$4 + 1 + 4 + 1 = 10.$$

Reste à s'assurer que, pour les deux cercles, les tangentes au point $(2, 1)$ ont la même pente. Pour trouver ces pentes, commençons par calculer la dérivée (implicite) pour chacun des cercles. Pour le premier, on a (V. (1)) :

$$x^2 + y^2 - 12x - 6y + 25 = 0$$

$$\Rightarrow \quad 2x + 2y\,\dfrac{dy}{dx} - 12 - 6\,\dfrac{dy}{dx} = 0$$

$$\Rightarrow \quad \dfrac{dy}{dx}(2y - 6) = 12 - 2x$$

$$\Rightarrow \quad \dfrac{dy}{dx} = \dfrac{12 - 2x}{2y - 6} = \dfrac{6-x}{y-3} .$$

Et pour le second on a (V. (2)) :

$$x^2 + y^2 + 2x + y = 10$$

$$\Rightarrow \quad 2x + 2y\,\dfrac{dy}{dx} + 2 + \dfrac{dy}{dx} = 0$$

$$\Rightarrow \quad \dfrac{dy}{dx}(2y + 1) = -2x - 2$$

$$\Rightarrow \quad \dfrac{dy}{dx} = \dfrac{-2x-2}{2y+1} .$$

En ce qui concerne le premier cercle, la pente de la tangente au point $(2, 1)$ est donc :

$$m = \dfrac{6-2}{1-3} = \dfrac{4}{-2} = -2$$

et, en ce qui concerne le second :

$$m = \dfrac{-4-2}{2+1} = \dfrac{-6}{3} = -2 .$$

Donc, puisque les deux pentes ci-dessus sont égales, les deux cercles sont tangents au point $(2, 1)$.

5.21 (page 124)

1. $f''(x) = 42x - 120x^3$.

2. $\dfrac{d^2y}{dx^2} = 2 + \dfrac{6}{x^4}$.

3. $\dfrac{d^3y}{dx^3} = 48$.

4. $y'' = -\dfrac{1}{\sqrt{(2x+1)^3}}$.

5. $y'''' = \dfrac{168}{(1-x)^5}$.

6. $f'''(x) = \dfrac{-162}{(3x+2)^4}$.

7. $\dfrac{d^3y}{dx^3} = 6 + \dfrac{3}{8\sqrt{x^5}}$.

8. $\dfrac{d^{50}y}{dx^{50}} = 0$.

9. $y'' = \dfrac{9}{\sqrt{(9+x^2)^3}}$.

10. $\dfrac{d^4y}{dx^4} = \dfrac{105}{16\sqrt{x^9}}$.

5.23 – 1 (page 127)

La dérivée $f'(x)$ d'une fonction $y = f(x)$ est la limite du quotient $\Delta y/\Delta x$ lorsque l'accroissement Δx tend vers zéro ($\Delta y = f(x + \Delta x) - f(x)$ étant l'accroissement de la fonction $f(x)$ correspondant à l'accroissement Δx).

En notations symboliques on écrit:

$$f'(x) = \lim_{\Delta x \to 0} \frac{\Delta y}{\Delta x}$$

$$= \lim_{\Delta x \to 0} \frac{f(x + \Delta x) - f(x)}{\Delta x} .$$

5.23 – 2

D'une manière générale, les symboles c et n représentent des constantes et les symboles t, u, v, w et y des fonctions de la variable x.

5.23 – 3

On procédait en trois étapes, comme suit :

(a) évaluation de $\Delta y = f(x + \Delta x) - f(x)$;

(b) calcul de $\dfrac{\Delta y}{\Delta x}$;

(c) calcul de la limite

$$y' = f'(x) = \lim_{\Delta x \to 0} \frac{\Delta y}{\Delta x} .$$

5.23 – 4

(a) $\dfrac{d}{dx}(cu) = c\,\dfrac{du}{dx}$.

(b) $\dfrac{d}{dx}(u^n) = n\,u^{n-1}\,\dfrac{du}{dx}$.

(c) $\dfrac{d}{dx}\left(\dfrac{u}{v}\right) = \dfrac{v\,\dfrac{du}{dx} - u\,\dfrac{dv}{dx}}{v^2}$.

5.23 – 5

(a) $y' = \dfrac{7x^6}{(1+x)^8}$.

(b) $y' = 15x^2\sqrt{4-x} - \dfrac{5x^3}{2\sqrt{4-x}}$.

(c) $y' = \dfrac{7x^6 + 3}{4\sqrt[4]{(x^7+3x)^3}}$.

(d) $y' = \dfrac{2x}{(4-x^2)^2}$.

5.23 – 6

(a) $\dfrac{d}{dx}(u^4) = 4u^3\,\dfrac{du}{dx}$.

(b) $\dfrac{d}{dx}(x^4) = 4x^3$.

(c) $\dfrac{d}{dx}(y^4) = 4y^3\,\dfrac{dy}{dx}$.

(d) $\dfrac{d}{du}(u^4) = 4u^3$.

(e) $\dfrac{d}{dy}(y^4) = 4y^3$.

5.23 − 7

Pour le cas général on a :

$$\dfrac{d}{dx}(u^2) = 2u\dfrac{du}{dx}.$$

Par suite, pour le cas où $u = y$, on a :

$$\dfrac{d}{dx}(y^2) = 2y\dfrac{dy}{dx}$$

et, pour le cas où $u = x$:

$$\dfrac{d}{dx}(x^2) = 2x\dfrac{dx}{dx} = 2x,$$

vu que $\dfrac{dx}{dx} = 1$.

5.23 − 8

(a) Il s'agit de calculer $\dfrac{dy}{dx}$ si $y = \dfrac{u^2-1}{u^2+1}$

et $u = \sqrt[3]{x^2+2} = (x^2+2)^{1/3}$.

La formule de dérivation pour les fonctions de fonction donne ici :

$$\dfrac{dy}{dx} = \dfrac{dy}{du}\dfrac{du}{dx}.$$

On a d'une part :

$$\dfrac{dy}{du} = \dfrac{d}{du}\left(\dfrac{u^2-1}{u^2+1}\right)$$

$$= \dfrac{(u^2+1)(2u) - (u^2-1)(2u)}{(u^2+1)^2}$$

$$= \dfrac{(2u)(u^2+1-u^2+1)}{(u^2+1)^2}$$

$$= \dfrac{4u}{(u^2+1)^2},$$

et, d'autre part :

$$\dfrac{du}{dx} = \dfrac{d}{dx}(x^2+2)^{1/3}$$

$$= \dfrac{1}{3}(x^2+2)^{-2/3}(2x)$$

$$= \dfrac{2x}{3(x^2+2)^{2/3}}.$$

La réponse est donc :

$$\dfrac{dy}{dx} = \dfrac{4u}{(u^2+1)^2}\dfrac{2x}{3(x^2+2)^{2/3}}$$

$$= \dfrac{8ux}{3(u^2+1)^2(x^2+2)^{2/3}}$$

$$(\text{où } u = \sqrt[3]{x^2+2}).$$

(b) $\dfrac{dy}{dx} = \dfrac{-2x-y}{1+5y^4}$.

(c) $\dfrac{dy}{dx} = -\dfrac{15}{x^2\left(4+\dfrac{1}{x}\right)^2}.$

(d) $\dfrac{dy}{dx} = \dfrac{10x^4\sqrt{xy}-y}{x}$.

(e) $\dfrac{dy}{dx} = -\dfrac{2}{\sqrt{x^3}} + \dfrac{2}{3\sqrt[3]{x}}.$

(f) $\dfrac{dy}{dx} = 3(t-1)$ $(t \neq -1)$.

5.23 − 9

(a) $\dfrac{d^3y}{dx^3} = -\dfrac{8}{27x^{5/3}}$.

(b) $\dfrac{d^3y}{dx^3} = \dfrac{12}{(1-x)^4}$.

5.23 − 10

(a) $m = 1/4$;   (b) $m = 0$;

(c) $m = 4/3$;   (d) $m = -5/3$.

5.23 − 11

(a) $T.V.M. = \dfrac{V(4) - V(2)}{4 - 2} = \dfrac{64 - 8}{2}$

$\qquad\qquad = 28$.

(b) $T.V.I. = \dfrac{d}{dx}(x^3) = 3x^2$.

(c) $T.V.I. = 3 \cdot 3^2 = 27$.

(d) Lorsque $x = 3$, le volume du cube augmente 27 fois plus vite que la longueur
du côté.

5.23 − 12

(a) $T.V.I. = p'(t) = -\dfrac{12}{(t+2)^2}$.

(b) $T.V.I. = p'(2) = -\dfrac{3}{4}$.

(c) À la fin de la deuxième année, la population *diminuera* au taux de 3/4 de millier
d'habitants par année, c'est-à-dire de
750 habitants par année.

5.23 − 13

(a) $1/3$.

(b) $1/2$.

5.23 − 14

(a) 6500 citoyens.

(b) 1500 citoyens.

(c) 500 citoyens par année.

(d) $-200t + 800$.

(e) 0 citoyen par année.

(f) La population sera stable à la fin de la
quatrième année.

5.23 − 15

(a) 40 m/s .   (b) 0,8 m/s .

(c) 4,08 s .   (d) 81,63 m.

5.23 − 16

$a = 2$, $b = 3$ et $c = -1$.

5.23 − 17

Les droites :

$3x + 4y = 25$ et $3x + 4y = -25$.

5.23 − 18

Aux points $(2, 4)$ et $(-2, -4)$.

5.23 − 19

Aux points $(2, 1)$ et $(-2, -1)$.

5.23 − 20

Les points $(-1, 16)$ et $(1, 4)$.

5.23 − 21

$a = -4$ ou $a = 2$.

6.5 (page 140)

1. Maximum en $x = -4$ et minimum en
   $x = 0$.

2. Maximum en $x = 0$ et minimums en
   $x = -2$ et $x = 2$.

3. Aucun extrémum.

4. Aucun extrémum.

5. Minimum en $x = 0$.

6. Maximum en $x = -2$ et minimum en
   $x = 0$.

7. Aucun extrémum.

8. Maximum en $x = 0$.

9. Minimum en $x = 0$.

10. Maximum en $x = 0$.

11. Maximum en $x = -4$ et minimum en
    $x = 0$.

12. Maximum en $x = 1$ et minimum en
    $x = -1$.

13. Maximum en $x = 1$ et minimum en
    $x = 3$.

14. Maximum en $x = 3$.

15. Maximum en $x = 0$.

16. Maximum en $x = -6$ et minimum en
    $x = 6$.

17.

x	$-\infty$		-4		1
$f'(x)$		$+$	$\nexists$	$-$	0

x	6		∞
$f'(x)$	$+$	0	$-$

18.

x	$-\infty$		-4		-2
$f'(x)$		$-$	$\nexists$	$+$	0

x	2		∞
$f'(x)$	$-$	0	$+$

19.

x	$-\infty$		-6		-4	
$f'(x)$		$+$	$\nexists$	$-$	0	$-$

x	0		6		∞
$f'(x)$	0	$+$	0	$-$	

6.10 (page 149)

1. Inflexion en $x = 0$.
2. Aucun point d'inflexion.
3. Inflexion en $x = -1$ et $x = 1$.
4. Aucun point d'inflexion.
5. Aucun point d'inflexion.
6. Inflexion en $x = 1$.
7. Inflexion en $x = -1/\sqrt{3}$ et $x = 1/\sqrt{3}$.
8. Inflexion en $x = -1/\sqrt{3}$ et $x = 1/\sqrt{3}$.

6.10 – 9

Le tableau synthèse fourni est le suivant:

x	$-\infty$		-2		1
$f'(x)$		$+$	$+$	$+$	$+$
$f''(x)$		$+$	$+$	$-$	0

x	2		∞
$f'(x)$	$+$	0	$-$
$f''(x)$	$+$	$+$	$+$

Ce tableau comporte deux erreurs ayant trait à la dérivée seconde:

La première est que, à la valeur $x = -2$, le signe de $f''(x)$ passe de $+$ à $-$ sans passer par 0 ou $\nexists$.

La seconde est que, d'après ce qui est mentionné pour la dérivée première, il y a un maximum relatif en $x = 2$. Il s'ensuit que la concavité est tournée vers le bas en cette valeur de x. La dérivée seconde doit par conséquent être négative et non pas positive en $x = 2$.

6.10 – 10

(a) Le graphique proposé est:

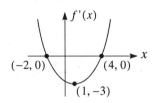

Ce graphique, pour $f'(x)$, nous amène au tableau synthèse suivant:

x	$-\infty$		-2		1
$f'(x)$		$+$	0	$-$	$-$
$\nearrow\vert\searrow$		$\nearrow$		$\searrow$	$\searrow$
$f''(x)$		$-$	$-$	$-$	0
$\cup/\cap$		$\cap$	$\cap$	$\cap$	
$f(x)$		$\nearrow$	max	$\searrow$	infl

x	4		∞
$f'(x)$	$-$	0	$+$
$\nearrow\vert\searrow$	$\searrow$		$\nearrow$
$f''(x)$	$+$	$+$	$+$
$\cup/\cap$	$\cup$	$\cup$	$\cup$
$f(x)$	$\searrow$	min	$\nearrow$

D'où, pour $f(x)$, le graphique:

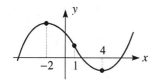

(b) Au graphique proposé pour $f'(x)$ correspond, pour $f(x)$, le graphique :

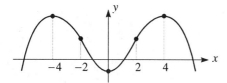

(c) Au graphique proposé pour $f'(x)$ correspond, pour $f(x)$, le graphique :

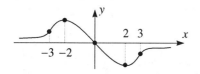

(d) Au graphique proposé pour $f'(x)$ correspond, pour $f(x)$, le graphique :

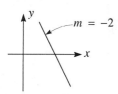

6.10 − 11

x	$-\infty$		-6		-3		2
$f'(x)$		$+$	$+$	$+$	$\nexists$	$-$	0
$f''(x)$		$-$	0	$+$	$\nexists$	$+$	$+$

x		4		6		∞
$f'(x)$	$+$	$+$	$+$	0	$-$	
$f''(x)$	$+$	0	$-$	$-$	$-$	

6.10 − 12

x	$-\infty$		-6		-4		-2
$f'(x)$		$-$	0	$+$	$+$	$+$	0
$f''(x)$		$+$	$+$	$+$	0	$-$	$-$

x		0		3		∞
x						
$f'(x)$	$-$	$-$	$-$	0	$+$	
$f''(x)$	$-$	0	$+$	$+$	$+$	

6.10 − 13

x	$-\infty$		-4		-2	
$f'(x)$		$-$	$\nexists$	$+$	0	$+$
$f''(x)$		$-$	$\nexists$	$-$	0	$+$

x	2		4		∞
$f'(x)$	$+$	$+$	0	$-$	
$f''(x)$	0	$-$	$-$	$-$	

6.13 − 1 (page 156)

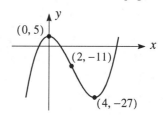

(*Note :* Pour des raisons d'ordre pratique, les axes de coordonnées de ce graphique sont gradués suivant des échelles différentes. Il en ira d'ailleurs de même pour plusieurs des autres graphiques qui vont suivre.)

6.13 − 2

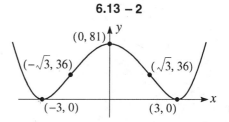

6.13 – 3

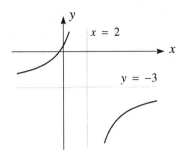

6.13 – 7

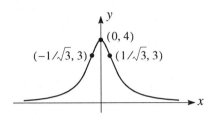

6.13 – 4

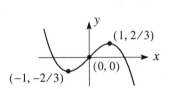

6.13 – 8

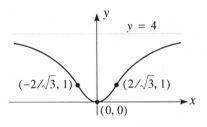

6.13 – 5

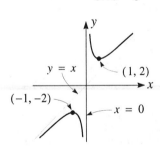

6.13 – 9

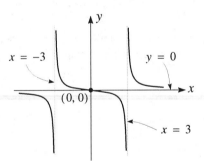

6.13 – 6

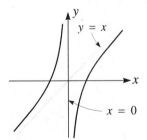

6.13 – 10

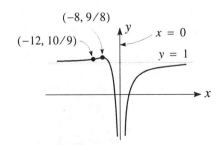

6.13 – 11

Le tableau complété est le suivant :

x	$-\infty$		$-\sqrt{3}$		-1		0
$f'(x)$		+	0	−	$\nexists$	−	0
$\nearrow\mid\searrow$		$\nearrow$		$\searrow$		$\searrow$	
$f''(x)$		−	−	−	$\nexists$	+	0
$\cup\mid\cap$		$\cap$	$\cap$	$\cap$		$\cup$	
$f(x)$		$\nearrow$	$\dfrac{\text{max}}{-2{,}6}$	$\searrow$	$\nexists$	$\searrow$	$\dfrac{\text{infl}}{0}$

x	1		$\sqrt{3}$		∞
$f'(x)$	−	$\nexists$	−	0	+
$\nearrow\mid\searrow$	$\searrow$		$\searrow$		$\nearrow$
$f''(x)$	−	$\nexists$	+	+	+
$\cup\mid\cap$	$\cap$		$\cup$	$\cup$	$\cup$
$f(x)$	$\searrow$	$\nexists$	$\searrow$	$\dfrac{\text{min}}{2{,}6}$	$\nearrow$

D'où le graphique :

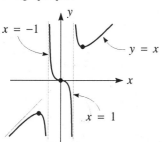

$x = -1$

$y = x$

$x = 1$

6.15 – 1 (page 158)

x	$-\infty$		2		∞
$f''(x)$		+	0	−	
$f(x)$		$\cup$	$\dfrac{\text{infl}}{3}$	$\cap$	

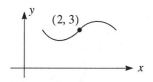

$(2, 3)$

6.15 – 2

x	$-\infty$		4		∞
$f'(x)$		−	$\nexists$	+	
$f(x)$		$\searrow$	$\dfrac{\text{min}}{1}$	$\nearrow$	

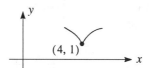

$(4, 1)$

6.15 – 3

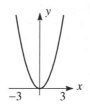

-3 3

(a) Sur l'intervalle $[-3, 3]$, la concavité est tournée vers le haut.

(b) La dérivée de la fonction $f(x) = x^2$ étant $f'(x) = 2x$, les pentes des tangentes à la courbe en $x = -2, -1, 0, 1$ et 2 sont respectivement $f'(-2) = -4$, $f'(-1) = -1$, $f'(0) = 0$, $f'(1) = 1$ et $f'(2) = 4$.

(c) Comme l'illustrent bien les réponses obtenues en (a) et (b), il est exact que la concavité de la courbe d'une fonction f est tournée vers le haut sur un intervalle ouvert donné si et seulement si la dérivée de f est une fonction croissante sur cet intervalle.

(d) Si, sur un intervalle ouvert donné, la concavité de la courbe d'une fonction est tournée vers le haut, c'est que la dérivée première de la fonction est croissante. Et par le fait que la dérivée première est croissante, la dérivée seconde (la dérivée de la dérivée première) est positive.

6.15 − 4

Maximum en $x = 4$.

6.15 − 5

Aucun extrémum.

6.15 − 6

Minimum en $x = -\sqrt{50}$ et maximum en $x = \sqrt{50}$.

6.15 − 7

Maximums en $x = -2$ et $x = 1$ et minimums en $x = -1$ et $x = 2$.

6.15 − 8

(a) D'après le graphique proposé, $f'(x)$ est nulle pour $x = 2$, positive à gauche de 2 et négative à droite. D'où le tableau :

x	$-\infty$		2		∞
$f'(x)$		+	0	−	
$f(x)$		↗	min	↘	

Voici, pour $f(x)$, un graphique correspondant à ce tableau :

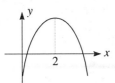

(b) Le graphique proposé pour $f'(x)$ nous amène au tableau suivant :

x	$-\infty$		-5		1		∞
$f'(x)$		−	0	+	0	−	
$f(x)$		↘	min	↗	max	↘	

Voici, pour $f(x)$, un graphique correspondant à ce tableau :

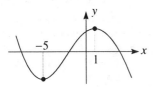

6.15 − 9

(a)
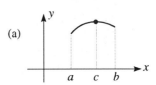

(b)
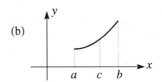

(c)
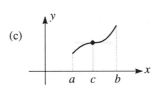

(d)
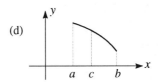

6.15 − 10

x	$-\infty$		-4		0	
$f'(x)$		−	0	−	∄	+
$f''(x)$		+	0	−	∄	−

x	3		5		∞
$f'(x)$	0	−	−	−	
$f''(x)$	−	−	0	+	

6.15 − 11

Inflexion en $x = -1$ et en $x = 1$.

6.15 − 12

Inflexion en $x = -1$.

6.15 – 13

Le tableau complété est le suivant :

x	$-\infty$		$-\sqrt{3}$		-1		0
$f'(x)$		$+$	0	$-$	$\not\exists$	$-$	0
↗|↘		↗		↘		↘	
$f''(x)$		$-$	$-$	$-$	$\not\exists$	$+$	0
∪/∩		∩	∩	∩		∪	
$f(x)$		↗	max $-2,6$	↘	$\not\exists$	↘	infl 0

x	1		$\sqrt{3}$		∞
$f'(x)$	$-$	$\not\exists$	$-$	0	$+$
↗|↘	↘		↘		↗
$f''(x)$	$-$	$\not\exists$	$+$	$+$	$+$
∪/∩	∩		∪	∪	∪
$f(x)$	↘	$\not\exists$	↘	min $2,6$	↗

D'où le graphique :

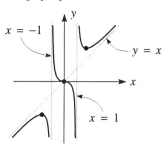

6.15 – 14

(a) Si, en se déplaçant sur une courbe dans un sens donné et en s'éloignant à l'infini, un point P s'approche de plus en plus d'une droite sans jamais la rencontrer, cette droite est une asymptote de ladite courbe.

(b) La courbe d'une fonction peut couper une asymptote *horizontale* ou une asymptote *oblique*, parce que la définition de l'asymptote ne concerne que les points très éloignés (éloignés à l'infini).

Cependant la courbe d'une fonction ne peut couper une asymptote *verticale*. En effet, si $x = a$ est une asymptote verticale pour une fonction, cette fonction possède nécessairement un dénominateur, lequel est annulé pour la valeur $x = a$. Donc la fonction est discontinue en $x = a$ et, de ce fait, sa courbe ne peut couper l'asymptote $x = a$.

6.15 – 15

La droite :

$$y = 2x + 1 \tag{1}$$

constitue une asymptote pour la courbe de la fonction :

$$y = 2x + 1 + \frac{1}{x+1} \, , \tag{2}$$

parce que, si $x \to \pm\infty$, alors la fraction $\dfrac{1}{x+1}$ tend vers 0 et, du même coup, la fonction (2) tend à se comporter comme la fonction (1).

6.15 – 16

(a) *Faux*. Pour avoir un extrémum en $x = a$, il faut non seulement que $f'(a) = 0$, mais il faut encore que $f'(x)$ change de signe en $x = a$.

(b) *Faux*. On pourrait par exemple avoir une asymptote verticale en $x = a$ (auquel cas $f''(a)$ n'existerait pas) mais, dans ce cas, il serait justement impossible d'avoir un point d'inflexion en $x = a$.

(c) *Vrai*. Affirmer que $f(x)$ est croissante sur un intervalle I, c'est affirmer que, pour chaque $x \in I$, la pente de la tangente au point $(x, f(x))$ est positive, c'est-à-dire que $f'(x) > 0$.

(d) *Faux*. Si $f''(a) > 0$, il y a concavité vers le haut en $x = a$. S'il y a concavité vers le haut en $x = a$, on pourrait avoir un minimum en $x = a$, mais sûrement pas un maximum.

(e) *Vrai*. En effet, puisque la fonction $f(x) = 1/x$ a pour dérivée $f'(x) = -1/x^2$ et que cette dernière fonction est négative sur l'intervalle $]0, \infty[$, il s'ensuit que f est décroissante sur ledit intervalle.

(f) *Faux*. Si $f'(x) < 0$, f décroît. Mais $f(x)$ peut tout aussi bien être positive que négative.

(g) *Vrai*. Si $f(x)$ est continue et possède un maximum en $x = a$, c'est que sa dérivée $f'(x)$ passe de positive à négative en ce point, ce qui se produit si $f'(a) = 0$ ou s'il y a un rebroussement en $x = a$, auquel cas $f'(a)$ n'est pas définie. Comme, par hypothèse, $f'(x)$ est définie en $x = a$, on ne peut donc qu'avoir $f'(a) = 0$.

6.15 − 17

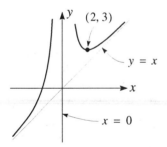

6.15 − 18

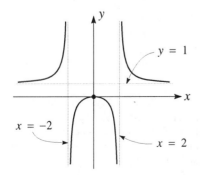

6.15 − 19

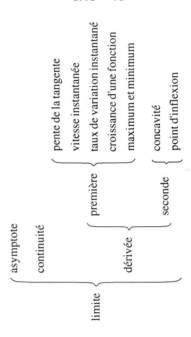

6.15 − 20

La dérivée première permet de déterminer les intervalles de croissance et de décroissance d'une fonction ainsi que ses maximums et minimums.

6.15 − 21

La dérivée seconde nous renseigne sur les intervalles de concavité vers le haut ou de concavité vers le bas d'une fonction ainsi que sur ses points d'inflexion.

6.15 − 22

Quoique, à proprement parler, les asymptotes attachées à la courbe d'une fonction ne fassent pas partie de cette courbe, elles aident néanmoins à tracer celle-ci, puisqu'en s'éloignant à l'infini, une courbe asymptotique tend à se confondre avec son asymptote.

6.15 – 23

(a) On dit qu'une fonction $y = f(x)$ est croissante sur un intervalle I si, sur cet intervalle, $b > a \Rightarrow f(b) \geq f(a)$ ou, en d'autres termes, si, pour $b \neq a$, $\Delta x = b - a > 0 \Rightarrow \Delta y = f(b) - f(a) \geq 0$.

(b) À montrer que si une fonction $y = f(x)$ est dérivable sur un intervalle I, alors, sur cet intervalle : $f'(x) > 0 \Rightarrow f(x)$ croissante. On a:

$f'(x) > 0$

$\Rightarrow \lim\limits_{\Delta x \to 0} \dfrac{\Delta y}{\Delta x} > 0$ (déf. de la dérivée)

$\Rightarrow \Delta y$ et Δx ont le même signe

$\Rightarrow f$ est croissante.

(c) À montrer que si une fonction $y = f(x)$ est dérivable sur un intervalle I, alors, sur cet intervalle : $f(x)$ décroissante $\Rightarrow$ $f'(x) < 0$. On a:

$f(x)$ décroissante

$\Rightarrow \Delta y$ et Δx sont de signes opposés

$\Rightarrow \lim\limits_{\Delta x \to 0} \dfrac{\Delta y}{\Delta x} < 0$

$\Rightarrow f'(x) < 0$.

6.15 – 24

(a) Il s'agit de montrer que la courbe d'équation $f(x) = x^3 + ax^2 + bx + c$ a un point d'inflexion en $x = -a/3$.

La dérivée seconde de la fonction étant $f''(x) = 6x + 2a$, cette dérivée s'annule donc pour $x = -a/3$. Il s'ensuit que $f''(x)$ est négative pour $x < -a/3$ et positive pour $x > -a/3$. Il y a donc un point d'inflexion en $x = -a/3$.

(b) Un point (x, y) est situé sur l'axe des y si $x = 0$. Comme il y a inflexion en $x = -a/3$, il faut donc que $-a/3 = 0$, c'est-à-dire que $a = 0$. L'équation de la fonction se réduit donc alors à :

$f(x) = x^3 + bx + c$.

(c) En plus de la condition mentionnée en (b) ($a = 0$), il faut aussi que $y = 0$ quand $x = 0$. Par conséquent, pour $x = y = 0$, l'équation de la fonction donne $c = 0$. L'équation devient donc alors :

$$y = x^3 + bx.$$

6.15 – 25

(a) La dérivée seconde de la fonction proposée $f(x) = x^4$ est $f''(x) = 12x^2$. Comme cette dernière ne change pas de signe en $x = 0$, il n'y a pas de point d'inflexion en $x = 0$.

(b) Pour que le graphique de la fonction $f(x) = x^n$ (n entier et $n \geq 3$) ait un point d'inflexion en $x = 0$, il faut que l'exposant n soit impair. Dans ce cas la dérivée seconde de la fonction sera aussi de puissance impaire et, de ce fait, changera de signe en $x = 0$.

6.15 – 26

Faux. La fonction proposée $f(x) = x^5$ a pour dérivée $f'(x) = 5x^4$ et celle-ci s'annule pour $x = 0$. Il y a donc ainsi possibilité d'un extrémum en $x = 0$. Mais par le fait que cette dérivée ne change pas de signe en $x = 0$ (exposant pair dans l'expression de la dérivée), il ne peut pas y avoir d'extrémum en $x = 0$.

6.15 – 27

La fonction proposée étant $f(x) = cx^n$, sa dérivée première est donc $f'(x) = cnx^{n-1}$. Pour qu'on ait un extrémum relatif en $x = 0$, il faut d'une part que $f'(0) = 0$, ce qu'on a quelles que soient les valeurs accordées à c et à n. Il faut d'autre part que la dérivée première change de signe en $x = 0$, ce qu'on aura si l'exposant $n - 1$ est impair et donc si n est *pair*.

Ceci dit, l'extrémum sera un maximum si la dérivée passe de positive à négative en $x = 0$, ce qui se produira si c est un *nombre négatif* (compte tenu de ce que, en tant que nombre naturel, n doit être positif). À l'opposé, si c est positif, on aura un minimum en $x = 0$. Les réponses sont donc:

(a) Un maximum relatif en $x = 0$ si n est pair et c négatif.

(b) Un minimum relatif en $x = 0$ si n est pair et c positif.

6.15 – 28

L'équation étudiée est $x^3 + x + 1 = 0$ et la fonction correspondante:

$$f(x) = x^3 + x + 1.$$

(a) $f(-1) = -1$ et $f(0) = 1$.

(b) La fonction $f(x)$ est continue sur l'intervalle $[-1, 0]$, étant donné qu'elle est continue sur R tout entier.

(c) La dérivée première de la fonction étant $f'(x) = 3x^2 + 1$, et cette dernière étant positive pour toute valeur de x, la fonction est donc croissante sur tout son domaine de définition (R tout entier) et en particulier sur l'intervalle $[-1, 0]$.

(d) D'après (a), la fonction passe de -1 à $+1$ sur l'intervalle $[-1, 0]$.

Puisque, d'après (b), la fonction est continue sur l'intervalle $[-1, 0]$, elle coupe nécessairement l'axe des x, c'est-à-dire que la fonction prend la valeur $y = 0$ au moins une fois sur l'intervalle $[-1, 0]$.

D'après (c), la fonction croît toujours sur l'intervalle $[-1, 0]$. Donc elle coupe l'axe des x une seule fois. De ce fait, l'équation $x^3 + x + 1 = 0$ ne possède qu'une seule solution sur l'intervalle $[-1, 0]$.

7.3 (page 169)

1. 10 et 10.
2. 10 et 10.
3. 5 et 15.
4. 4 et 4.
5. 4 semaines.
6. 9,75 \$ / mois.
7. 15 \$.
8. 1250 abonnés.
9. 33 passagers supplémentaires.
10. 475 passagers.
11. 60 000 m^2.
12. 15 m sur 30 m (les clôtures séparatrices parallèles au plus petit des côtés).
13. 9 m sur 9 m.
14. 20 m sur 20 m.
15. (a) 8 m.
    (b) $5\sqrt{2}$ m sur $5\sqrt{2}$ m.
16. (a) 1008 cm^2.
    (b) 24 cm sur 16 cm.
17. (a) Un volume de 512 cm^3 et une aire totale de 640 cm^2.
    (b) 8 cm sur 8 cm sur 8 cm (pour une aire totale de 384 cm^2).
18. 8 cm sur 8 cm sur 4 cm (la dernière mesure étant celle de la hauteur).

7.5 (page 176)

1. 32 cm^2/min.
2. 4 m/s.
3. 0,04 π cm^2/sec.
4. 1/8 m/min.
5. 2/π m/min.
6. 4/9π cm/min.
7. 25/9π m/min.
8. 94,34 km/h.
9. 3/8 m/s.
10. 3/40π cm/s.
11. 5 m/min.
12. 9 m^2/min.

7.7 − 1 (page 180)

(a) 8000 $, 14 486,83 $ et 23 973,67 $.

(b) 15,04 $, 4,74 $ et 2,37 $.

(c) 15,00 $, 4,74 $ et 2,37 $.

(d) Pour le 100e exemplaire, l'écart entre les deux manières de calculer est de 0,04 $. Pour les 1000e et 4000e exemplaires, l'écart est nul.

7.7 − 2

(a) 0,19 $.

(b) L'écart est de 0,01 $.

7.7 − 3

Lorsqu'on calcule le coût marginal «exact» de la n-ième unité d'un produit, c'est-à-dire la valeur $C(n) - C(n-1)$, on le fait, au fond, en évaluant:

$$\frac{\Delta c}{\Delta x} = \frac{C(n) - C(n-1)}{n - (n-1)}$$

$$= \frac{C(n) - C(n-1)}{1}$$

$$= C(n) - C(n-1).$$

La valeur ainsi obtenue peut donc être vue comme un *taux de variation moyen* (portant sur un intervalle unitaire).

Et lorsqu'on évalue le coût marginal de la n-ième unité à l'aide de la dérivée, on le fait en prenant le *taux instantané de variation* en $c = n$. Par conséquent, la réponse à la question posée est: «oui».

7.9 (page 182)

1. 2 et 8 (2 étant le nombre que l'on doit mettre au carré).

2. $2\sqrt{2}$ m sur $4\sqrt{2}$ m (la première de ces dimensions étant celle du côté reposant sur le diamètre du cercle).

3. 250 $/mois.

4. (a) 484 cm^3.

   (b) 4 cm de côté.

5. 180 $, 160 $ et 100 $.

6. 50 et 100 (100 étant le nombre à mettre au carré).

7. 260 $/mois.

8. 91 $.

9. 10 cm sur 10 cm sur 20 cm (la dernière mesure étant celle de la hauteur).

10. −5 et −50 (−5 au dénominateur).

11. $5/72\pi$ cm/min.

12. $10\sqrt{3}$ cm^2/min.

13. 0,625 m/s.

14. (a) 0,39 $.

   (b) L'écart est de 0,01 $.

15. $(2500\pi)/3$ cm^3/s.

16. 4 m/s.

17. Le point $(3, 8)$.

18. (a) On n'aura un maximum que si tout le fil est utilisé pour constituer le cercle. Le rayon de celui-ci sera alors de $r = \dfrac{5}{\pi}$ m.

   (b) La somme des aires sera minimale si on alloue $\dfrac{10\pi}{4+\pi}$ cm de fil de fer au cercle et $\dfrac{40}{4+\pi}$ cm au carré.

   (Le rayon du cercle sera alors de $\dfrac{5}{\pi+4}$ m et la longueur du côté du carré de $\dfrac{10}{\pi+4}$ m.)

19. 8 unités d'aire.

20. $r = \dfrac{6}{\sqrt[3]{\pi}}$ cm ; $\quad h = \dfrac{12}{\sqrt[3]{\pi}}$ cm.

21. Rectangle haut de 1,4 m et large de 2,8 m.

22. La ligne doit sortir de la rivière à 2,25 kilomètres du point B.

23. 7 m / min .

24. $5\sqrt{2}$ unités de mesure par minute.

25. Désignons par V le volume de la boule de neige et par A son aire. Par hypothèse, le taux de diminution du volume par rapport au temps est directement proportionnel à l'aire de la sphère, c'est-à-dire que :

$$\frac{dV}{dt} = kA \,, \tag{1}$$

où k désigne une constante et t le temps. Mais le volume de la boule de neige a pour valeur :

$$V = \frac{4\pi r^3}{3} \,,$$

r étant le rayon de la sphère. Le taux de variation du volume de la sphère par rapport au temps est donc :

$$\frac{dV}{dt} = 4\pi r^2 \frac{dr}{dt} \,. \tag{2}$$

Des égalités (1) et (2) il résulte que :

$$4\pi r^2 \frac{dr}{dt} = kA \,. \tag{3}$$

Mais :

$$A = 4\pi r^2 .$$

Il résulte donc de (3) que :

$$\frac{dr}{dt} = k \,,$$

ce qui revient à dire que le taux de diminution du rayon de la boule est constant.

8.3 (page 189)

1. $81^{1/2} = 9$.

2. $10^y = x$.

3. $\log_6 \dfrac{1}{36} = -2$.

4. $\log_{10} 1 = 0$.

5. $3 \log_a x + \dfrac{1}{2} \log_a (x^2 + 4)$
$\qquad\qquad - 5 \log_a (x - 4)$.

6. $\dfrac{1}{2} \log_2 x + 3 \log_2 (x + 5)$
$\qquad\qquad - 2 \log_2 (x^2 - 7)$.

8.8 (page 197)

1. $8/x$.

2. $x + 2x \ln x$.

3. $\dfrac{2x \log_2 e}{x^2 + 6}$.

4. $\dfrac{1}{\ln x} \dfrac{1}{x}$.

5. $\dfrac{2x \ln x - x}{(\ln x)^2}$.

6. $\dfrac{-4x}{1 - 4x^2}$.

7. $\dfrac{1}{x} + \dfrac{x}{x^2 - 4}$.

8. $\dfrac{2}{x} - \dfrac{2x}{x^2 + 1}$.

9. $\dfrac{3}{x} + \dfrac{4x}{3x^2 + 4}$.

10. $\dfrac{6x}{x^2 + 1} + \dfrac{20x^4}{x^5 + 1}$.

11. $\dfrac{-4x}{1 - x^2} + \dfrac{1}{1 - 2x}$.

12. $\dfrac{1}{2(x + 1)} + \dfrac{1}{2x + 3} - \dfrac{1}{2x}$.

13. $\dfrac{1}{3x} + \dfrac{3x}{1 + x^2} - \dfrac{4}{5x}$.

14. $\dfrac{6x}{x^2 + 1} + \dfrac{4}{1 - x} - \dfrac{3}{2x}$.

8.10 (page 198)

1. x^7.

2. 3^6.

3. x^8.

4. 2^2.

5. 2^{2-2n}.

6. 3^{2n-5}.

7. $f(x) = x^{3/2} - 3(x+2)^{-3}$
$$+ \frac{5}{2}(x-1)^{-1} - 2x^{-5/3}.$$

8. $f(x) = \dfrac{x^{-3}}{2} - (2x)^{-3} + (x+x^{1/2})^{-1}$
$$+ x^{5/2}.$$

8.15 (page 207)

1. $2^{x^2-x-1}(\ln 2)(2x-1)$.

2. $e^{x^3}(3x^2)$.

3. $-3^{-x}(\ln 3) - 3x^{-4}$.

4. $2xe^{-x^2}(1-x^2)$.

5. $\dfrac{3e^x}{(e^x+3)^2}$.

6. $e^{-x}(\dfrac{1}{x} - \ln x)$.

7. $-y \ln y$.

8. $(-x^3+4x^2-2x)e^{-x}$.

9. $y\left(\dfrac{2}{x+1} - \dfrac{4}{x+3} - \dfrac{3}{x+2}\right)$.

10. $y\left(\dfrac{3}{x+1} + \dfrac{3}{2(x-2)} - \dfrac{2}{3(x-3)}\right)$.

11. $y\left(\dfrac{1}{x} - \dfrac{4x}{1-x^2} - \dfrac{x}{1+x^2}\right)$.

12. $x^x(1+\ln x)$.

13. $x^{\ln x}\left(\dfrac{2\ln x}{x}\right)$.

14. $(\ln x)^x\left(\dfrac{1}{\ln x} + \ln(\ln x)\right)$.

15. $m = \dfrac{7e^{-5}}{(e^{-5}+7)^2}$. $y' = \dfrac{7}{64}$

16. $m = 0$.

17. $m = 0$.

18. $m = -2/3$.

19. Maximum en $x = \dfrac{1}{\sqrt{2}}$ et minimum en
$x = -\dfrac{1}{\sqrt{2}}$.

20. Minimum en $x = 1$.

21. Maximum en $x = 2$ et minimum en $x = 0$.

22. Maximums en $x = \pm 1$ et minimum en $x = 0$.

23. Inflexion en $x = -2$.

24. Inflexion en $x = \pm\sqrt{2}$.

25. Aucun point d'inflexion.

26. Inflexion en $x = e^{3/2}$.

27. La fonction proposée est :
$$y = e^{2x} - 2x.$$
Minimum en $x = 0$.

Graphique de la fonction :

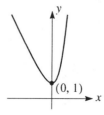

28. La fonction proposée est :

$$y = 5 - e^{x^2}.$$

Maximum en $x = 0$.

Graphique de la fonction :

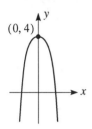

$(0, 4)$

29. La fonction proposée est :

$$y = \ln (x^2 + 4).$$

Minimum en $x = 0$ et inflexion en $x = -2$ et $x = +2$.

Graphique de la fonction :

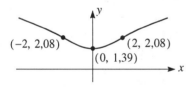

$(-2, 2{,}08)$ $(2, 2{,}08)$
$(0, 1{,}39)$

30. La fonction proposée est :

$$y = x - \ln (x^2 + 1).$$

Inflexion en $x = -1$ et $x = +1$.

Graphique de la fonction :

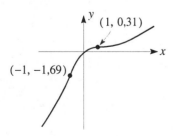

$(1, 0{,}31)$
$(-1, -1{,}69)$

8.17 – 1 (page 209)

$$\log_a N = b \iff a^b = N.$$

8.17 – 2

Affirmer que $\log_a N = b$, c'est affirmer que b est l'exposant qu'il faut donner à a pour obtenir N.

8.17 – 3

(a) $4^y = x^2 + 1$;

(b) $e^y = 3x$;

(c) $e^y = x^3$;

(d) $7^y = \sqrt{1 - x}$.

8.17 – 4

(a) $y = \log_8 5x$;

(b) $y = \ln 5x$;

(c) $3y = \ln x^3$;

(d) $y = \ln \dfrac{x}{4}$.

8.17 – 5

(a) La fonction proposée, $C(t) = 1000\, e^{0,1\,t}$, a pour graphique :

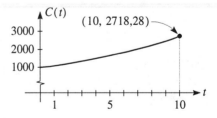

$(10, 2718{,}28)$

(b) $T.V.M. = 171{,}83\ \$/\text{année}$.

(c) $T.V.I. = \dfrac{dC}{dt} = 100\, e^{0,1\,t}\ \$/\text{année}$.

(d) Pour $t = 5$, $T.V.I. = 164{,}87\ \$/\text{année}$.

(e) À la fin de la 5e année, le capital augmente au rythme de $164{,}87\ \$/\text{année}$.

8.17 − 6

(a) La fonction proposée, $Q(t) = 6\,e^{-0,15t}$, a pour graphique :

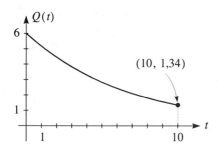

(b) *T.V.M.* $= -0,371$ milligrammes / jour .

(c) *T.V.I.* $= \dfrac{dQ}{dt} = -0,9\,e^{-0,15t}$ m. / jour .

(d) Au temps $t = 6$:

     T.V.I. $= -0,366$ milligrammes / jour .

(e) À la fin de la 6e journée, la quantité d'isotope diminue (signe −) au rythme de $0,366$ milligrammes / jour .

8.17 − 7

(a) Minimum en $x = 1$;

(b) Minimum en $x = \dfrac{1}{\sqrt{e}}$.

8.17 − 8

Observons en premier lieu que la fonction proposée, $y = \ln x$, a pour domaine de définition :

$$D_f = \,]\,0,\,\infty\,[\,.$$

La dérivée seconde de la fonction est :

$$f''(x) = -\frac{1}{x^2}\,.$$

Par conséquent, sur tout le domaine de définition de la fonction, la dérivée seconde est négative. Ce qui nous amène à conclure que la concavité de la fonction est tournée vers le bas sur tout le domaine de définition de cette fonction.

8.17 − 9

Le sixième jour.

8.17 − 10

(a) $3 + 2\ln x$;

(b) $(x^2 - 4x + 2)\,e^{-x}$;

(c) $6x\,(2x^2 - 3)\,e^{-x^2}$;

(d) $\dfrac{-3 + 2\ln x}{x^3}$.

8.17 − 11

25 $.

8.17 − 12

La fonction proposée est :

$$f(x) = \frac{x}{\ln x}\,.$$

Son domaine de définition est $D_f = \,]\,0,\,\infty\,[\,.$

Minimum relatif en $x = e$ et inflexion en $x = e^2$.

Graphique de la fonction :

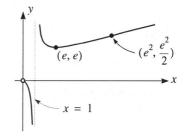

8.17 − 13

(a) $m = f'(x) = e^x(x+1)$.

(b) La pente est minimale au point :

$$\left(-2,\,-\frac{2}{e^2}\right),$$

puisque la dérivée de la «fonction pente» (qui est la dérivée seconde $f''(x) = e^x(x+2)$ de la fonction f) s'annule et passe de positive à négative en $x = -2$.

(c) Le point trouvé en (b) est un point d'inflexion de la courbe de f, puisque la dérivée seconde s'annule et change de signe en $x = -2$.

8.17 – 14

La fonction proposée est :

$$y = x^3 e^{-x}.$$

Maximum en $x = 3$. Inflexion en $x = 0$, $x = 3 - \sqrt{3}$ et $x = 3 + \sqrt{3}$.

Graphique de la fonction :

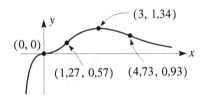

8.17 – 15

(a) $Q = (0, 0)$.

(b) $\sqrt{1 + e^2}$.

8.17 – 16

(a) La fonction proposée $f(x) = e^{-2x}$ a pour graphique :

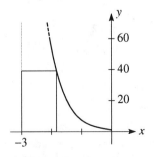

(b) $A = 74{,}21 = \dfrac{e^5}{2}$.

8.17 – 17

La fonction proposée est :

$$y = (x - x^2) e^{-x}.$$

Maximum en $x = \dfrac{3 - \sqrt{5}}{2}$, minimum en $x = \dfrac{3 + \sqrt{5}}{2}$ et inflexion en $x = 1$ et en $x = 4$.

Graphique de la fonction :

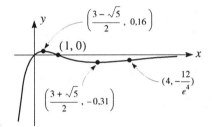

8.17 – 18

(a) Pour la fonction proposée $f(x) = e^{-x^2}$, le graphique (sur l'intervalle $[0, 2]$) est :

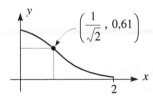

(b) Les dimensions du rectangle sont $\dfrac{1}{\sqrt{2}}$ (sens horizontal) sur $e^{-1/2}$ (sens vertical), pour une aire de $\dfrac{e^{-1/2}}{\sqrt{2}}$.

(c) Il en est ainsi, puisque en $x = \dfrac{1}{\sqrt{2}}$, la dérivée seconde s'annule et change de signe.

9.5 (page 223)

1. $3\cos 3x$.

2. $2\cos 2x - 2\cos x$.

3. $3\sin^2 x \, \cos x$.

4. $\dfrac{-2\cos x}{(1+\sin x)^2}$.

5. $(2x-3) \, \cos (x^2 - 3x - 6)$.

6. $4x \, \sec^2 (2x^2 - 1)$.

7. $-2\cot 2x \, \csc^2 2x$.

8. $\dfrac{4\sec^2 2x}{\sqrt{\tan 2x}}$.

9. $-\dfrac{1}{2} \, \sin \dfrac{x}{2}$.

10. $-2\csc^3 x \, \cot x \, - \, \csc x \, \cot^3 x$.

11. $2x \sec (x^2 - 1) \, \tan (x^2 - 1)$.

12. $-2x^3 \csc^2 (x^2 + 5) + 2x \, \cot (x^2 + 5)$.

13. $6\tan (3x - 2) \, \sec^2 (3x - 2)$.

14. $\dfrac{-\csc^2 \sqrt{x-1}}{2\sqrt{x-1}}$.

15. $10\sin^4 2x \, \cos 2x$.

16. $2\sec^2 x \, \tan x$.

17. $4\cos^2 x \, - \, 8x \, \sin x \, \cos x$.

18. $\dfrac{\sec^4 x}{(1 - \tan^2 x)^2}$.

19. $9\tan^2 3x \, \sec^2 3x$.

20. $-8\cos^3 2x \, \sin 2x$.

21. $\cos^2 x \, - \, \sin^2 x$.

22. $\dfrac{\sec x \, (\tan x + \cot x)}{\csc x}$.

23. $\sec 2x \, (1 + 2x \tan 2x)$.

24. $\dfrac{(\tan x) \, 2x \, - \, x^2 \sec^2 x}{\tan^2 x}$.

25. $\dfrac{\cot x \, \sec^2 x \, + \, \tan x \, \csc^2 x}{\cot^2 x}$.

26. $\dfrac{\sin x \, + \, x \cos x}{y \sin y \, - \, \cos y}$.

27. $\dfrac{2x \sin x \, - \, 2\cos x}{\cos y}$.

28. $\dfrac{\sec^2 x \, - \, 1}{\cos y}$.

29. $\dfrac{-y - (2x+1) \csc^2 (x^2 + x - 4)}{x}$.

30. $\dfrac{\cos x - 1}{1 + \sin y}$.

9.7 (page 228)

1. $m = 3$, $m = 0$ et $m = -3$.

2. $m = -3$, $m = 3$ et $m = 3$.

3. $y = 1$.

4. Maximum en $x = \dfrac{\pi}{2}$; minimum en $x = \dfrac{3\pi}{2}$.

5. Minimum en $x = -\dfrac{\pi}{4}$; maximum en $x = \dfrac{\pi}{4}$.

6. Inflexion en $x = \dfrac{\pi}{2}$ et $x = \dfrac{3\pi}{2}$.

7. Inflexion en $x = 0$.

8. La fonction à étudier est :

$$f(x) = \frac{x}{2} - \sin x$$

(sur l'intervalle $]-\pi, \pi[$).

Maximum en $x = -\dfrac{\pi}{3}$; minimum en

$x = \dfrac{\pi}{3}$; inflexion en $x = 0$.

Graphique de la fonction :

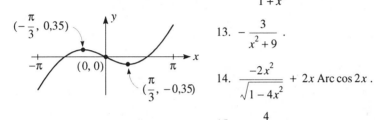

9.14 (page 239)

1. $\dfrac{2x}{\sqrt{1-x^4}}$.

2. $\dfrac{1}{2\sqrt{x}\,\sqrt{1-x}}$.

3. $\operatorname{Arc\,sin} 2x + \dfrac{2x}{\sqrt{1-4x^2}}$.

4. $\dfrac{3\,(\operatorname{Arc\,sin} x)^2}{\sqrt{1-x^2}}$.

5. $\operatorname{Arc\,sin} x^3 + \dfrac{3x^3}{\sqrt{1-x^6}}$.

6. $\dfrac{1}{\sqrt{9-x^2}}$.

7. $\dfrac{1}{\sqrt{1-(x-1)^2}}$.

8. $\dfrac{4\,(\operatorname{Arc\,tan} x)^3}{1+x^2}$.

9. $-\dfrac{3x^2}{\sqrt{1-x^6}}$.

10. $2x\operatorname{Arc\,cos} x - \dfrac{x^2}{\sqrt{1-x^2}}$.

11. $\dfrac{4}{4+x^2}$.

12. $\dfrac{(\operatorname{Arc\,cot} x)^{-2}}{1+x^2}$.

13. $-\dfrac{3}{x^2+9}$.

14. $\dfrac{-2x^2}{\sqrt{1-4x^2}} + 2x\operatorname{Arc\,cos} 2x$.

15. $-\dfrac{4}{16+x^2}$.

16. $\dfrac{1}{1+x^2}$.

17. $\dfrac{4\operatorname{Arc\,sin} 2x}{\sqrt{1-4x^2}}$.

18. $\dfrac{y^2\sin 2x - x\sin 2y}{y\cos 2x + x^2\cos 2y}$.

19. $\dfrac{\sqrt{1-y^2}\,(\operatorname{Arc\,cos} y - 1)}{x + \sqrt{1-y^2}}$.

20. $\dfrac{(1+y^2)\,(1-\operatorname{Arc\,tan} y)}{x}$.

9.16 (page 243)

1. $x\sec^3 x\,(3x\tan x + 2)$.

2. $\cos(e^{\sin x})\,e^{\sin x}\cos x$.

3. $x^{\tan 3x}\left(3\sec^2 3x\,\ln x + \dfrac{\tan 3x}{x}\right)$.

4. $\operatorname{Arc\,sin} x \, \dfrac{\log_2 e}{x} + \dfrac{\log_2 x}{\sqrt{1-x^2}}$.

5. $-\dfrac{\sqrt{1-y^2}\,(\operatorname{Arc\,sin} y)}{x - \sqrt{1-y^2}}$.

6. $\dfrac{y\,e^{xy}}{-x e^{xy} + 1 - \sin y}$.

7. $\dfrac{2\,(\operatorname{Arc\,tan} x)}{1+x^2}$.

8. $2x \sin^4 2x \,(5x \cos 2x + \sin 2x)$.

9. $-3e^x \sin 3x + e^x \cos 3x$.

10. $\dfrac{\dfrac{-\ln x}{1+x^2} - (\operatorname{Arc\,cot} x)\,\dfrac{1}{x}}{(\ln x)^2}$.

11. $2 \tan 2x$.

12. $-20 \cos^3 5x \, \sin 5x$.

13. $-\dfrac{1}{2\,(x^2+1)\sqrt{\operatorname{Arc\,tan}\dfrac{1}{x}}}$.

14. $\dfrac{e^{\operatorname{Arc\,sin} x}}{\sqrt{1-x^2}} + 2\,(\cos e^{2x})\,e^{2x}$.

15. $\tan x\,\left(\dfrac{2}{x}\right) + \ln x^2 \sec^2 x$.

16. $\dfrac{x - 2\sqrt{1-x^2}\,(\operatorname{Arc\,sin} x)}{x^3\sqrt{1-x^2}}$.

17. $\dfrac{2\cos 2x + y}{e^y - x}$.

18. $\dfrac{2x \cos x + 2 \sin x}{\sec^2 y - 4}$.

19. $\dfrac{12x\,(\operatorname{Arc\,tan} 3x)^3}{1+9x^2} + (\operatorname{Arc\,tan} 3x)^4$.

20. $\dfrac{2\,e^{2x}}{\sqrt{1-e^{4x}}}$.

21. $\cos\,(\ln 3x)\,\dfrac{1}{x}$.

22. $\sec e^x\,(\tan e^x)\,e^x + e^{\sec x} \sec x \tan x$.

23. Maximums en $x = \dfrac{\pi}{6}$ et $x = \dfrac{5x}{6}$; minimum en $x = \dfrac{\pi}{2}$.

24. Inflexion en $x = \dfrac{\pi}{2}$ et $x = \dfrac{3\pi}{2}$.

25. Inflexion en $x = 0$ et $x = \pi$.

26. $m = 0$ dans les trois cas.

27. $m = 0$, $m = \dfrac{-\sqrt{2}}{4}$ et $m = \dfrac{1}{2}$.

28. $y = x$.

29. Minimums en $x = 0$, $x = \pi$ et $x = 2\pi$; maximums en $x = \dfrac{\pi}{2}$ et $x = \dfrac{3\pi}{2}$.

30. Maximum en $x = \dfrac{\pi}{12}$; minimum en $x = \dfrac{5\pi}{12}$.

31. Inflexion en $x = 0$.

32. La fonction à étudier est :

$f(x) = \tan x$

sur l'intervalle $]0, 2\pi[$. Sur l'intervalle proposé, la fonction possède les asymptotes $x = \dfrac{\pi}{2}$ et $x = \dfrac{3\pi}{2}$. Il y a inflexion en $x = \pi$. Voici le graphique de la fonction :

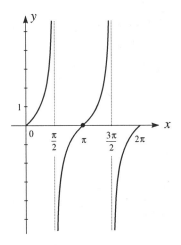

33. La fonction à étudier est :

$$f(x) = \sin 2x$$

sur l'intervalle $]0, 2\pi[$. Sur l'intervalle proposé, on a des maximums en $x = \dfrac{\pi}{4}$ et $x = \dfrac{5\pi}{4}$ et des minimums en $x = \dfrac{3\pi}{4}$ et $x = \dfrac{7\pi}{4}$. Il y a inflexion en $x = \dfrac{\pi}{2}$, $x = \pi$ et $x = \dfrac{3\pi}{2}$. Voici le graphique de la fonction :

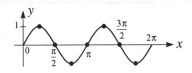

34. 160 radians/heure.

35. La quantité à maximiser est l'aire du triangle. Soit A cette aire, et soient a, b et x des variables dont les rôles sont indiqués dans la figure ci-dessous.

La preuve sera faite si on arrive à montrer que la valeur maximale de l'aire A est atteinte lorsque l'angle x vaut $\pi/4$ radians (auquel cas l'angle au sommet du triangle est égal à $\pi/2$ radians).

L'aire du triangle a pour valeur (V. figure) :

$$A = \frac{1}{2}(2a)\, b = ab.$$

Comme, d'autre part :

$$a = \sin x \quad \text{et} \quad b = \cos x,$$

il s'ensuit que :

$$A = \sin x \cos x = \frac{\sin 2x}{2},$$

(en vertu de la formule $\sin 2\theta = 2\sin\theta\cos\theta$). Les dérivés première et seconde de la fonction A sont :

$$A' = \cos 2x \qquad \text{et} \qquad (1)$$

$$A'' = -2\sin 2x. \qquad\qquad (2)$$

De (1) on conclut qu'il y a une valeur critique de la fonction A pour $\cos 2x = 0$, donc pour $2x = \dfrac{\pi}{2}$, c'est-à-dire pour $x = \dfrac{\pi}{4}$. Cette valeur de x correspond bien à un maximum de A, puisque pour $x = \dfrac{\pi}{4}$, la dérivée seconde est négative (V. (2)).

Donc l'aire du triangle est maximale si le triangle est rectangle.

36. 0,0625 radians/minute.

37. On veut que l'effort de traction F soit minimal. Calculons la dérivée première de la fonction F :

$$F' = \frac{-kP(k\cos x - \sin x)}{(k\sin x + \cos x)^2}.$$

On a $F' = 0$ si $k\cos x - \sin x = 0$, c'est-à-dire si :

$$k = \frac{\sin x}{\cos x} = \tan x . \qquad (1)$$

Mais on a :

$$k = \tan x \iff x = \operatorname{Arc} \tan k .$$

Donc on aura un minimum pour $k = \tan x$ si F' est négatif à gauche de $\operatorname{Arc} \tan k$ et positif à droite. Comme l'angle x est nécessairement compris entre 0 et $\pi/2$ radians, faisons l'étude des signes sur l'intervalle $[0, \pi/2]$:

x	0		$\operatorname{Arc} \tan k$		$\pi/2$
F'	$-$	$-$	0	$+$	$+$
F		$\searrow$	min	$\nearrow$	

Donc on a bien un minimum pour $k = \tan x$.

(*Note :* Pour la détermination des signes de F' dans le tableau ci-dessus, nous avons tenu compte du fait que P et k sont des constantes positives.)

38. Il s'agit de comparer la croissance des fonctions $f(x) = \operatorname{Arc} \sin x$ d'une part et $g(x) = x$ d'autre part. Les dérivées de ces fonctions sont respectivement :

$$f'(x) = \frac{1}{\sqrt{1 - x^2}} \quad \text{et} \quad g'(x) = 1 .$$

Comme on a :

$$f'(0) = g'(0) = 1 ,$$

il s'ensuit qu'en $x = 0$ le taux d'accroissement des deux fonctions est le même. Comme d'autre part on a :

$$f'(x) > 1 = g'(x) ,$$

pour toutes les autres valeurs de x choisies dans l'intervalle $[-1, 1]$, il s'ensuit que, pour ces valeurs de x, la fonction $\operatorname{Arc} \sin x$ s'accroît plus rapidement que la fonction x.

39. 12 m.

10.3 (page 250)

1. $dy = (6x^5 + 6x^2 - 5) \, dx$.

2. $dy = \dfrac{2x}{3} (x^2 + 4)^{-2/3} \, dx$.

3. $dy = \dfrac{(x \cos x - \sin x)}{x^2} \, dx$.

4. $dy = \dfrac{(2x \cos x^2)}{\sin x^2} \, dx$.

5. $dy = (3x^2 \sec^2 x^3) \, dx$.

6. $dy = (e^{\tan y} \sec^2 x + 4^x \ln 4) \, dx$.

7. $dy = \dfrac{-6x \, dx}{\sqrt{1 - 9x^4}}$.

8. $dy = \dfrac{-31 \, dx}{(2x + 7)^2}$.

9. $dy = dx$.

10. $dy = (x \cos x + \sin x) \, dx$.

10.7 (page 263)

1. $\dfrac{x^6}{6} + C$.

2. $-\dfrac{1}{x} + C$.

3. $\dfrac{3}{5} x^{5/3} + C$.

4. $-3x^{-1/3} + C$.

5. $\dfrac{2}{3} x^3 - \dfrac{5}{2} x^2 + 3x + C$.

6. $\dfrac{2}{3} x^{3/2} - \dfrac{2}{5} x^{5/2} + C$.

7. $\dfrac{(3x + 4)^3}{9} + C$.

8. $\dfrac{x^2}{2} + 5x + \dfrac{4}{x} + C$.

9. $\dfrac{x^2}{2} - \dfrac{x^2}{4} - \dfrac{2}{x^2} + C$.

10. $\frac{1}{3}(3+2x)^{3/2} + C$.

11. $\frac{1}{3}(x^3+2)^3 + C$.

12. $\frac{2}{9}(x^3+2)^{3/2} + C$.

13. $-\frac{1}{6(x^3+2)^2} + C$.

14. $\frac{1}{3}\ln|x^3+2| + C$.

15. $\frac{1}{6}(1+2x^2)^{3/2} + C$.

16. $\frac{3}{2}(x^2+6x)^{2/3} + C$.

17. $\ln|x^2+2x-4| + C$.

18. $\ln|x| + 2x + \frac{x^2}{2} + C$.

19. $\frac{1}{4}\ln(2x^2+5) + C$.

20. $\frac{x^5}{5} + x^2 + C$.

21. $-e^{-x} + C$.

22. $\frac{1}{5}e^{5x} + C$.

23. $-\frac{1}{2}e^{-x^2+2} + C$.

24. $e^{x+1} + C$.

25. $e^{\tan x} + C$.

26. $-\frac{1}{3}e^{-3x} + C$.

27. $-\frac{1}{3e^{3x}} + C$.

28. $e^x - \frac{x^{e+1}}{e+1} + C$.

29. $\ln|x+4| + C$.

30. $\frac{1}{2}\ln|2x-3| + C$.

31. $\frac{1}{2}\ln(x^2+1) + C$.

32. $-\frac{1}{6}\ln|1-2x^3| + C$.

33. $\frac{1}{2}\ln(e^{2x}+3) + C$.

34. $\ln(x^2+2x+2) + C$.

35. $\ln|x^3+2x^2+x+1| + C$.

36. $-\ln|1-x^3| + C$.

37. $3\sin\frac{x}{3} + C$.

38. $\frac{1}{2}\sin 2x + C$.

39. $-\frac{1}{2}\csc 2x + C$.

40. $-3\cot\frac{x}{3} + C$.

41. $-\frac{1}{4}\cos 4x + C$.

42. $-\frac{1}{4}\cot 4x + C$.

10.9 (page 266)

1. $7/3$.   2. $16/3$.

3. $\sqrt{3}-1$.   4. $\ln 2$.

5. $40/3$.   6. $1-e^{-1}$.

7. $\sqrt{2}-1$.   8. $10/9$.

9. $\ln 3$.   10. $4,99$.

10.11 (page 269)

1. $28/3$.   2. 12.

3. $26/3$.   4. $1/15$.

5. $2\ln 2$.   6. 20.

7. 10.   8. $\frac{1}{2}(e^4-1)$.

10.13 (page 273)

1. Une fonction peut posséder plusieurs primitives. Celles-ci ne diffèrent que par la valeur de leur terme constant.

2. Pour utiliser la formule [28], on devrait poser $u = x^2 + 4$, à la suite de quoi on aurait $du = 2x\,dx$ plutôt que $du = dx$, comme la situation le demanderait.

3. $\dfrac{3}{16}(4x + 1)^{4/3} + C$.

4. $\dfrac{1}{3}\ln|1 + x^3| + C$.

5. $\dfrac{1}{3}\sec 3x + C$.

6. $\dfrac{6}{5}x^{5/2} - \dfrac{4}{3}x^{3/2} + C$.

7. $2\sqrt{e^x} + C$.

8. $-(x^2 + 6x)^{-1} + C$.

9. $-3\cot\dfrac{x}{3} + C$.

10. $-\dfrac{1}{3}e^{-3x} + C$.

11. La solution est $f(x)$, puisque la dérivation et l'intégration sont des opérations inverses.

12. La solution est $f(x) + C$, vu que la seconde opération à effectuer est cette fois une intégration, auquel cas la réponse doit comporter une constante (cette constante étant indéterminée, dans le cas de l'intégrale indéfinie).

13. $4/3$.

14. $10/9$.

15. 9.

16. $\dfrac{e - 1}{2}$.

17. $\dfrac{1}{4}\ln\left(\dfrac{17}{2}\right)$.

18. 6.

19. $45/4$.

20. 24.

21. $22/3$.

22. $e - 1$.

23. $2e^{\sqrt{x}} + C$.

24. $e^{\tan x} + C$.

25. $\ln|\ln x| + C$.

26. $\dfrac{1}{4}\sec^4 x + C$.

27. $-\dfrac{1}{2}e^{1/x^2} + C$.

28. $1/4$.

29. $\dfrac{1}{3}(e^8 - e)$.

30. $2\ln\left(\dfrac{4}{3}\right)$.

31. $y = x^3 - 3x$.

B-3 (page 288)

1. $x^2(x + 2)(x - 2)$.

2. $(x + 3)(x - 7)$.

3. $(2x + 1)(4x^2 - 2x + 1)$.

4. $(2x + 3)(3x - 1)$.

5. $2x^2(x^2 + 3x + 4)$.

6. $(4x^2 + 9)(2x + 3)(2x - 3)$.

7. $3(x^2 + 4)(x^2 + 1)$.

8. $(x + 1)(x^2 - x + 1)(x - 1)$
$(x^2 + x + 1)$.

9. $(x + 4)(x - 7)$.

10. $(x - y)(x + y + 1)$.

11. $(2x+1)(3x-4)$.

12. $(x+3)(x-3)((x^2-9)^2+5)$.

13. $(5x+1)(x-7)$.

14. $(x-11)(x-3)$.

B-5 (page 290)

1. $2\sqrt{1+3x}$.

2. $4\sqrt{3}$.

3. $\sqrt{3}+\sqrt{5}$.

4. x^2+1.

5. $2\sqrt{x}$.

6. $\sqrt{x}\sqrt[3]{y}$.

7. $x-1$.

8. x.

9. $6-3x$.

10. x.

11. $2-\sqrt{3}$.

12. $\dfrac{x^2(\sqrt{x-3}-1)}{x-4}$.

13. $\dfrac{x-y}{(\sqrt{x}+\sqrt{y})^2}$.

14. $\dfrac{3}{2(\sqrt{5}-\sqrt{2})}$.

C-2 (page 296)

1. $x=0{,}841$ et $x=5{,}439$.

2. $x=1{,}107$ et $x=4{,}249$.

3. $x=3{,}990$ et $x=5{,}435$.

4. $x=2{,}094$.

5. $x=0{,}262$; $0{,}785$; $2{,}356$; $2{,}879$; $4{,}451$; $4{,}974$.

6. $x=1{,}047$ et $x=5{,}236$.

INDEX

Achevé   Imprimerie
d'imprimer Gagné Ltée
au Canada Louiseville